Kjell Ola Dahl

Tödliche Investitionen

Kjell Ola Dahl

Tödliche Investitionen

Aus dem Norwegischen von
Gabriele Haefs

Weltbild

Besuchen Sie uns im Internet
www.sammler-editionen.de

Genehmigte Lizenzausgabe für Sammler-Editionen in der
Verlagsgruppe Weltbild GmbH, Steinerne Furt, 86167 Augsburg

Titel der Originalausgabe »Dødens investeringer«,
erschienen 1993 bei Gyldendal Norsk Forlag AS
Einbandgestaltung: ZERO Werbeagentur, München
Titelmotiv: plainpicture / Stephen Webster
Arcangel Images / Dave Wall
Satz: Fotosatz Amann, Aichstetten
Druck & Bindung: CPI Moravia Books s.r.o., Pohorelice
Printed in the EU

1

Als er die Augen aufschlug, waren sie trocken wie Sandpapier. Er starrte an eine grauweiße Decke und wusste, es war Morgen, wusste, dass er in einem fremden Bett lag, aber nicht, warum. Das fiel ihm erst wieder ein, als er ihren warmen Arm an seiner Brust spürte.

Die Dämmerung verlieh dem Raum weiche Schatten. Es war Morgen, und er musste aufstehen. Er musste zur Schicht.

Sie konnten nicht lange geschlafen haben. Im schwachen Licht zeichnete sich ihr Körper als Silhouette ab. Ihre Haut schimmerte leicht im Halbdunkeln, nur Waden und Füße waren vom Laken bedeckt, das ans Fußende gerutscht war.

Langsam setzte er sich auf. Er lehnte sich an die Wand, um einen klaren Kopf zu bekommen. Er war müde und hätte sich gern wieder hingelegt. Hätte gerne die Decke über sich gezogen und weitergeschlafen. Wenn da nicht dieser Arsch von Vorarbeiter gewesen wäre, der schon in der ersten halben Stunde den Lohn kürzte.

Es war halb sechs. Keine Eile.

Er tastete nach seiner Unterhose und den restlichen Kleidern. Klemmte sich die Sachen unter den Arm und ging ins Badezimmer. Es dauerte lange, bis aus dem altmodischen Wasserhahn heißes Wasser kam. Das ließ ihm die Zeit, sein Spiegelbild zu betrachten. Ein blasses und unrasiertes Gesicht unter langen schwarzen Haaren, die eine Wäsche dringend nötig gehabt hätten. Er starrte die vielen Fläschchen und Tiegel auf der Ablage an. Wandte sich zu dem Wäscheständer über der Badewanne um. Kleine, verknitterte Slips und lange Strumpfhosen hingen im weißen Licht still da. Langsam zog er sich an und warf sich mit den Händen Wasser ins Gesicht.

Er wollte sich lieber davonschleichen und sie nicht wecken. Lieber später anrufen, vielleicht heute Nachmittag oder heute Abend. Aber erst musste er im Schlafzimmer seine Socken suchen. Die waren nicht zu sehen, auch nicht unter dem Bett.

Seine Knie knackten, als er sich aufrichtete. Sie lag da wie in einem Traum, schlief still, die Knie bis an die Brust hochgezogen. Weiße Haut und volle Lippen. Ihre kurzen hellen Haare fielen ihr über die Augen.

Da. Seine Socken lagen zerknüllt unter dem Bücherregal.

Es knallte. Er war mit dem Hinterkopf gegen ein Regal gestoßen. Er fasste sich an den Kopf und fluchte lautlos. Dabei hörte er die Decke rascheln. Sie kam zu ihm herüber.

»Gehst du?«

Ihre Stimme war belegt und schlaftrunken, ihre Haut warm.

»Ich wollte dich nicht wecken.«

Die Begegnung mit ihren wahnsinnig weichen Lippen ließ ihn leicht erzittern.

»Ich wäre gern mit dir zusammen aufgewacht«, flüsterte sie. Fuhr langsam mit ihrer Nase über seine Haut, während er mit der Handfläche über ihre Brustwarze strich.

»Ich ruf dich an«, sagte er und ließ sich widerwillig auf den Holzstuhl vor ihrem kleinen Schreibtisch fallen. Er zog seine Socken an, während ihre Finger mit seinen Haaren spielten.

Da klingelte das Telefon auf dem Tisch.

Der Ton schnitt in das halbdunkle Zimmer und ließ ihn zu ihr hochblicken. Ihr Blick war starr auf das Telefon gerichtet.

Er küsste ihren Bauch. Schöner Nabel, dachte er, während sie zögernd die Hand zum Telefon ausstreckte, das weiter klingelte.

»Ist das vielleicht für dich?«

Sie flüsterte mit unsicherer Stimme.

»Für mich?«

Ihr Gesicht war im Morgenlicht des Fensters nur ein weicher Schatten. »Niemand weiß, dass ich hier bin.«

Sie zögerte noch immer.

»Dann zieh doch den Stecker raus. Wenn du jetzt mit niemandem reden willst.«

Mit einer raschen Handbewegung nahm sie den Hörer ab. »Ja, hier ist Reidun!«, sagte sie in energischem Tonfall.

Stille in der Leitung. »Hallo, hier ist Reidun!«

Sie lächelte zu ihm hinab und klemmte den Hörer zwischen Kopf und Schulter. Ihre Finger spielten wieder mit seinem Haar.

Noch immer Stille in der Leitung.

Er spürte, wie sie seine Haare nach hinten strich, sie zusammenfasste.

»So.«

Sie lächelte. Ihre Hand winkte mit dem Pferdeschwanz, zu dem sie seine Haare gerade gebunden hatte.

Warum nicht, dachte er. Pferdeschwanz kann gut aussehen. Vor allem, wenn er ihr gefällt.

Er beugte sich vor und band sich die Schuhe zu, während sie zum dritten Mal ihren Namen nannte. Keine Antwort.

Ihre Brüste wogten, als sie mit den Schultern zuckte und den Hörer ansah. In diesem Moment hörten sie es beide. Ein trockenes Klicken.

Der Unbekannte hatte die Verbindung unterbrochen.

Langsam legte auch sie auf.

»Kriegst du häufiger solche Anrufe?«

Sie drehte sich um und schaute aus dem Fenster.

»Nein«, sagte sie schließlich. »Nein, wirklich nicht.«

Etwas war passiert. Sie flüsterten nicht mehr.

»Warum musst du gehen?«

Ihre Stimme klang jetzt etwas anders.

»Ich muss bald zur Arbeit. Und vorher noch nach Hause und mich umziehen. Mach's gut«, flüsterte er an der Tür und spürte wieder, wie seine Knie bei der Berührung mit ihren Lippen weich wurden. Er wartete, bis sie die Tür hinter ihm zugemacht hatte, dann lief er die Treppen hinunter, aus dem Hauseingang, holte Atem und hörte die Haustür hinter sich ins Schloss fallen.

Der Hinterhof war ein asphaltierter Platz mit einem Fahrradschuppen. Das Tor in dem düsteren Torweg war abgeschlossen. Es ließ sich auch von innen nicht öffnen.

Verwundert ging er zurück, blieb mitten auf dem Hof stehen. Er war eingesperrt! Auf zwei Seiten ragte unüberwindlich das Mietshaus auf. Die Tür zum Treppenhaus und auch das Tor waren verschlossen. Aber rechts war nur ein Bretterzaun, keine Steinmauer. Sicher war auf der anderen Seite ein Abbruchhaus. Schwer zu sagen. Der Zaun versperrte die Sicht. Aber es müsste möglich sein, hinüberzuklettern. Mehr als drei Meter waren das kaum. Wenn der Zaun nur nicht von Stacheldraht gekrönt gewesen wäre. Er war verrostet, aggressiv zu runden Bögen gewunden.

Das geht schon, dachte er und zog die Mülltonne heran. Verdammt! Was für ein Krach! Auf den Deckel. Die Tonne schwankte. In die Knie, Schwung holen! Jetzt!

Verflucht!

Er lag auf dem Boden, schaute in den blauen Himmel und auf eine rosa angestrichene Wand mit dunklen Sprossenfenstern. Hoch oben schwebte eine Möwe. Sie schrie. Er griff sich an den Kopf. Blut an den Fingern. Nächster Versuch. Er musste die Mülltonne wieder aufstellen.

Jetzt. Der Zaun knackte und gab unter ihm nach. Aber es ging. Er konnte ein Bein hochschwingen. Er wälzte sich hinüber und hörte eher, als dass er es spürte, wie der Stacheldraht seine Hose aufriss.

Er hatte richtig gelegen. Es war ein Abbruchgelände. Graubraune Grasbüschel zwischen roten Ziegelresten auf dem Boden. Noch ein Bretterzaun zur Straße hin. Aber der war nicht so hoch. Er nahm Anlauf und sprang. Der Stacheldraht zerrte an seiner Jacke. Er war draußen. Stille. Nur das Brummen eines Autos in der Ferne war zu hören, als er sich den Schmutz abklopfte. Sein Hemd war aus der Hose gerutscht, und er blutete stärker, als er zunächst gedacht hatte. Neben ihm hielt ein Taxi. Zwei Personen stiegen aus, gingen in großen Schritten zum Tor und schlossen auf, während das Taxi verschwand. Typisch! Hätte er ein paar Minuten gewartet, dann hätte er einfach hinausspazieren können.

Komischer Morgen, dachte er und schlenderte die wenigen Meter zurück zum Tor, das jetzt nur angelehnt war. Es knarrte, als er es aufschob und wieder auf den Hof ging. Jetzt entdeckte er die Klingelleiste neben der Tür. Was war er für ein Idiot! Ein Knopfdruck, und sie wäre mit ihrem Schlüssel gekommen und hätte ihn rausgelassen. Ein kleiner Zettel mit ihrem Namen klebte neben der Klingel. Blaue Kugelschreiberschrift, die ein wenig verlaufen war. Der Anblick des Zettels erinnerte ihn an ihre Haut unter seinen Fingerspitzen.

Er könnte wieder nach oben gehen. Sich zu ihr legen und weiterschlafen. Bis zwölf oder eins. Mit ihr zusammen aufwachen.

Probehalber drückte er gegen die Tür: offen. Also könnte er einfach hinaufgehen. Ein Stück entfernt, in einer Seitenstraße, lärmte eine Straßenbahn. Er dachte an ihre Finger, wie sie mit seinem Haar gespielt hatte. Unentschlossen blieb er stehen und schaute auf seine Uhr. Irgendwo schlug eine Autotür zu. Jemand kam, betrat den Hof.

Er entschied sich. Die Arbeit rief. Er ging, nickte dem Neuankömmling aber erst höflich zu.

2

Zu Hause zog er frische Arbeitskleidung an. Er hatte genug Zeit, deshalb legte er sich noch einen Moment aufs Bett, wollte nur ein Viertelstündchen die Augen zumachen. Aber dann schlief er wie ein Stein und verpennte den Schichtwechsel, weil er vergessen hatte, den Wecker zu stellen. Er schlief bis zwei Uhr nachmittags. Beim Aufwachen dachte er an sie. Dachte an den Vorabend, an ihren Körper. Wie sie sich unter ihm bewegt hatte. Wie sie danach auf der Seite gelegen hatte, den Kopf auf die Hand gestützt, wie sie miteinander geplaudert und die Finger über nackte Haut hatten fahren lassen.

Er war weggegangen und hatte dann blaugemacht, ohne es zu wollen. Hatte sechs Stunden hundertprozentige Überstunden verpasst und den fetten Hitzkopf von Vorarbeiter gegen sich aufgebracht. Aber er rief nicht bei der Arbeit an. Da hätte er auch gleich um einen Rüffel bitten können. Er setzte sich im Bett auf, suchte gähnend nach ihrer Telefonnummer und wählte.

Die Telefongesellschaft unterbrach die Verbindung automatisch. Er legte auf und nahm wieder ab. Wählte noch einmal ihre Nummer und ließ es klingeln. Bis wieder das Besetztzeichen ertönte.

Telefonklingeln ist leicht zu überhören. Aber wenn die Wohnung klein ist und die Tür offen steht, ist es zu hören. Wenn das Klingeln aufhört, ist klar, dass jemand in der Wohnung ist. Wenn nicht, dann ist niemand da. Problematisch wird es, wenn jemand da zu sein scheint und das Geklingel dennoch nicht aufhört. Es wird zum Signal, zur Warnung, dass etwas nicht stimmt.

Wer die Treppe putzt, hört weg. Aber kleine Kinder von drei Jahren haben noch nicht gelernt, was sich gehört und was nicht. Der dreijährige Joachim hatte einen kleinen Lappen in einem Eimerchen, das er natürlich unten auf der Treppe zwischen dem zweiten und dem dritten Stock ausgekippt hatte. Joachim lächelte. »Nass«, rief er und lachte, dann fing er eifrig an zu putzen. Bis es zu trocken wurde und Mama mit ihrem Eimer zum Nachfüllen kommen musste. Und nun bemerkte sie, dass die Tür zu Reidun Rosendals Wohnung offen stand. Leise schlug das Schloss im schwachen Durchzug, der im Treppenhaus immer herrschte, gegen den Türrahmen. Seltsam war nur die Stille dort drinnen. Es war eine kleine Wohnung, und die Nachbarin hätte eigentlich hören müssen, was vor sich ging. Mia Bjerke kannte Reidun kaum, sie grüßten sich nur, wie Nachbarinnen im Treppenhaus das eben tun. Aber als sie die Treppe schon halb geputzt hatte, klingelte es drinnen. Lange, und als es endlich aufhörte, fing es gleich wieder an. Klein-Joachim, der ganz unten auf der Treppe stand, sagte:

»Es klingelt, Mama!« Das sagte er zwei Mal, und beide Male antwortete sie, dass Reidun, die da wohnte, sicher nicht zu Hause sei.

Aber dann öffnete sie das kleine Fenster auf dem Treppenabsatz, und Joachim sagte, Reidun sei doch zu Hause. »Du lügst ja, Mama!«, sagte Joachim.

Ein starker Durchzug riss die Tür von Reiduns Wohnung auf.

»Komm her, Joachim!«, sagte sie scharf. Und Joachim gehorchte. Vielleicht wegen des Tonfalls seiner Mutter, oder vielleicht, weil er von der Stimmung erfasst wurde, die sich plötzlich im Treppenhaus verbreitet hatte.

Ein nackter Fuß auf dem Fußboden der Wohnung verriet Mia Bjerke, dass die ganze Zeit jemand zu Hause gewesen war.

3

Kriminalhauptkommissar Gunnarstranda war überrascht von der Person, die ihm die Tür aufmachte. Aber er ließ sich von ihrer Reaktion nicht aus dem Konzept bringen, weder von dem Blick, mit dem sie ihn zunächst bedachte, noch von dem, der dann seinem Dienstausweis galt. Er kannte diesen Blick und war daran gewöhnt, denn sein dünner, kleiner Körper strahlte keinerlei Autorität aus. Er maß einsvierundsechzig auf Strümpfen. Jedes einzelne seiner siebenundfünfzig Jahre hatte Spuren hinterlassen. Sein Gesicht war faltig, sein Schädel fast kahl. Nur ein kleines struppiges Haarbüschel krallte sich noch fest. Einige spärliche Strähnen, die er jeden Morgen feierlich vom einen Ohr zum anderen kämmte.

Gunnarstranda war sich seiner traurigen Erscheinung bewusst. Deshalb nahm er es hin, dass sie ihn von oben herab musterte wie ein seltsames Insekt, das sie unter der Türmatte entdeckt hatte.

Zur Antwort entblößte er sein weißestes Lächeln. Was ihre Verwirrung nur noch größer machte. Nur wenige erwarteten bei einem Winzling in verschlissenem Mantel, mit nikotingelben Fingern und Brandspuren am Hemd ein perlweißes Gebiss. Aber es handelte sich dabei ja auch um dentales Handwerk. Um eine Art Porzellan. Edel hatte ihm diese Verschönerung einmal nach einem Lottogewinn spendiert. »Endlich kommt jetzt mal Ordnung in deinen Mund«, hatte sie gesagt, während sie sich über die Zahlen gebeugt hatte. Vielleicht hatte sie die Stummelwüste in seinem Mund einfach sattgehabt. Sie hatte das allerdings nie gesagt. Und er hatte auch nicht gefragt. Edel hatte ohnehin immer ihren Willen durchgesetzt. Und jetzt war es zu spät, um sie zu fragen. Vier Jahre zu spät.

Wie immer half ihm sein Lächeln. Es ließ den Eindruck von Schmuddeligkeit verschwinden. Sein Lausbubenlächeln machte die Leute unsicher, deshalb hauten sie ihm nicht gleich mit der Faust ins Gesicht.

Die Frau erwiderte sein Lächeln, und alles war gut. Er zwinkerte. Sie zwinkerte und hatte sich wieder gefangen. Sie trat zur Seite und hielt ihm die Tür auf, bat ihn, sich hinzusetzen, während sie kurz in der Küche nach dem Kind schaute.

Er wartete ruhig ab und sah sich in dem großen, luftigen Wohnzimmer um. Eine frisch renovierte Wohnung. Weiße Fasertapeten. Lackierter Parkettboden ohne Risse oder Fehler. Vorhänge in hellen Pastellfarben vor großen Fenstern. Schlichte, teure Möbel, Manila und gefärbtes Leder. Auf dem Boden ein paar Spielsachen, die verrieten, dass hier ein Kind lebte, auch wenn der Couchtisch aus dickem Rußglas häusliche Disziplin andeutete. An den Wänden drei Originale eines modernen Künstlers, den Gunnarstranda nicht kannte. Aber sein geübter Blick bemerkte sofort den Hauch von Klasse der echten Ölgemälde mit Signatur.

Er befand sich in einer von jungem Wohlstand geprägten Wohnung.

Überraschend.

An sich war es keine Überraschung, in einem Mietshaus in Grünerløkka eine schön eingerichtete Wohnung zu finden, aber das Standesgemäße machte ihm Gedanken. Die Ölgemälde und der Stil der hoch gewachsenen Frau, die ihm sympathisch war. Sie wirkte solide, auch wenn ihr Akzent eher snobistisch war. »Warten Sie bitte im Wohnzimmer«, hatte sie gesagt. Im Wohnzimmer! Die Art, wie sie das Wort ausgesprochen hatte, passte zu ihrer Kleidung, zu ihrer Halskette. Dazu, wie sie sich gekonnt des Kindes annahm und ebenfalls seiner unausgesprochenen Forderung.

Im Stillen hatte er ihren langsamen Gang von der Diele zur Küche beobachtet. Die natürliche Bewegung der Hüften. Sie war eine geschmeidige und wohl geformte Frau von etwa dreißig. Vermutlich hatte sie eine abgeschlossene Ausbildung, war also von der vernünftigen Sorte. Erst ein Beruf, dann ein Kind.

Gunnarstranda stand am Fenster. Blickte auf die Straße hinab. Dachte an alte Zeiten, wie er in Dælenenga Schlittschuh gelaufen war, dachte an die Brauereipferde in den Straßen, an Außenklos bei vielen Grad minus und an Küchen, in denen nachts ins Waschbecken gepinkelt wurde.

Und heute legten die Reichen echten Parkettboden auf die alten Dielenbretter. Merkwürdig, dachte er, dass die feinen Pinkel Pantoffeln tragen, um keine Kratzer ins Parkett zu machen. Hier, in dieser alten Mietskaserne. Vor ein paar Jahren noch war es für Snobs auch im unteren Teil Grünerløkkas, im Markveien und der Thorvald Meyers Gate akzeptabel gewesen. Aber die meisten hatten die Flucht von dort ergriffen. Jetzt konnte er selber feststellen, dass dieser Teil von Grünerløkka offensichtlich auch noch annehmbar war. Und das war wirklich eine Überraschung. Denn diese Frau in der Küche hatte gesellschaftlich eine andere Stellung als der Pakistani von nebenan, der Kleider aus den 70er Jahren trug und in einer Wohnung mit den wackligen Sperrmüllmöbeln lebte. Er war ein sehr höflicher, korpulenter Mann mit Apfelbäckchen und Zahnbürstenschnurrbart. Ein Mann, der seine Frau zurück in die Küche scheuchte, als sie an die Tür geschlurft kam. Der Kerl hatte ausgesehen wie eine Aufziehpuppe. Er hielt die Hände auf dem Rücken verschränkt, und um seinen Mund lag ein krampfhaftes Lächeln. Er hatte nicht das Geringste gehört oder gesehen. Niemals, und an diesem Wochenende schon gar nicht. Aber trotz allem passte der

Mann hierher. Er und die beiden Möchtegernkünstler ein Stockwerk höher. Zwei große, magere Hippies in knallbunten Klamotten, die versuchten, auf der Fensterbank Marihuana zu ziehen. Der Mann war vermutlich um die vierzig und sicher arbeitslos. Sie lief barfuß, in Hosen mit Schlag und aufgestickten Blumen. Zwei Fossilien aus den 60er Jahren, die zwischen Zeitungsstapeln und halb leeren Weinflaschen lebten. Beide betonten, wie wenig sie von ihrer Umgebung mitbekamen, vor allem an besagtem Sonntagmorgen, als sie von einem Fest gekommen waren.

Er presste die Stirn gegen die Fensterscheibe und starrte auf die Straße hinunter, wartete geduldig, bis sie fertig war und aus der Küche kam.

»Sie haben mit dieser Wohnung ja wirklich Glück gehabt«, rief er, mit dem Rücken zu ihr. »Und Sie haben gründlich renoviert. Ich bin hier aufgewachsen, damals hatten wir nicht einmal eine Toilette im Treppenhaus. Und um diese Zeit war es im Haus genauso kalt wie draußen.«

Er drehte sich um und hob den Arm zur Sonne, die zum Fenster hereinschien. »Und Sonne haben Sie hier auch. Das haben in Grünerløkka nicht viele.«

Sie nickte höflich und leicht nervös.

»Ich bin ein Stück weiter unten groß geworden«, er zeigte aus dem Fenster. »In der Seilduksgata unterhalb von Dælenenga. Es würde mich kein bisschen wundern, wenn ich damals auch in dieser Bude Bekannte gehabt hätte.«

Den letzten Satz begleitete ein breites Lächeln.

Er durchquerte das Zimmer und ließ sich auf dem geschwungenen rosa Ledersofa nieder.

Der kleine Junge klammerte sich ans Hosenbein seiner Mutter und starrte Gunnarstranda aus großen Augen an. Ihre hellblauen Augen glitzerten nervös, und sie rang sich ein angespanntes Lächeln ab, das ihm mitteilte, er solle nicht mehr als nötig von alten Zeiten reden. Er blickte sie über den Tisch hinweg an und schenkte dem Kleinen keine weitere Beachtung. Für Kinder interessierte er sich nicht.

»Bist du Polizist?«, wollte der Junge wissen.

»Mein alter Herr hat bei Freia gearbeitet«, fuhr Gunnarstranda nachdenklich fort. »Gute Rente hat er auch gekriegt. Dafür war er berühmt, der Direktor Throne-Holst! Er hat seinen Leuten schon Rente bezahlt, als sonst noch kaum jemand auf den Gedanken gekommen war. Sie haben doch sicher von Throne-Holst gehört?«

Nervös schüttelte die Frau den Kopf.

Er lehnte sich vertraulich zu ihr hinüber. »Sie müssen schon entschuldigen, aber wissen Sie, als einer, der in dieser Gegend aufgewachsen ist, kann ich sagen, dass in dieser Wohnung eine unglaubliche Arbeit stecken muss. Das kann nicht billig gewesen sein?«

Ihr Lächeln veränderte sich bei diesem Kompliment, und Gunnarstranda begriff, dass sie bei der Renovierung fleißige Finger mit im Spiel gehabt haben musste. Aber ihr Lächeln verschwand, und der Ernst überkam sie wieder.

»Das ist noch die Frage«, antwortete sie. »Jetzt, wo unten der Mord passiert ist. Joachim und ich haben Angst, die Preise könnten fallen, und dann verlieren wir hier eine Menge Geld.«

»Wollten Sie denn schon wieder ausziehen?«

Gunnarstranda versuchte, auch den Jungen anzulächeln. »Du arbeitest also schon als Wohnungsmakler?«

Sie lächelte. »Joachim ist mein Mann. Das ist Joachim junior.« Sie streichelte dem Kind über den Kopf.

Joachim junior, wiederholte Gunnarstranda in Gedanken und holte Atem. »Die Ermordete …«

Er begegnete ihrem Blick. »Wie gut haben Sie sie gekannt?«

Sie zögerte kurz und dachte nach.

»Schwer zu sagen. Nun, wir haben uns gegrüßt, und sie wirkte … ja, ganz okay. Sie schien mir recht umgänglich. Und Joachim«, wieder zögerte sie, »er kannte sie auch nicht besser als ich – glaube ich zumindest.« Sie lachte mit einem kleinen Unterton. Sofort reagierte Gunnarstranda. »Wie meinen Sie das?«

Sie senkte den Blick. »Das war ein Scherz«, sie lächelte leicht verkrampft. »Sie war doch eine sehr hübsche Frau.«

Ihr Gesicht verriet, dass sie ihren Mann gut im Blick hatte.

»Er hat also ab und zu mit ihr gesprochen?«

Gunnarstranda merkte, dass sie sich über diese Frage ärgerte.

»Wir waren ja irgendwie Nachbarn, und ja … nein!«

Sie hob die Arme.

»Sie hatten also nicht viel mit ihr zu tun, es gab keine gemeinsamen Freunde?«

»Nein.«

»Wissen Sie, ob sie einen festen Bekanntenkreis hatte, ob irgendwer sie oft in ihrer Wohnung besuchte?«

»Da kann ich leider nicht helfen«, sagte sie entschieden. Und als der Polizist schwieg, fuhr sie fort:

»Tja, sie hat ja unter uns gewohnt, und wenn ich ihr begegnet bin, war sie fast immer allein. Ich habe sie auch schon zusammen mit anderen gesehen, Männern und Frauen, aber das ist doch immer so. Sie war eine ganz normale Frau, die allein lebte, und wir wohnen hier ja noch nicht einmal ein halbes Jahr.«

»Sind Sie berufstätig?«

»Halbtags, ja.«

Der Junge wurde auf dem Arm seiner Mutter unruhig, und ein Teil ihrer Aufmerksamkeit richtete sich jetzt auf ihn. »Würden Sie diese Leute auf einem Foto wiedererkennen?«

»Wen denn? Schluss jetzt, Joachim!«

Ärgerlich packte sie die Hand des Kleinen, um ihn zu bändigen.

Gunnarstranda sah sie geduldig an. »Die, mit denen Sie sie gesehen haben ...«

»Entschuldigung«, sagte sie und erhob sich. Sie bückte sich zu dem Kleinen hinunter, und während sie leise mit ihm sprach, blickte sie ihm in die Augen. »Mama muss mit dem Mann reden. Du musst was anderes machen. Spiel doch ein bisschen mit deinen Klötzchen!«

»Nein!«

Der Kleine war alles andere als willig. Beleidigt starrte er den Polizisten an, der seinen Tabak hervorzog und sich an seinem Drehmaschinchen zu schaffen machte. Das fand der Junge interessant, und er drehte sich um, um Gunnarstranda zu beobachten, der sich auf dem Glastisch in aller Ruhe ein kleines Lager von Filterzigaretten drehte.

Die Mutter dachte nach. »Ehrlich gesagt, ich glaube, ich habe mir keinen davon richtig gemerkt, ich weiß nicht.«

Der Kriminalhauptkommissar blickte nicht auf. »Aber Sie wohnen hier doch schon ein halbes Jahr! Im Treppenhaus war doch sicher kein Hochbetrieb!«

Darauf gab sie keine Antwort.

»Und sie war eine flotte Biene«, sagte er. »Eine flotte Biene, der Ihr Mann gerne mal hinterherschaute!«

Gunnarstranda begegnete ihrem Blick und las darin Verwirrung. Aber er lächelte nur unverbindlich. Er konnte sehen, dass sie bereit war, diese Frage freundlich auszulegen. »Ehrlich gesagt, glaube ich nicht, dass ich jemanden nach einer kurzen

Begegnung hier auf der Treppe auf einem Foto wiedererkennen könnte, nein, das glaube ich nicht.«

Gunnarstranda sammelte seine Zigaretten ein und erhob sich. In diesem Moment hörten sie die Wohnungstür. Der Kleine lief, gefolgt von seiner Mutter, hinaus. Gunnarstranda steckte sich eine Zigarette an, trat ans Fenster und öffnete es einen Spaltbreit, während sie ihren Mann begrüßte. Er konnte hören, wie der Vater mit dem Kind herumalberte und wie das Ehepaar leise miteinander tuschelte.

Um niemanden zu verärgern, versuchte er, so viel Rauch wie möglich aus dem Fenster zu blasen.

Kurz darauf standen sie in der Tür. »Sie können ruhig rauchen«, versicherte sie nervös. »Ich hole einen Aschenbecher. Das ist der Herr von der Polizei.«

Letzteres galt ihrem Ehemann, der hinter ihr stand.

Sie begrüßten sich.

Der Mann ging auf die vierzig zu. Er hatte feuchte Hände, was von Handschuhen kommen konnte. Als er sich sehr formell verbeugte, fiel ihm sein dickes, widerspenstiges Haar in die Augen. Im Nacken war es zu einer scharfen Kante geschnitten. Seine hektischen Augen betonten seine abstoßende Energie.

»Wir untersuchen den Mord an der Frau in der unteren Etage«, sagte Gunnarstranda langsam.

»Ja, das wird aber auch Zeit.«

Gunnarstranda starrte dem Mann in die Augen und streifte seine Asche im Aschenbecher ab, den die Mutter des Kindes ihm hingestellt hatte. Ein sensibler Mund, um die Lippen war die Andeutung eines Lächelns zu sehen.

Der Polizist beschloss zuzuschlagen. »Sind Sie je in ihrer Wohnung gewesen?«

Ein zögerndes Schweigen überschattete die Selbstsicherheit

seines Gegenübers für einen Augenblick. Es war ein Schatten kalter Berechnung. Für Gunnarstranda war das Antwort genug.

»Ja.«

Gunnarstranda spürte, wie die Augen der Frau seine rechte Schulter verbrannten.

»Wie oft?«

Diesmal musste er etwas länger auf die Antwort warten. »Ich habe ihr mal geholfen. Nicht wahr, Mia? Im Winter, mit dem Starthilfekabel, und dann … na ja, sie war doch unsere Nachbarin.«

Der Mann breitete in gespielter Resignation die Hände aus.

Gunnarstranda nickte nachdenklich. »Sie hatte ja eine viel kleinere Wohnung als Sie. Stört es Sie, wenn ich mich hier ein bisschen umsehe?«

»In allerhöchstem Maße!«

Joachim senior schürzte die Oberlippe. Gunnarstranda zog wieder an seiner Zigarette. Er blickte dem anderen gerade ins Gesicht: »Sie möchten diesen Mord doch aufgeklärt sehen, nicht wahr?«

Der Mann starrte zurück und fauchte: »Zuerst habt ihr hier den halben Tag mit Leuten und Autos Krach gemacht. Dann mussten wir den halben Nachmittag auf euch warten. Ich habe zwei wichtige Termine abgesagt. Bei dem Tempo klärt ihr den Mord irgendwann im nächsten Jahrhundert auf!«

»Was sind Sie von Beruf?«, fragte der Kriminalhauptkommissar.

»Wirtschaftsberater. Wirtschaftsprüfer.«

Gunnarstranda nickte. »Privat?«

»Ja.«

»Sie haben vielleicht eine Karte?«

Mit resignierter Miene griff der Mann nach seiner Brieftasche und reichte Gunnarstranda eine Karte mit Firmenstempel und Farbfoto. Gunnarstranda ließ sie zwischen seinen Fingern wippen. »Nun, Herr Bjerke«, sagte er und fixierte sein Gegenüber. »Da diese Wohnung so privat ist, können Sie mir vielleicht erzählen, welches Ihrer Zimmer Reidun Rosendals Wohnung am nächsten gelegen ist?«

»Das Schlafzimmer.«

Mia Bjerke, die das Kind jetzt auf dem Arm hielt, schaltete sich ein. Etwas nervös blickte sie ihren Ehemann an. »Unser Schlafzimmer liegt ungefähr über ihrer Wohnung«, fuhr sie fort und lächelte leicht angestrengt. »Im Schlafzimmer merkt man ja, wie hellhörig diese alten Häuser sind.«

Gunnarstranda wandte sich ihr zu.

»In der Nacht zum Sonntag, haben Sie da etwas Besonderes gehört?«

»Nein, wir sind früh schlafen gegangen, wir gehen meistens früh schlafen, Joachim junior wacht früh auf, und wir machen sonntags gern einen Spaziergang, und …«

»In der Wohnung, das ist Ihnen sicher aufgefallen, herrschte eine wüste Unordnung«, fiel Gunnarstranda ihr ins Wort. »Möglicherweise von einem Einbruch. So ein Einbruch braucht nicht viel Lärm zu machen, ein Handgemenge zwischen dem Fremden und Reidun dagegen wäre sicher recht laut geworden.«

Ihr Mann wurde ungeduldig und rief:

»Niemand bricht am Sonntagmorgen bei einem Menschen ein!«

Gunnarstranda drehte sich zu ihm um. »Es wäre nicht das erste Mal«, antwortete er eiskalt. »Es ist auch schon vorgekommen, dass alleinstehende Frauen in ihrer Wohnung überfallen und verletzt worden sind, im Schlaf, und zwar genau Sonntagmorgen.«

Er wollte noch mehr sagen. Es lag ihm auf der Zunge, aber er riss sich zusammen. Stattdessen wandte er sich wieder ihr zu. »Und Sie haben auch nicht gehört, wann sie am Samstagabend nach Hause gekommen ist?«

»Nein, alles war wie immer!«

Sie breitete die Arme aus.

»Und Sonntagmorgen?«

»Ich bin gegen acht Uhr aufgestanden«, antwortete sie nachdenklich. »Joachim stand unter der Dusche, er war schon joggen gewesen«, sie lächelte ihren Ehemann an. »Wir haben gefrühstückt und, na ja, die übliche Routine, wissen Sie, sonntags früh, und wir haben einen Spaziergang am Fluss gemacht, nur einen kleinen Vormittagsspaziergang.«

»Sie haben gesagt, dass die Tür zum Tatort offen stand, als Sie die Leiche gefunden haben? Ist Ihnen das auch vor Ihrem Spaziergang aufgefallen?« Joachim schüttelte den Kopf. Mia dachte nach. »Ich bin mir da einfach nicht sicher«, sagte sie schließlich. »Ich weiß nur noch, dass ich es sofort gesehen habe, als ich anfing die Treppe zu putzen, aber das liegt vielleicht daran, dass Joachim da unten stand, sicher bin ich mir nicht.«

»Und Sie?«

Gunnarstranda wandte sich wieder ihrem Mann zu. »Sie sind kurz vor acht vom Joggen zurückgekommen?«

Der Mann nickte mit entnervtem Blick.

»Wie lange waren Sie joggen?«

Der andere zuckte mit den Schultern. »Ich jogge immer vor dem Frühstück. Nach dem Aufwachen. Aus Gesundheitsgründen.«

Er schielte auf Gunnarstrandas Zigarette im Aschenbecher. »Im Gegensatz zu gewissen Angewohnheiten anderer Leute.«

Der Polizist überhörte diese Spitze. »Ist Ihnen irgendwer begegnet?«

»Wenn ja, dann weiß ich das nicht mehr.«

»War die Haustür abgeschlossen, als Sie losgelaufen sind?«

»Nein.«

»Sicher?«

»Ja, ganz sicher.«

»Ist das üblich so?«

Wieder zuckte der Mann mit den Schultern. »Manchmal ist abgeschlossen, manchmal nicht, kommt drauf an, wer ins Haus gegangen ist, nehme ich an.«

»Und das Tor draußen, war das abgeschlossen?«

»Auch nicht.«

»Ist das üblich oder unüblich?«

»Kommt ebenfalls drauf an.«

Gunnarstranda stützte sein Kinn in die Hände und starrte ihn schweigend an. Da das keine Wirkung zeigte, konzentrierte er sich auf die Frau. »Sie haben nicht gehört, wie Joachim die Wohnung verlassen hat, und auch nicht, wie er zurückgekehrt ist?«

Erst schaute sie nervös ihren Ehemann an, dann den Polizisten, dann wieder ihren Mann. Die Antwort machte ihr Probleme.

Er wandte sich an den Ehemann. »Haben Sie im Hof oder in der Nähe irgendwen gesehen, als Sie das Haus verlassen haben?«

»Nein.«

»Und bei Ihrer Rückkehr?«

»Vielleicht ein Taxi oder ein Auto, die Straßenbahn, na ja, alles Mögliche, aber mir ist nichts Besonderes aufgefallen, ich wollte nur laufen.«

»Und die Tür zur Mordwohnung stand offen?«

»Diese Frage habe ich schon beantwortet.«

»Aber Sie sind an diesem Vormittag drei Mal dicht an der Tür vorbeigekommen.«

»Ja, das trifft zu.«

»Waren Sie am Sonntagmorgen in ihrer Wohnung?«

»Nein, natürlich nicht.«

»Und Sie haben aus der Wohnung weder Sonntagmorgen noch am Vormittag ein Geräusch gehört?« Gunnarstranda wandte sich an beide, aber es war Mia Bjerke, die antwortete.

»Nein.«

»Waren Sie je in ihrer Wohnung?« Jetzt sprach er sie direkt an.

Joachim nahm ihr die Antwort ab. »Das war sie nicht.«

Gunnarstranda blickte schräg zu ihm auf. Er wusste selber, dass diese Bewegung zu hektisch war, aber er spürte die Wut in seinen Wangen brennen. »Ihre Frau ist über achtzehn und mündig. Sie kann entweder allein antworten, ohne Ihre Hilfe, oder in offizieller Umgebung in meinem Büro, wo Sie sie nicht unterbrechen können.«

Der Mann schwieg. Gunnarstranda wandte sich wieder an Mia. Holte Luft und spendierte ihr ein weißes Lächeln. »Waren Sie je in ihrer Wohnung?«

Noch ehe er die Frage beendet hatte, hatte sie mehrmals den Kopf geschüttelt.

Der Polizist erhob sich und nahm seinen Notizblock vom Tisch. »Das war für heute alles. Unser Vorgehen in diesem Fall wird sich nicht von dem in anderen Fällen unterscheiden. Zu Beginn einer Ermittlung arbeiten wir breit gefächert. Wir kommen später noch einmal, um uns um Details zu kümmern. Deshalb sind wir von der Mitarbeit der Zeugen abhängig. Darauf bauen unsere Ermittlungen zum Großteil auf.«

Mehr brauchte er nicht zu sagen. Die beiden interessierte das nicht. Er verließ sie. Niemand brachte ihn zur Tür.

4

Auf der Straße musste er genau vier Minuten warten, bis Frank Frølich den Dienstwagen neben ihm zum Stehen brachte.

Gunnarstranda stieg ein, ohne den Sicherheitsgurt anzulegen. »Und was hast du herausgefunden?«, keuchte er, während er sich alle Mühe gab, seinen Mantel nicht plattzusitzen.

»Ich habe bei ihrer Arbeit angerufen.«

Frølich griff nach hinten und nahm eine dunkelbraune, abgenutzte Ledertasche vom Rücksitz und entnahm ihr einen Stapel Papiere. »Sie hat als so genannte Kundenbetreuerin gearbeitet, vermutlich also als Verkäuferin. Sie ist vor einem halben Jahr auf eine Annonce hin eingestellt worden.« Er drehte sich wieder um. »Ich habe mit einer Frau im Büro gesprochen, Sonja Hager. Ich habe den Eindruck, dass es ein kleiner Betrieb ist. Sie legen beim Personal Wert auf Flexibilität, sagte Hager. Also hat das Mädchen sicher auch noch andere Jobs gehabt.«

Mit Frølich als Fahrer war es eng im Auto. Die Knie des riesigen Kerls waren fast gegen das Lenkrad gequetscht, obwohl er den Sitz so weit wie möglich nach hinten geschoben hatte. Als er auf seinem Schoß die Unterlagen ausbreitete, musste der Kriminalhauptkommissar sich an das Fenster drücken, um Platz für die Arme des anderen zu machen.

»Sie hat Abitur gemacht, irgendwo im Nordwesten, Møre und Romsdal.«

Der Mann am Steuer kratzte sich im Bart. Schwarzer Vollbart mit grauen Sprenkeln, genau wie seine Haare. Haare und Bart waren struppig wie eine Piassavabürste. Was Gunnarstrandas Neid erregte. Sein einziger Trost war die Ahnung von Grau, obwohl der Knabe noch keine dreißig war.

»Dann zog sie nach Oslo um.«

Frølich sprach immer leicht nasal, wenn er Fakten referierte. Er atmete durch die Nase und redete mit dem Mund. »Wir haben von zwei Zeitarbeitsbüros ein paar Gelegenheitsjobs bestätigt bekommen, das reicht für einige Monate«, erzählte er. »Ansonsten Unklarheiten, aber ich konnte immerhin feststellen, dass sie ein Jahr bei der Post gearbeitet hat. Vor anderthalb Jahren hat sie da aufgehört, weil sie studieren wollte. Hat sich am 13. Januar letzten Jahres immatrikuliert, aber nie eine Prüfung gemacht. Dann hat sie sich am 4. Mai beim Arbeitsamt gemeldet und Anfang Oktober letzten Jahres bei Software Partners angefangen, so heißt die Firma. In der Zwischenzeit hat sie offenbar einige Wochen als Kassiererin in einem Supermarkt gearbeitet.«

Gunnarstranda nickte. Sein Kollege blätterte weiter in den Papieren auf seinem Schoß, erzählte, dass die Wohnung einem Lehrer gehöre, der derzeit in der Finnmark arbeite, um seine Studienschulden zu reduzieren. Seit zwei Jahren hatte sie dort gewohnt.

»Dieser Lehrerheini hat schon zweimal angerufen und genervt, wir sollten ihm einen neuen Mieter suchen.« Frank Frølich seufzte, blätterte weiter. »Dröger Typ, dieser Pauker.«

»Erzähl weiter.«

Gunnarstranda blickte noch immer auf die Straße und sah den beiden Hippies hinterher, die jetzt aus dem Tor kamen. Die zwei mageren, krähenhaften Gestalten in weiten, flatternden Gewändern stolzierten die Sannergata hoch, während Frølich berichtete, dass der Vater der Verstorbenen ebenfalls tot war, dass ihre Mutter aber noch lebte und dass ihre zwei Jahre ältere Schwester mit einem Ölarbeiter verheiratet war und in Flekkefjord wohnte. Die Verstorbene hatte früher Mutter und Schwester bisweilen besucht, und jetzt machte die Mutter sich wegen der praktischen Arrangements für die Beerdigung Sorgen.

»Finanzlage?«

»Bisher unklar.«

»Ihr Briefkasten ist auch leer«, fügte Gunnarstranda nach kurzem Schweigen hinzu.

Frølich sah noch einmal in den Unterlagen nach. »Weder Schwester noch Mutter erinnern sich an Namen, außer an Software Partners, diese Firma, bei der sie gearbeitet hat. Sie hatten sie beide seit einer ganzen Weile nicht mehr gesehen und hatten auch keine Verabredung mit ihr. Sie hatten in ihren Briefen keine Veränderung bemerkt, überhaupt: Der Tod kam für sie völlig überraschend.«

»Geld auf der Bank?«

»Nix. Wie gesagt, ist das noch ein bisschen unklar, aber ihr Girokonto ist leer.«

»Gut«, murmelte Gunnarstranda leise. Frølich hatte schon recht viel ausgraben können. Hatte der Frau einen Rahmen gegeben, und nun war sie mehr als nur eine Leiche. Aber das Bild war verschwommen, es fehlten die Details. »Niemand hat auch nur das Geringste gehört oder gesehen«, fügte Gunnarstranda hinzu. »Nicht einmal Geräusche von fallenden Gegenständen oder einem Kampf.«

Er zündete sich eine Zigarette an. Sein Kollege kurbelte langsam das Fenster herunter.

»Wir haben dieses Paar, das am frühen Sonntagmorgen nach Hause gekommen ist.«

Gunnarstranda nickte zum Hippiepaar hinüber. »Die beiden. Sie behaupten, vor dem Tor einen Mann mit Pferdeschwanz und Blut im Gesicht gesehen zu haben. Und sie wissen nicht mehr, ob sie beim Gehen Haustür oder Tor abgeschlossen hatten.«

Frølich nickte. »Wir könnten sie mit einem Zeichner zusammensetzen und sie um einen Steckbrief bitten.«

»Die sind unbrauchbar«, meinte Gunnarstranda. »Die waren so zugekifft, dass ihnen erst nach einer Viertelstunde eingefallen ist, dass der Kerl einen Pferdeschwanz hatte. Nein, das bringt nichts.«

Er rauchte für einen Moment schweigend vor sich hin. »Sie ist übel mit dem Messer zugerichtet worden. Das lässt auf schlechte Stimmung zur Tatzeit schließen.«

Die Zigarette brannte schief. Gunnarstranda pustete die Glut an, in der Hoffnung, das zu korrigieren. »Aber ich wundere mich über diese Unordnung, die durchwühlten Schubladen und das ganze Chaos auf dem Boden. Offenbar wollte irgendjemand an ihre Wertsachen.«

»Gestohlen wurde nichts«, parierte Frølich sachlich. Las aus dem Protokoll vor: »Stereoanlage nicht angefasst, Fernseher vorhanden, Geld ebenso.«

»Vielleicht hat sie sich ja einfach gewehrt«, murmelte Gunnarstranda. »Aber es gefällt mir nicht, dass die Wohnungstür unbeschädigt war. Andererseits stand die Tür noch offen, als Mia Bjerke die Leiche gefunden hat.«

»Bolzenschloss«, sagte Frølich mit der Nase im Papierstapel. »Das schnappt nicht zu.«

Er strich sich über den Bart und legte den Kopf in den Nacken. »Sie kann gestern Abend vergessen haben abzuschließen, oder sie hat dem Mörder geöffnet, hat ihn hereingelassen.«

Gunnarstranda blickte auf die Straße hinaus. »Niemand ist durchs Fenster eingestiegen«, sagte er. Wandte sich dem anderen zu. »Glaubst du, dass sie vergewaltigt worden ist? Ich meine, sie hatte doch nur einen Morgenrock an.«

Frølichs dunkle Augen wirkten abwesend. »Wir wissen ja

nicht, wann in der Nacht das passiert ist«, murmelte er. »Aber wenn sie geschlafen hat, und dann klingelt es plötzlich …«

Er verstummte, suchte nach Worten. Gunnarstranda beugte sich vor und schnippte die Glut seiner Zigarette in den Aschenbecher, behielt die Kippe aber in der Hand.

»Wenn sie sich den Bademantel schnell übergeworfen hat«, fuhr Frølich fort, »und jemandem die Tür geöffnet hat, der sie vergewaltigt hat, dann hätte jemand etwas hören müssen.«

Gunnarstranda dachte an Familie Bjerke. An ihr Schlafzimmer, das direkt über der Wohnung lag. »Niemand hat irgendwas gehört«, wiederholte er verbissen. »Kein Nachbar konnte irgendwas erzählen, außer, dass sie eine hübsche Frau war. Aber das wussten wir ja schon. Niemand hat sie gekannt, und niemand scheint Kontakt zu ihr gehabt zu haben.«

Der andere nickte. »So ist das. Ich wohne seit vier Jahren in meiner Wohnung. Aber ich weiß nicht mal, wie viele Leute auf meiner Etage wohnen.«

»Nicht alle sind so lahm wie du!«

»Es geht darum, dass die Leute nicht mal den nächsten Nachbarn kennen.«

»Nein, sie kennen sich nicht, aber sie beobachten sich! Man ist doch neugierig!«

Sie schwiegen.

»Was, wenn sie nun einen Freund hatte?«, fragte Frølich schließlich.

Gunnarstranda kurbelte langsam das Fenster hinunter. Schnippte die zerdrückte Kippe auf die Straße. »Eifersucht? Streit?«

Er schüttelte den Kopf. »Das könnte zu ihrem lockeren Aufzug passen. Aber dann gefällt mir nicht, dass ihre Wohnungstür offen stand. Ihr Freund hätte abgeschlossen.«

»Flucht in Panik«, schlug Frølich vor. »Oder er hatte keinen Schlüssel.«

»Hm.«

Gunnarstranda dachte an den nackten Oberkörper der Toten. »Du hast doch gesehen, wie sie ausgesehen hat, oder?«

»Sicher.«

Gunnarstranda machte sich an der Autotür zu schaffen.

»Kann ein Freund so etwas tun?«, fragte er, wartete aber die Antwort nicht ab, sondern öffnete die Tür. »Also dann, Franken«, murmelte er. »An die Arbeit!«

5

Frank Frølich grinste. Es hörte sich witzig an, wenn der Chef ihn Franken nannte. Diesen Spitznamen benutzten allerdings fast alle. Die Jungs aus seiner Straße hatten Franken schon früh cooler gefunden als Frank, vor allem beim Apfelklauen und beim Fußballtraining klang das gut. Seither war er diesen Namen nicht mehr losgeworden. Aber Gunnarstranda ließ sich nicht so leicht zu solchen Vertrautheiten herab. »Na, Frølich«, kam schon eher vor. »Was meinst du, Frølich?«

Künstliches Räuspern und rastlose Finger. Von diesem distanzierten Hitzkopf mit dem stechenden Blick Franken genannt zu werden hörte sich fast ein bisschen komisch an.

Er packte zusammen und folgte Gunnarstranda, der rasch die Straße überquerte, stehen blieb und nach oben schaute, sich umdrehte, noch einmal schnellen Schrittes die Straße überquerte und die Fassade des Hauses musterte.

Frank blickte ebenfalls nach oben. Wie immer überraschten ihn die schönen Verzierungen dieser alten Mietskasernen. Ein Haus war neuer. Quadratische Fensterscheiben ohne Dekor.

»Hier«, sagte Gunnarstranda. »Dieses Haus hat die richtige Aussicht. Wir sehen uns mal das Obergeschoss an.«

Als sie endlich oben angekommen waren, atmeten beide schwer. Das Licht auf dem Treppenabsatz vor den beiden Wohnungstüren funktionierte nicht mehr, deshalb waren die Namensschilder kaum zu lesen. Offensichtlich war nur eine der Wohnungen bewohnt. Franken bückte sich und notierte den Namen, der in verfärbtes Messing eingraviert war:

»Arvid Johansen.«

»Bullen?«, murmelte der alte Mann, der ihnen die Tür öffnete. »Euch hab ich schon erwartet.«

Sie betraten eine enge und schlecht gelüftete Wohnung. Scharfer Gestank von Rauch, Staub und etwas, das an alte Fischabfälle erinnerte, schlug ihnen entgegen. Dicke Wollmäuse hatten sich in der Dielenecke angesammelt. Flecken diversen Ursprungs zierten den Linoleumboden, der ungeputzt und klebrig war, sodass ihre Schuhe geräuschvoll hängen blieben.

Der Mann war ziemlich groß. Ein alter Gewichtheber mit aufrechter Haltung. Aber seine Beine waren steif, und sein Atem rasselte asthmatisch. Seine Haare waren grau, kurz geschnitten und dicht. Unter Augen und Kinn hingen Hautfalten. Sein rechtes Auge funkelte ihnen rot entgegen, vermutlich war ein Blutgefäß geplatzt.

Er schlurfte vor ihnen her in das kleine Wohnzimmer und setzte sich in einen grauen, verschlissenen Ohrensessel am Fenster. Am anderen Ende des Zimmers standen ein kleiner Farbfernseher und ein Videorecorder.

Auf dem Bildschirm war zu sehen, wie eine Frau einen Schwanz lutschte und dabei laut stöhnte. Franken brauchte einen Moment, um zu kapieren, was da ablief.

Johansen hatte schon die Fernbedienung ergriffen und das Bild erstarren lassen, hatte die Fernbedienung wieder weggelegt und aus dem Aschenbecher auf dem Tisch eine Selbstgedrehte genommen. Sie war fast ausgegangen, deshalb paffte er heftig daran und nahm einen tiefen Zug, auf den ein arger Hustenanfall folgte. Seine Kehle gurgelte. Als der Anfall endlich nachließ, spuckte er in ein Taschentuch und starrte abwartend zu Gunnarstranda hoch, der sich ans Fenster stellte. Frank Frølich blickte sich im Zimmer um. Die Wände waren nackt, aber überall lagen Pornohefte herum. Glattes Papier mit verknoteten Frauenkörpern, Nuttengesichter mit heraushängender Zunge. Und auf dem Wohnzimmertisch lag aufgeschlagen das große Bild einer nackten Frau mit Nikolausmütze und einer gelben Banane im Schritt. Zwei kräftige Männerhände zwangen ihre Beine auseinander.

»Das wär wirklich was zum Aufwärmen!«

Johansen war Franks Blick gefolgt. Hinter seiner Faust lachte er. Das Lachen ging in Husten über.

Gunnarstranda starrte aus dem Fenster, bis der Mann wieder zu Atem gekommen war. »Komm her, Johansen«, befahl er, ohne sich umzudrehen. Der Mann im Sessel gehorchte. Gunnarstranda reichte ihm bis zur Mitte der Brust.

»Die Wohnung schräg gegenüber in dem rosa Haus, wo der Vorhang vorgezogen ist.«

»Da hat sie gewohnt.«

Johansen hatte sich wieder gesetzt. »Unser Fohlen«, er zwinkerte Franken zu. »Birnenförmige Wuchttitten, solche, die richtig bimmeln und bammeln.« Er illustrierte das mit den Händen. »Hoher Hintern. Rund, und rote Haare an der Muschi.«

Die Zigarette zitterte in seiner Hand. Der Mann atmete schwer, erhob sich und zeigte neben Gunnarstranda aus dem Fenster. »Da hat sie gewohnt«, keuchte er. »Genau da hat sie gewohnt!«

Der Alte setzte zu einer ruhelosen Wanderung durch das Zimmer an.

Frank Frølich versuchte, nicht das rote Auge des Mannes anzustarren. Es blinkte wie ein Bremslicht, jedes Mal wenn der Mann kehrtmachte.

»Ihr müsst einen jungen Mann finden«, keuchte der Alte, »vielleicht Mitte zwanzig, nichts Besonderes, aber lange schwarze Haare hat er, zu einem Pferdeschwanz gebunden. Das gefällt denen, den Mädchen.«

Er starrte an die Decke, ehe er weiterredete. Seine Zigarette war ausgegangen, aber er versuchte, sie mit einem alten, abgenutzten Feuerzeug wieder anzuzünden. Die beiden Polizisten konnten sehen, welche Mühe es ihm machte, bei seinen Versuchen seine Finger zu kontrollieren. Endlich brannte die Zigarette. Er stieß den Rauch aus und redete weiter:

»Ich hab sie die ganze Nacht beobachtet. Da ging es zur Sache.«

Franken blickte auf und begegnete Gunnarstrandas Blick.

»Sie war eine kleine Rose, wisst ihr, die wusste, was wir alten Knacker mögen.«

Er grinste feucht, zwinkerte Gunnarstranda zu.

»Was hast du gesehen?«, fragte der.

»Was ich gesehen habe?« Der Alte holte rasselnd Atem. »Was meint ihr denn wohl?«

Er hob die rechte Hand und bildete mit Daumen und Zeigefinger einen Ring. Danach schob er den linken Zeigefinger in dem Loch hin und her. Das war augenscheinlich lustig. Der Alte lachte und musste sich die Hand vor den Mund halten, um den asthmatischen Husten aufzuhalten, der wieder aus ihm herausbrach.

Frank ging ebenfalls ans Fenster und öffnete es einen Spaltbreit. Hielt sein Gesicht in den Luftstrom, der hereindrängte. Einen Moment lang herrschte Schweigen. Das Geräusch der vorbeifahrenden Autos vermischte sich mit dem von Johansens Röcheln.

»Und das alles bei voller Beleuchtung«, fuhr er fort. »Und die Vorhänge waren offen, deshalb konnte ich einfach gemütlich hier sitzen, während sie da unten auf dem Rücken lag und mit den Möpsen schaukelte.« Wieder herrschte Stille. Nur die Geräusche des alten Mannes im Sessel, der seine Kippe ausdrückte und sich vornüberbeugte, waren zu hören. »Gratis!«

Der Alte machte zwischen seinen Falten eine düstere Miene.

»Ich kann bloß zum Teufel noch mal nicht kapieren, wieso er sie …«, sagte er dann. Frank starrte ihn an. Der muffige Abfallgeruch hatte sich jetzt etwas gemildert, und das verwüstete Gesicht des Mannes wirkte fast verletzt, er suchte nach Worten. Hatte jetzt die Hände vors Gesicht geschlagen. »Ich kann nicht kapieren, wieso er sie nachher umlegen musste.«

Die Handflächen waren grob und runzlig.

»Er hat sie umgebracht? Wie hat er sie umgebracht?«

Gunnarstrandas Stimme zerschnitt die Stille, obwohl sein Tonfall freundlich war, einfach nur neugierig.

Johansen fuhr zusammen. »Wie? Mir doch egal, wenn ihr ihn bloß schnappt.«

Die Spur von Verletztheit war aus seiner Stimme verschwunden. Sein Blick war kalt wie vorhin, als er die Tür geöffnet hatte.

»Du hast meine Frage nicht beantwortet! Wie hat er sie umgebracht?«

»Er hat sie erstochen, verdammt noch mal!«

Die Stille im Zimmer wurde langsam greifbar.

»Hab ich was verbrochen oder der?«

Gunnarstranda stellte sich vor ihm in Positur. »Wie ist das passiert«, wiederholte er leise.

Johansen gab keine Antwort. Er starrte dem kleinen, kahlen Polizisten in die stechenden Augen.

Frølich versuchte, Johansens Gesichtsausdruck zu deuten. War das Angst oder nur Trotz?

Plötzlich stand Gunnarstranda hinter dem Tisch und hatte scheinbar aufgegeben. Er setzte sich aufs Sofa und fing wortlos an, die Zeitschriften zu studieren. »Du hast ja vielleicht einen Geschmack, Johansen!«

Der Hohn in seinem Tonfall war unverkennbar.

Der Alte drehte sich nicht um. Seine Augen starrten geradeaus auf einen Punkt an der Wand.

»Hier zum Beispiel!«

Gunnarstranda hielt eine Zeitung hoch. »Na schau doch mal«, murmelte er. »Du, Johansen?«

Der Alte drehte sich um. Der Polizist legte die Zeitung vor ihn auf den Tisch. Franken linste neugierig über seinen Rücken. In dieser Zeitschrift gab es nicht viel Text. Schwarz-Weiß-Bilder, eine Fotoserie von Amateurqualität, schräge Winkel und schlechtes Licht, verschwimmende Kontraste. Gunnarstranda blätterte sich langsam hindurch. Die Serie zeigte das Schicksal einer blonden Frau. Erst an einen Stuhl gefesselt, mit Stricken und Ketten, die sich in ihre Haut einschritten. Hilflos, nackt, eine Art Knebel in den Mund gepresst. Kugelrunde, verängstigte Augen und aufgequollene Adern am Hals, als ob ihr etwas unendlich wehtäte, dachte Frølich. Auf dem nächsten Bild hing sie mit dem Kopf nach unten, noch immer festgebunden, noch immer nackt, und noch immer zeichnete sich dieser stumme Schmerzensschrei in ihrem Gesicht und an ihrem Hals ab. Dann packte eine grobe Männerhand ihre Haare, während eine andere ihr ein Messer in die Haut am Hals drückte. Franken fragte sich, ob das Schwarze auf dem Bild wohl das Blut der Frau sein könnte. Vermutlich, dachte er.

Gunnarstranda blickte von der Zeitschrift hoch. »Ist es vielleicht so abgelaufen?«

Johansen gab keine Antwort.

Gunnarstranda blätterte weiter. Eine andere Frau. Andere Stricke. Ein schwarzes Seil fest über den Brüsten, ein Seil, das die Beine in eine unnatürliche Stellung zwang. Jetzt zwei Männerhände. Zwei Hände, die versuchten, die Frau zu erdrosseln.

»Du siehst dir also gern Frauen mit einem Strick um den Hals an, Johansen«, flüsterte Gunnarstranda. »Vielleicht träumst du auch davon, selber an dem Seil zu ziehen, vielleicht war das dein Traum, als du dir hier nachts einen runtergeholt hast, du wolltest zu der Kleinen da unten und ihr langsam den Hals zudrücken und den Strick zusammenziehen und ziehen und ziehen und spüren, wie sie hilflos in deinen Armen zittert?«

Johansens Augen waren matt. Passiv und ausdruckslos sahen sie den kleinen Mann an, der jetzt aufgestanden war und um den Tisch herumkam.

»Das weißt du besser, du verdammtes Vieh«, spuckte der Alte Gunnarstranda hasserfüllt entgegen, der jetzt nur fünf Zentimeter entfernt war.

»Wenn das so klar ist, Johansen, dann erzähl mir doch langsam und in aller Ruhe, wie zum Henker du etwas sehen konntest, das da unten in der Bude hinter vorgezogenen Vorhängen passiert ist!«

»Sie hat sie vorgezogen. Sie hat sie vorgezogen, als er gegangen ist. Sie hat mich alles sehen lassen, bis er gegangen ist, dann hat sie dicht gemacht. Sie hat mir zugewinkt und die Vorhänge dicht gemacht.«

Das Letzte kam in der schmerzerfüllten Stimme von vorhin.

Frank Frølich runzelte die Stirn. Gewinkt, dachte er verwundert.

Gunnarstranda richtete sich ein wenig auf. Die Entfernung zwischen ihm und dem Alten betrug ungefähr einen halben Meter. »Und dann ist er gegangen? Ohne irgendwen umzubringen?«

»Er hat gewartet, hat gewartet, bis sie die Vorhänge zugezogen hatte, und dann hat er sie umgelegt.«

»Das saugst du dir aus den Fingern.«

»Aber das ist doch logisch!«

Johansen hatte seine normale Gesichtsfarbe wiedererlangt. Die bedrohliche Stimmung war verflogen. Seine Hand umklammerte seinen Tabak.

Gunnarstranda ging zum Fenster und lehnte sich mit dem Rücken dagegen. »Ich will ganz genau wissen, was du gesehen hast«, erklärte er ruhig und steckte sich auch eine Zigarette an. »Sonst nichts, nicht, was du glaubst oder was du meinst, sondern schlicht und ergreifend das, was du gesehen hast.«

Johansen stand auf. »Dann sage ich dir das ganz klar und deutlich«, sagte er schroff. Im Stehen überragte er den Polizisten um einiges, obwohl er sich mit den Handflächen gegen den Fensterrahmen stützte und sich nicht zu seiner vollen Größe aufrichtete.

»Ich erzähle es dir«, murmelte er arrogant mit schiefem und triumphierendem Lächeln. Franken lauschte gespannt.

Johansen zeigte nach unten. »Siehst du den Bretterzaun an dem Abbruchgrundstück?«

Der Alte richtete seinen Zeigefinger auf eine klaffende Lücke in der Häuserfront. Ein hoher Bretterzaun sperrte das Abbruchgrundstück ab.

»Da war er«, flüsterte Johansen. »Nachdem er meine kleine Rose umgelegt hatte.«

Der Blick des Alten war verschleiert und in sich gekehrt. Er sprach zu sich selbst, ins Leere.

»Mich hat er nicht reinlegen können«, sagte er dann. »Er wollte wahrscheinlich nicht gesehen werden, und deshalb hat er um Tor und Ausgang einen Bogen gemacht. Er hat sich rausgeschlichen, da, über diesen Zaun. Ich hab ihn nämlich über den Zaun klettern sehen. Seine ganze Visage war blutverschmiert! Und es war mindestens eine Viertelstunde vergangen, seit sie die Vorhänge vorgezogen hatte, als er da unten auftauchte!«

Gunnarstranda sah gedankenverloren aus dem Fenster.

»Eine Viertelstunde«, hustete er hinter seiner Faust und setzte sich mit demselben triumphierenden Gesichtsausdruck.

Gunnarstranda runzelte zweifelnd die Stirn. »Du meinst, er ist erst in den Hof gegangen und ist dann auf die Baustelle geklettert, um schließlich über den Bretterzaun zu steigen, wenn er stattdessen einfach durchs Tor auf die Straße hätte gehen können?«

»Wie er auf die Baustelle geraten ist, weiß ich verdammt noch mal nicht, aber ich hab ihn über den Zaun klettern sehen.«

»Und du bist nicht auf den Gedanken gekommen, dass das ganz schön viel Anstrengung war, bloß um auf die Straße zu kommen?«

Johansen grinste höhnisch. »Mit ein bisschen Anstrengung muss er gerechnet haben, als er sie abgemurkst hat.«

Gunnarstranda dachte nach, dann fuhr er herum. »Wann sind sie an dem Abend nach Hause gekommen?«

Johansen zuckte mit den Schultern.

»Wie hast du sie bemerkt, haben sie auf der Straße Krach gemacht oder was?«

»Nein«, murmelte Johansen und stand wieder auf. »Ich hab nur gesehen, dass Licht in ihrem Zimmer war. Es war so gegen halb eins. Ich war gerade auf dem Klo gewesen, und dann war da unten plötzlich Licht, und ja, wo sie doch diesen Typen bei sich hatte, da ...«

Er lächelte während einer beredten Pause sein schmieriges Lächeln. »Jetzt kriegen wir was zu sehen, hat Opa sich gedacht.«

Johansens Lachen ging wieder in einen Hustenanfall über. Seine Hand zitterte, als er versuchte, sein Feuerzeug zum Brennen zu bringen.

»Ist irgendwer durch das Tor gegangen, nachdem der Junge morgens weg war?«

Der andere dachte nach.

»Hast du gesehen, ob jemand durch das Tor gegangen ist?«, wiederholte der Polizist ruhig.

Der Alte schwieg.

»Hast du jemanden reingehen sehen?«

»Nein«, sagte der andere schließlich, ohne den Blick des Polizisten zu erwidern.

»Bist du sicher?«

»Ja.«

»Wann hat er sie verlassen?«

»So gegen fünf, sechs.«

»Ich weiß, dass da unten zwischen fünf und sechs Uhr Leute unterwegs waren, Johansen.«

Johansen gab keine Antwort.

»Vielleicht hast du das alles doch nicht so verdammt gut beobachtet, Johansen?«

»Ich habe gesagt, was ich gesehen habe.«

»Aber nicht alles?«

»Ich habe gesagt, was ich gesehen habe, zum Teufel!«

»Was hat der Typ gemacht, nachdem er über den Zaun geklettert war?«

»Gemacht?«

»Ja, ist er abgehauen oder was?«

»Ja, er ist abgehauen.«

»Der mit dem Pferdeschwanz?«

»Ja.«

»Wenn ich sage, dass ich zwei Zeugen habe, die beschwören würden, dass sie diesen Typen mit dem Pferdeschwanz zwischen fünf und sechs am Tor gesehen haben?«

»Ja, was dann?«

Der Polizist kam näher. »Weißt du das mit dem Bretterzaun sicher, Johansen?«

»Ich habe gesagt, was ich gesehen habe!«

»Aber warum hast du die beiden nicht gesehen, die gekommen sind?«

Johansen starrte Gunnarstranda an. »Jetzt weiß ich's wieder!«, sagte er kalt. »Sie sind mit dem Taxi gekommen. Stimmt. Zwei Stück. Ungefähr zu dem Zeitpunkt, wo er über den Zaun geklettert ist.«

Frank Frølich musterte das verschlossene Gesicht des Alten. Unmöglich zu sagen, was hinter dieser Stirn ablief. Sein Atem gurgelte leise und rhythmisch wie bisher.

»Hast du noch mehr gesehen?«, fragte Gunnarstranda.

»Ich habe gesagt, was ich gesehen habe.«

»Du hast sonst niemanden kommen sehen?«

Der Alte schüttelte mit verschlossenem Gesicht den Kopf.

»Das ist verflixt wichtig, Johansen! Hast du andere durchs Tor gehen sehen?«

»Ich habe gesagt, was ich gesehen habe.« Johansen starrte Gunnarstranda an. »Er ist eine Viertelstunde, nachdem sie die Vorhänge zugezogen hatte, über den Zaun gesprungen.«

Gunnarstranda schien das überhört zu haben und fragte stattdessen mit einem Lächeln: »Hast du sie auch mit anderen vögeln sehen?«

Johansen sah ihn an. Lange.

»Aber sie hat dir zugewinkt, ehe sie die Vorhänge zugezogen hat?« Schweigen.

»Warum hat sie wohl gewinkt?«

Der Alte rauchte und starrte die Decke an.

»Du hast gesagt, sie hätte rote Haare an der Muschi gehabt. Du musst sie dir doch ganz genau angesehen haben?«

Johansen machte die Zigarette im Aschenbecher aus und musste auch alten Tabak ausdrücken, der zu glühen anfing.

»Wie mochte sie es denn am liebsten?«

Der Alte atmete schwerer.

»Unten oder oben? Und wie lange haben sie es meistens gemacht?«

Der Alte atmete schwer. Sein Atem ging ruhig und rasselnd.

Frank Frølich ertappte sich bei einem Blick auf die Uhr. Gunnarstranda nickte ihm kurz zu, dann konzentrierte er sich wieder auf den Alten.

»Du hast also die ganze Samstagnacht hier gesessen?«

»Ich bin hier eingeschlafen.«

Johansen bewegte sich im Sessel. »Ich bin im Sessel eingeschlafen, das passiert mir oft, es ist so verdammt umständlich, jeden Abend das Sofa auszuziehen.«

Franken folgte seinem Blick auf das Sofa und einen Haufen schmutziger Kleider. Irgendwo darunter konnte er das klassische Karomuster eines Flanelllakens erkennen.

6

Frank Frølichs Interesse am Lachsfischen war eine schwere Geburt gewesen. Er war in Oslo aufgewachsen und hatte niemals zu den Reichen gehört, die sich bei Namsen Fischereirechte kaufen konnten. Die Anglerabenteuer seiner Kindheit waren begrenzt auf das Eisfischen in Østmarka und den ein oder anderen großen Hecht in den inhaltsreichen Wasserpfützen rund um die Stadt. Aber da das Fischen seine große Leidenschaft war, musste schließlich eine Fliegenrute unter dem Weihnachtsbaum liegen, die dann zunächst im Schrank verschwand. Bis etwas passierte, das seither seine ganze Beziehung zum Fischen prägen sollte.

Mit zwei Kumpels aus Oslos Jagd- und Angelverein hatte er vor einigen Jahren mit seinem damals noch fahrtüchtigen Taunus 17 M Urlaub gemacht. Sie hatten beim Jazzfestival in Molde Station gemacht, weil Albert King dort ein Konzert gab. Von dort aus waren sie weiter nach Norden gefahren und hatten eines Nachts verbotenerweise an einem stillen Flussufer geangelt, wo zwischen den schwachen Stromschnellen schwarze, stille Kolke lagen. Es war feucht und kalt gewesen, und ihre Hände, mit denen sie die Angelruten hielten, hatten vor lauter Mückenstichen gejuckt. Vom Fluss stieg der kühle Nachtnebel auf, der den Duft von Wasser und Nektar und Sommer zugleich in sich trägt. Er hatte eine selbst gebaute Teleskopstange ausgeworfen und den Anblick des Vorfachs genossen, das perfekt auf der Wasseroberfläche lag, als ob das Wasser mit einer dünnen Eisschicht überzogen wäre. Der Mond hatte rot und gewaltig am Himmel gestanden. Er vervielfältigte sich im glasklaren

Wasserspiegel und warf eine zauberische Lichtsäule von Ufer zu Ufer. Und dann passierte es.

Ein Rucken, und die Leine straffte sich wie eine Pardune. Der Beginn eines Kampfes, von dem er nachher nicht mehr viel wusste. Er erinnerte sich nur an die nervöse Lähmung der Oberschenkel, daran, wie das Gefühl in den Beinen im Eiswasser verschwand, während er Leine gab und seine Freunde rief. Ihre weißen Gesichter, die am Ufer herumliefen und voller Panik nach dem Landungshaken suchten und ihm gute Ratschläge zuriefen. Die kräftige Stange zuckte und senkte sich zur Wasseroberfläche. Der Zug des Fisches war stark und machte seinen Oberarmen zu schaffen, und dann die panische Angst, die Schnur sei nicht fest genug an der Fliege befestigt. Das Siegesgefühl bei jedem Meter, um den er verkürzen konnte. Bis zu dem Moment, als sich der schwarze Rücken des Lachses demütig vor seinem Stiefel krümmte und sich willig einfangen ließ.

Nur ein Biss. Eine Krankheit, die ihn nicht losließ. Die Fliegenfischerei war zu seiner großen Leidenschaft geworden.

Jetzt war früher Vormittag. Um sich die Wartezeit bis zu einer Audienz im Gerichtsmedizinischen Institut zu vertreiben, hatte er sich ein dickes Buch über Insekten gekauft. Über die Entwicklung von Ei, Larve, Puppe zum fertigen Insekt von fast allem, was im norwegischen Sommer mit den Flügeln schlug. Gunnarstranda war auf diese Idee gekommen, als Frølich erwähnt hatte, dass ihm echte Modelle fehlten. Und deshalb hatte er dieses Buch gekauft.

Danach fuhr er nach Hause. Er verspürte ein Hungergefühl, als er von der Schnellstraße abbog, die Abkürzung über Manglerud nahm und sich durch den Havreveien quälte.

Die Straße war frühlingsgemäß mit Parkverbotsschildern bestückt, während ein gelber Kehrwagen versuchte, den Streusand zu beseitigen, der auf den Bürgersteigen verteilt war. Deshalb fuhr er im Rückwärtsgang bis zu seinem Haus und hielt dort an. Er fuhr mit dem Fahrstuhl in den neunten Stock und ging hinein.

Als er die Tür öffnete, konnte er Eva-Britt laut und ungeniert summen hören, wie es nur Leute tun, die Kopfhörer aufhaben und glauben, sie seien allein. Ein Lächeln breitete sich in seinem Bart aus. Er hatte sie noch längst nicht zurückerwartet. Deshalb legte er das Buch beiseite und schlich sich ins Zimmer. In der Tür blieb er stehen. Sie lag nackt und wie hingegossen in dem tiefen Sessel. Ihre Brüste fielen schwer zur Seite, und sie hatte die Beine überkreuzt. Das Zimmer wurde von grellem Sonnenlicht erhellt, das durch die großen Balkontüren hereinfiel. Ein großes gelbes Viereck bedeckte den weißen Teppich mit den langen hellen Fransen, und der Staub tanzte in der Sonne. Ihre Zehen waren leicht gespreizt und bewegten sich rhythmisch, als ob jemand spielerisch mit einem Bindfaden an ihnen zöge. Die leichte Bewegung wiegte ihre Brüste mit den dunkellila Brustwarzen. Aber ihr Gesicht zwischen den Kopfhörern war unwirklich hässlich. Es sah aus wie eine grob hingehauene Gipsfigur, ein mit Pappmaché bedeckter Ballon.

Sie schien sein Starren zu bemerken und öffnete plötzlich die Augen, die wie zwei schwarze Flecken in der breiigen Oberfläche strahlten.

»Was in aller Welt ist mit deinem Gesicht passiert?«, fragte er, als sie die Kopfhörer abnahm.

»Jogurt«, sagte das Breigesicht. »Gesichtsmaske.«

»Himmel!«

Er kam ins Zimmer und setzte sich neben sie. Konnte seine Hand nicht zurückhalten. Fuhr über die schwachen Linien an ihrem Hals. »Ich dachte, du wärst in der Uni.«

Seine Hand folgte dem Sog abwärts über ihren glatten Bauch.

»Keine Lust.«

»Und die Kleine?«

»Bei ihrem Vater.«

Die Augen im Jogurtgesicht wurden noch schwärzer. Ihre Hände strichen über seinen Unterarm. »Du hast ein bisschen kalte Finger.«

Ihre Stimme hörte sich an, als ob ihr die Luft fehle, um alles zu sagen. Er nickte und ließ seine Finger über ihre Brüste fahren. Beugte sich vor und leckte über ihr Gesicht.

»Gut«, schmatzte er.

Sie kicherte albern, presste ihren Hals gegen seine Lippen, und er leckte sich nach oben und hatte den Mund voll Joghurt. Schluckte.

»Es ist erst halb elf«, hörte er sie sagen, während er seine Finger über ihren Bauch wandern ließ, weiter nach unten. Leckte. Schluckte. Leckte den Joghurt. Bald waren ihre Wange und ein Auge wieder sauber. Er beugte sich über sie und versuchte sich gleichzeitig auszuziehen. Mit einer Hand blieb er im Pullover stecken und hatte plötzlich beide Arme auf dem Rücken verknotet.

Die Joghurtschmiererei war fast beseitigt. Ihre roten Lippen leuchteten durch den verbliebenen Matsch. Er hüpfte auf einem Bein, beide Arme auf dem Rücken. Fiel um und kam wieder auf die Knie. Sie grinste und half ihm aus den Kleidern. Bis er genauso nackt war wie sie.

»Mensch, du bist ja vielleicht dick!«, rief sie entzückt und entwand sich seinen Armen. Sie lief ins Schlafzimmer, er hinterher. Frank nahm Anlauf und sprang. Erwischt! Sie heulte.

Sie landeten in der Mitte des Bettes. Die Matratze rutschte zu Boden, als der Lattenrost mit ohrenbetäubendem Lärm zerbrach.

»Lebst du noch?«, fragte er vorsichtig.

Sie kicherte. »Ich glaube, ja.«

Später lagen sie nebeneinander. Die Sonne zeichnete einen scharfen weißen Flecken auf ihren Schenkel. Sie schlief. Das Telefon klingelte. Er versuchte, sein Bein zu befreien, ohne sie zu wecken. Die Bettkante ragte wie eine zerstörte Kulisse über ihnen auf. Er packte den Hörer, als sie im Schlaf leise seufzte und sich wegdrehte. Sein Schwanz zeigte bogenförmig in die Luft, als er aufstand.

»Ja«, sagte er wohl wissend, wer anrief. »Ja«, wiederholte er. »Ich bin schon unterwegs.«

Sie lag im Sonnenschein auf dem Rücken. Ließ den Kopf auf den Armen ruhen und trat träge gegen das Bettgestell.

»Wer war das?«, fragte sie schläfrig.

»Gunnarstranda.«

»Dann musst du also weg.«

»Ja.«

»Dein Schwanz hat aber keine Lust dazu.«

Er grinste.

»In allen Romanen, die ich kenne, haben die Männer nach dem Bumsen einen schlappen Schwanz«, sagte sie und zeigte anklagend auf das Teil, das widerspenstig zurückzeigte.

»In allen Büchern, die ich kenne, bumsen die Männer drei- und viermal hintereinander.«

»Das liegt daran, dass du so schlechte Bücher liest.«

Er blickte aus dem Fenster. Blauer Himmel und die Dächer der Nachbarblocks.

»Außerdem hast du das Bett kaputtgemacht«, fügte sie hinzu, als er duschen ging.

Als Kinder waren er und Eva-Britt in dieselbe Klasse gegangen. Erst vor drei Jahren waren sie sich im Dreiundzwanziger-Bus wiederbegegnet. Eine sanduhrförmige Frau mit Kinderwagen hatte versucht, den Wagen in den Bus zu bugsieren, und er hatte sie erkannt, als er ihr zu Hilfe geeilt war. Zwei Stunden später lagen sie in seinem Bett im Studentenwohnheim und sprachen über alte Zeiten, während die sechzehn Monate alte Julie in der Gemeinschaftsküche in ihrer Karre schlief. Julie und ihre Mama lebten allein. Eva-Britt hatte mit engen Beziehungen schlechte Erfahrungen.

»Bringst du eine Flasche Rotwein mit?«, rief sie aus der Küche, als er die Dusche andrehte.

Er ging zu ihr in die Küche. Ihre Brüste verlangten nach Beschäftigung, als sie einen Morgenrock überwarf. Sie las grinsend seinen Blick.

»Alles klar«, murmelte er und genoss den leisen Hauch ihrer Lippen, ehe sie im Bad verschwand. »Ich bringe eine Flasche Rotwein mit.«

7

Er hielt in Manglerud an, um den Wein zu besorgen. Der neugierige Nachbar ging ihm nicht aus dem Kopf. Ob Reidun Rosendal gewusst hatte, was sie für einen Nachbarn hatte, überlegte er, während er in der Schlange wartete und versuchte, sich ihren Typ vorzustellen. Na gut. Das alte Schwein konnte total verrückt sein und wirklich glauben, dass die Frau ihm den Anblick gegönnt hatte. Aber war das tatsächlich möglich? So etwas war doch eher was für Ehepaare in der Midlife-Crisis, die ihr Sexualleben mit der Spannung würzen wollten, dass andere vielleicht zusahen.

Dieser Gedanke ließ ihm keine Ruhe. Sie waren in dieser Nacht zu zweit gewesen. Männlein und Weiblein. Unter normalen Umständen ausschließlich miteinander beschäftigt und möglicherweise so frisch verliebt, dass Vorhänge nicht von Bedeutung waren. Aber das war es ja gerade. Die Frau war ermordet worden. War der Mann, der bei ihr gewesen war, in sie verliebt gewesen? Gab es so verrückte Typen, die die Frau erstachen, die sie eine ganze Nacht lang geliebt hatten?

Frank las Gunnarstranda auf und steuerte die Gerichtsmedizin an, wo sie von Professor Schwenke empfangen wurden, der ihnen mit langen Schritten vorausging. Sein weißer Kittel flatterte hinter ihm her. Die dünnen Beine ließen seine Hose wie eine Schlaghose aussehen.

Der Professor führte sie in sein Arbeitszimmer und begann einen Vortrag, den er mit Fotos der Toten illustrierte. Sein zurückgelegtes, grauweißes Haar war so widerspenstig, dass die letzte Locke ihm immer wieder in die Stirn fiel. Er trug eine viereckige Brille mit Goldfassung, und seine Gesichtshaut war trocken und gelblich. Der Arzt legte ihnen das erste Foto vor, während er eifrig den Kopf senkte und den Handlungsablauf analysierte.

»Der Winkel der verschiedenen Einstiche zeigt, dass der Mörder ihr auch noch in die Brust gestochen hat, als sie bereits lag«, erklärte er professionell. »Dreimal sogar. Erstaunlicherweise ist das Messer nicht auf Knochen gestoßen, es ist erst beim letzten Stich stecken geblieben.«

Schwenkes Stimme war belegt, es hörte sich an, als ob er beim Reden Karamellbonbons lutschte.

Frank Frølich überließ das Reden den anderen. Er betrachtete Gunnarstranda, der die Finger hinter dem Rücken verschränkt hatte. Sein Fischblick wich nicht von Schwenkes Gesicht.

»Sie ist relativ schnell gestorben«, sagte Schwenke und deutete auf das Bild. »Ihr sind neun Stiche zugefügt worden«, er zeigte auf ein anderes Foto, das die zerstochene Brust der Toten zeigte. »Der Stich hier allein ist schon tödlich. Er hat einen Lungenflügel durchstochen und das Herz getroffen.«

Er hielt inne und legte zwei lange, knochige Finger ans Kinn. Seine Nägel waren gelb und etwas zu lang. »In ihrer Vagina haben wir deutliche Spermaspuren gefunden, sie muss also vor ihrer Ermordung sexuell aktiv gewesen sein, schwer zu sagen, wie lange vorher, das Resultat der Untersuchungen wird möglicherweise mehr ergeben.«

Schwenke reichte Frølich die Bilder. Gunnarstranda rührte sich nicht.

»War sie drogensüchtig?«, kläffte er.

»Ganz sicher nicht«, erklärte Schwenke überzeugt.

»Vergewaltigung?«

Schwenke zögerte leicht. »Physiologisch gesehen gibt es

keine Verletzungen an zentralen Organen«, sagte er dann endlich. »Sie hat auf jeden Fall vor dem Mord sexuellen Verkehr gehabt. Aber was ist Vergewaltigung? Theoretisch kann der Täter sie ja gezwungen haben …«

»Du kannst eine Vergewaltigung also nicht ausschließen?«

Schwenke fuhr sich wieder übers Kinn und dachte kurz nach. »Vergewaltigung kann nicht ausgeschlossen werden«, äußerte er sich bürokratisch. »Aber ich halte das für eine juristische Frage, die von den Umständen des Sexualaktes abhängt.«

Er schnalzte nachdenklich mit der Zunge.

»Wenn ihr herausfinden könntet, was in der Zeit vor dem Mord geschehen ist.«

Sie verließen sein Arbeitszimmer und gingen ins Labor. An den Wänden hingen Regale voller Reagenzgläser, Glaskolben und allerlei kleinen Schachteln. Ein starker Formalingeruch füllte das Zimmer, und Frank bereitete sich darauf vor, seinem Chef wegen der Explosionsgefahr eine eventuelle Zigarette aus der Hand zu reißen. Im Hintergrund summten die Ventilatoren, aber sie konnten den Chemikaliengeruch, der sie ganz und gar umschloss, einfach nicht vollständig tilgen. Mitten im Raum stand ein mit einem Laken bedeckter Rolltisch. Unter dem Laken zeichnete sich deutlich ein Körper ab. Es schien flüchtig über den Körper geworfen worden zu sein und hatte in einer Ecke Blutflecken. Zwei schmutzige, umgestülpte Plastikhandschuhe lagen auf dem Deckel eines suspekt aussehenden Plastikeimers neben dem Rolltisch.

»Nein, nein, das ist sie nicht!«

Professor Schwenke folgte Frank Frølichs Blick. Er bekam einen leicht nachdenklichen Gesichtsausdruck. »Selbstmord«, seufzte er und schien dabei vor allem den Körper auf dem Tisch anzusprechen. »Zwei Packungen Schlaftabletten auf einmal.«

Alle drei starrten schweigend den Rolltisch an.

»Um welche Zeit ist sie gestorben?«

Schwenke sah den Kriminalhauptkommissar verwirrt an. »Welche meinst du jetzt?«

»Die Frau mit den Messerstichen.«

»Wir untersuchen gerade ihren Mageninhalt. Alle Analysen finden routinemäßig statt, wie ich vorhin erklärt habe. Es gibt einiges, wozu ich mich noch nicht äußern kann.«

Mit einer Kopfbewegung zum Rolltisch und Karamellbonbonstimme sagte er: »Ich kenne die Schwingungen, die Konjunkturen sozusagen. Und jetzt ist dafür Hochsaison ...«

»Hätte sie schreien müssen?«

Schwenke wirkte jetzt beinahe böse, als er sich wieder zu Gunnarstranda umdrehte. »Wer?«

»Wie wahrscheinlich ist es, dass sie bei den Messerstichen geschrien hat?«

»Sie kann geschrien haben, aber sie kann auch wie gelähmt gewesen sein. Der Stich, der die Lunge punktiert hat, war möglicherweise der erste.« Er holte Luft und konzentrierte sich auf Frølich. »Das war schon immer so, auch früher, als ich noch Bezirksarzt in Troms war. Wenn sich da jemand in der Scheune aufgehängt hat, dann konnte man sicher sein, dass Vollmond war.«

»Hat der Mörder viel Blut abbekommen?«

Schwenke lächelte friedlich und zwinkerte Frank Frølich zu, ehe er sich wieder umwandte. Er griff nach einem Foto und reichte es Gunnarstranda. »Wie du siehst, ist der Messergriff voll mit Blut. Also müssen zumindest die Hände, die das Messer gehalten haben, voll gespritzt worden sein.«

Er machte eine kleine Pause. »Schwer zu sagen«, schloss er. »Der Täter hat auf jeden Fall Blut abbekommen, aber ich kann nicht sagen, wie viel. Du hast ja gesehen, dass auf dem Boden nicht viel Blut war. Und soviel ich weiß, hat es kaum Spritzer gegeben.«

Der Professor drehte sich zu Frank um und wollte mit seinen Ausführungen fortfahren, wurde aber von einem grauen Telefon auf einem der Arbeitstische unterbrochen.

»Für dich!«, rief er Gunnarstranda zu, der mit kurzem »Ja!« den Hörer packte.

Frank Frølich und Schwenke hatten noch kein Wort gewechselt, als der Kriminalhauptkommissar den Hörer schon wieder auf die Gabel geworfen hatte. »Frølich! Wir haben den Typ mit dem Pferdeschwanz!«

8

»Sie sind also sicher, dass sie hinter Ihnen die Tür abgeschlossen hat?«

»Ja.«

»Haben Sie das nachgeprüft?«

»Nein. Ich hab's gehört.«

»Sie haben nicht vielleicht etwas anderes gehört? Ein klapperndes Fenster oder so?«

»Nein. Das war das Schloss.«

»Hm.«

Kriminalhauptkommissar Gunnarstranda stützte seinen Kopf in eine Hand. In der anderen hielt er eine Zigarette, mit der er über den Aschenbecherrand strich, um die Asche abzustreifen. Frølich sah zu seiner Verwunderung, dass der Rauch dick und blau in die Augen des Mannes aufstieg, offenbar ohne ihn zu stören.

Ein junger Mann saß auf der anderen Schreibtischseite im Sessel. Er war Mitte zwanzig und hatte lange schwarze, zu einem Pferdeschwanz gebundene Haare. Frølich sah sein Profil. Eine kleine kindliche Nase ragte über die Wange hinaus, auf der der Schatten eines Bartes lag. Ein etwas zu kleines Pflaster klebte über einer braunroten Schürfwunde an seiner Schläfe. Seine Kleider, alle dunkel, hingen an dem schlanken Körper. Ein gut aussehender junger Mann, der weder muskulös noch besonders trainiert aussah.

Frølich sah ein, dass es ihm schwerfallen würde, das ganze Gespräch mitzuschreiben, deshalb schaltete er das Tonbandgerät ein und drehte sich auf dem Stuhl wieder seinem Bildschirm zu. Bereit, so viel wie möglich aufzuschreiben.

»Wie lange haben Sie sich unten im Hinterhof aufgehalten?«, hörte er Gunnarstranda fragen.

»Ich weiß nicht.« Der Mann räusperte sich ängstlich. »Höchstens zehn Minuten.«

Frank Frølich notierte die Antwort. Das leise Klappern der Tastatur war für einen Moment das einzige Geräusch im Zimmer.

»Hat Sie irgendwer gesehen?«

»Ich weiß nicht.«

»Das wissen Sie nicht? Sie müssen doch einen Höllenlärm gemacht haben, wenn Sie da zehn Minuten lang rumgewirtschaftet haben, überlegen Sie doch mal!«

Der andere räusperte sich abermals und schluckte. »Ich weiß es ehrlich nicht.«

Frølich gab das Schreiben auf. Hörte seinen Stuhl knarzen, als er sich wieder herumdrehte. Er betrachtete Gunnarstranda, der seine Zigarette ausdrückte, sich erhob und um den Tisch herumging. Er beugte die Knie und stützte die Hände auf die Oberschenkel. »Sie haben Angst«, erklärte er und fügte leise hinzu: »Sie zittern.«

Der andere wandte den Blick ab.

Der Zigarettenrauch hing dick und blau im Licht der Schreibtischlampe. »Warum sind Sie über den Zaun geklettert?«

»Das hab ich doch schon gesagt, ich wollte nach Hause.«

»Warum haben Sie nicht bei ihr geklingelt, damit sie das Tor aufmacht?«

»Weil ...«

»Warum?«

»Ich weiß nicht.«

Gunnarstranda fuhr herum. Setzte sich wieder. »Warum sind Sie zu uns gekommen?«

»Warum?«

»Ja, wie haben Sie von dem Mord erfahren?«

»Ich hab darüber gelesen.«

»In der Zeitung standen weder Name noch Adresse.«

»Ich habe es gespürt.«

»Gespürt?«

»Sie ist nicht ans Telefon gegangen. Ich habe immer wieder angerufen, aber sie hat nie abgenommen. Ich musste einfach wissen, ob sie es war.«

»Und Sie haben sie vorher nicht gekannt?«

»Nein.«

»Sie haben sie also am Samstag kennen gelernt?«

Der junge Mann holte unsicher Luft, gab aber keine Antwort.

»Antworten Sie bitte.«

»Sie ist tot.«

»Danke, dessen war ich mir bewusst.«

Wieder senkte sich die Stille. Ein schwaches Brummen war im Raum zu hören, das von Frølichs Computer stammte.

»Wie oft haben Sie miteinander geschlafen?«

Keine Antwort.

»Antworten Sie. Wie oft habe Sie miteinander geschlafen?«

»Zweimal.«

»Geschützt?«

»Nein.«

»Nicht einmal ein Kondom?«

»Nein, ich bin davon ausgegangen, sie hätte eine Spirale oder so.«

»In Zeiten von AIDS?«

»Ich hatte einfach kein Kondom dabei.«

»Sie gehen auf Aufriss und überlassen den Damen das Praktische?«

»Ich war nicht auf Aufriss.«

»Aber Sie haben mit ihr gebumst!«

Schweigen.

»Antworten Sie, verdammt noch mal!«

Der Mann in Schwarz holte Luft.

»Na gut, Sie waren an dem Abend nicht auf Aufriss. Was ist passiert?«

»Wir haben uns kennen gelernt, das habe ich ja schon gesagt, haben Wein getrunken, ja und dann haben wir beschlossen, zu ihr nach Hause zu gehen.«

»Wo haben Sie sich kennen gelernt?«

»In einem Lokal. Es heißt Scarlet.«

Er zögerte. »Doch, es heißt Scarlet, ich war zum ersten Mal dort, ich kannte sie nicht, hatte sie noch nie gesehen, sie saß allein da ... wir haben getanzt ... und ... ja dann habe ich mich zu ihr gesetzt ... und ...«

»War sie allein dort?«

»Glaub schon.«

»Was meinen Sie mit ›glaub schon‹?«

»Es kam mir so vor.«

»Sie saß also allein da und wollte angemacht werden?«

»Nein.«

»Was heißt hier nein? War sie nicht allein?«

»Doch!«

»Aber sie saß trotzdem nicht allein?«

»Doch, sie war allein, aber so war das nicht.«

»Wie war es denn?«

»Sie hat nicht nur mit einem getanzt.«

»Ach nein? Sie hat also mit mehreren getanzt?«

»Ja.«

»Sie haben sie also eine Zeit lang beobachtet?«

»Ja.«

»Und haben Sie mit ihr getanzt?«

»Ja.«

»Und dann behaupten Sie, Sie wären nicht auf Aufriss gewesen? Sie lügen mich doch an!«

Gunnarstranda war mit seinem Bürostuhl ein Stückchen vom Schreibtisch weggerollt. Drehte sich mit seinem Sitz ungeduldig hin und her.

Der andere saß bewegungslos da und starrte ins Leere.

»Warum sind Sie am Samstag dorthin gegangen?«

»Keine Ahnung. Es war Samstag, ich konnte überallhin, ich war in der Stadt.«

»Und was ist dann passiert?«

»Also, wir haben uns unterhalten, haben uns eben kennen gelernt.«

»Gut. Was ist bei ihr zu Hause passiert?«

»Ja, da haben wir miteinander geschlafen.«

»Wie haben Sie miteinander geschlafen?«

Schweigen.

»Ich habe gefragt, wie Sie miteinander geschlafen haben. Wie haben Sie gevögelt?«

»Wir …«

»Hat sie sich angeboten?«

»Sich angeboten?«

»Hat sie sich ausgezogen und sich aufs Bett gelegt und die Beine breit gemacht?«

»Nein … wir …«

»Erzählen Sie mir doch, was passiert ist.«

»Sie sprechen von einer Toten!«

»Ich habe schon gesagt, dass ich mir dessen bewusst bin.«

Gunnarstranda stieß sich ab und ließ seinen Stuhl donnernd an den Schreibtisch heranrollen. Er beugte sich vor. »Also, erzählen Sie mir verdammt noch mal, was passiert ist, als Sie in ihrer Wohnung waren.«

»Ich hab sie umarmt.«

»Wo haben Sie sie umarmt?«

»Wir haben uns geküsst.«

»Wo haben Sie sie umarmt?«

»Ich hab ihren Hintern gestreichelt.«

»Und dann?«

»Dann sind wir ins Bett gegangen.«

»Angezogen?«

»Ich hab sie ausgezogen.«

»Und sie hat geschrien!«

»Geschrien?«

»Ja, sie hat geschrien und sich gewehrt, stimmt das nicht?«

»Das stimmt nicht!«

Gunnarstranda schlug mit der Faust auf die Tischplatte.

»Das stimmt nicht? Das stimmt nicht? Sie hat geschrien, jawohl! Geschrien und geschrien, und deshalb musstest du ihre verdammte Fresse zum Schweigen bringen!«

»Nein!«

»Ach, dann sehen Sie sich das mal an!«

Gunnarstranda sprang auf und warf das Foto von Reidun Rosendals leblosem Körper auf den Tisch.

Der junge Mann griff nach dem Bild, warf einen raschen Blick darauf. Frølich konnte seiner Reaktion nichts entnehmen. Tote sind nicht schön, dachte er. Diese hier auch nicht. Das viele Blut und der besudelte Messergriff zwischen ihren Brüsten!

»Sehen Sie den Schlips?«, fragte Gunnarstranda leise.

Der andere schüttelte verständnislos den Kopf.

»Er guckt unten unter dem Morgenrock raus.«

Der andere nickte, sah sich das Bild aber nicht noch einmal an. Er drehte es mit der Vorderseite nach unten.

»Das ist Ihr Schlips, nicht wahr?«

»Ich hab sie nicht umgebracht!«

»Ist das Ihr Schlips?«

»Ich hab es nicht getan!«

»Ist das Ihr Schlips?«

»Sie können mich nicht für etwas anklagen, das ich nicht getan habe!«

»Beantworten Sie meine Frage. Ist das Ihr Schlips oder nicht?«

»Ja, zum Teufel! Das ist mein verdammter Schlips!«

Plötzlich stand der junge Mann auf. Schleuderte das Foto auf den Tisch.

Es wurde still. Gunnarstranda hatte seinen Stuhl wieder vom Tisch weggeschoben. Zwischen seinen Lippen ließ er nachdenklich eine Zigarette wippen. Er starrte den Mann an, legte die Zigarette weg und zog den Stuhl wieder an den Tisch. »Werden Sie oft wütend, Sigurd?«

Sofort gab der Mann seine aggressive Haltung auf. Die dünnen Beine zitterten. Er tastete hinter sich nach dem Stuhl und setzte sich.

»Ich bin nicht wütend.«

»Danach habe ich nicht gefragt.«

Die junge Gestalt starrte stumm und hilflos vor sich hin.

»Ich habe gefragt, ob Sie oft wütend werden.«

Der andere wandte den Blick ab.

»Sie werden selten wütend, aber wenn, dann werden Sie sehr wütend, nicht wahr?«

Der andere zuckte mit den Schultern.

»Haben Sie in der Nacht etwas gegessen?«

»Ja … wir haben ein paar Brote gegessen … und Spiegeleier.«

»Wann war das?«

»Ich habe nicht auf die Uhr geschaut.«

»War das nach der ersten Nummer?«

Der andere nickte.

»Wie war sie?«

Der andere schwieg.

»Aktiv?«

Schweigen.

»Oder lag sie da wie ein schlaffer Kartoffelsack und ließ sich beschmutzen?« Der andere gab keine Antwort.

»Es gefällt Ihnen vielleicht, wenn die Mädels sich ein bisschen wehren, Sigurd?«

Keine Reaktion.

»Jetzt antworte gefälligst, wenn ich mit dir rede, Junge!«

»Sie verhöhnen einen Menschen, der nicht mehr lebt.«

»Von mir aus.«

Frølich sah, wie Gunnarstranda aufstand und die Arme ausbreitete. Er lief ein Weilchen im Zimmer auf und ab. »Sie haben also Brote gegessen«, fasste er zusammen. »Und Spiegeleier gemacht.«

Er blieb stehen und dachte nach. »Wer hat das Brot geschnitten?«, fragte er schließlich.

»Ich.«

Gunnarstranda kehrte an seinen Schreibtisch zurück. Griff in eine Schreibtischschublade und zog ein Messer heraus. Frank Frølich sah, wie er das Licht der Schreibtischlampe ganz bewusst im blanken Stahl funkeln ließ. Die Klinge war schwach gekrümmt, sodass die Schneide eine Art Bauch bekam.

Es war ganz still im Zimmer, als Gunnarstranda vorsichtig das Messer auf den Tisch legte. Die Messerklinge kratzte mit einem trockenen Geräusch über die Tischkante.

Frølich hörte, wie Sigurd schluckte.

Gunnarstranda setzte sich vorsichtig hin. »Nehmen Sie das Messer«, forderte er den jungen Mann mit sanfter Stimme auf.

Der andere schluckte noch einmal. Bewegte unruhig die Beine. Gunnarstranda stützte die Ellbogen auf den Tisch. »Nehmen Sie das Messer«, wiederholte er.

Sigurd starrte lange an die Decke.

»Nimm das Messer!«

Die Stimme des Polizisten knallte zwischen den Wänden.

»Nein!« Die Antwort war leise. Der Mann holte Atem und schluckte. Er versuchte, sich zum Reden zu sammeln.

»Warum«, versuchte er, aber er musste die Nase hochziehen, so lief ihm der Rotz. »Warum«, setzte er noch einmal an. »Warum könnt ihr sie nicht in Ruhe lassen?«

Gunnarstranda griff nach dem Messer und spielte eine Weile damit. Er säuberte sich mit der Spitze die Nägel. »Hatten Sie schon mal etwas mit einem Anwalt zu tun, Sigurd?«

Frank Frølich beobachtete, wie Sigurd den Kopf senkte und gegen die Schreibtischkante lehnte.

»Haben Sie sie erstochen, Sigurd?«

Er gab keine Antwort.

Frølich begegnete Gunnarstrandas resigniertem Blick. Er nickte und schaltete das Tonbandgerät aus.

»Frølich«, erklang Gunnarstrandas harte Stimme. »Schmeiß den Mann wieder in seine Zelle.«

9

Eva-Britt war beim Ullevål-Stadion ausgestiegen. Es war noch früh am Morgen, aber die schlimmste Stoßzeit war vorüber, und Frank Frølich war guter Stimmung. Er konnte Smestad relativ schnell hinter sich lassen, und es war erst kurz nach neun, als er in Lysaker vor einem relativ neuen Bürogebäude anhielt. Er nahm nur einen Notizblock und ein paar Bleistifte mit.

Das Gebäude stach ins Auge. Ein Bürogebäude, inspiriert von eskimoischer Iglu-Architektur und vorchristlichem Tempelstil. Der Name des Erfinders zierte Teile der Fassade.

Die Türen öffneten sich automatisch, und er betrat eine Eingangshalle. Der Boden war aus verschiedenfarbigem geschliffenen Naturstein gelegt. Das hatte zweifelsohne Geld gekostet, sollte aber auch einen einheitlichen Eindruck von Distanz vermitteln. Die Wände waren weiß gestrichen. In Brusthöhe zog sich eine vergoldete Leiste um die ganze Halle.

Dem Eingang gegenüber lag eine große Rezeption. Die hohen Glasfenster erinnerten an eine U-Bahn-Sperre. Und in der Öffnung zwischen den großen Fenstern stand die Empfangsdame, eine Aufmerksamkeit erregende Frau. Sie war vielleicht um die dreißig, war wie eine Büroangestellte in ein Kostüm gekleidet, Rock und Jacket aus graublauem Wollstoff. Ihre Haare waren dicht und braun mit einem rötlichen Glanz, der ihn an Autolack erinnerte. Als er näher kam, konzentrierte sich sein Blick auf ein deutliches schwarzes Muttermal im Grübchen zwischen Kinn und dem breiten Mund.

Sie nickte ihm zu und sprach ins Telefon, das über ihrer

Schulter hing, während ihre kräftigen Hände anderweitig beschäftigt waren. Die Nägel waren kurz geschnitten und unlackiert.

Er lehnte sich an den Tresen, während sie diverse Knöpfe drückte und schließlich ihr Gespräch beendete.

»Software Partners, die sind hier doch, oder?«

»Dritter Stock.«

Sie schien sich in ihrer Bürokleidung nicht wohl zu fühlen, die viel zu eng anlag. Daraus resultierte eine Unbeholfenheit, die gar nicht nötig gewesen wäre. Jetzt zögerte sie und wollte wieder zum Telefon greifen.

»Das brauchen Sie nicht.« Er deutete auf das Telefon. »Ich finde mich schon allein zurecht.«

Als sich die Fahrstuhltüren öffneten, trat er in eine große Bürolandschaft. Er wurde schon erwartet. Also hatte die Frau mit dem Muttermal doch angerufen.

»Sie sind von der Polizei, nehme ich an?«

»Mm.« Frank Frølich schüttelte seine Hand.

»Øyvind Bregård«, der Mann verbeugte sich. »Ich bin der Finanzplaner in diesem Laden.«

Ein großer, kräftiger Mann um die vierzig. Seine ausgestreckte Hand war nicht besonders groß; Brust, Arme und Oberschenkel waren jedoch mit Sicherheit mit Gewichten aufgebaut worden. Im Vergleich zu seinem riesigen Körper wirkte sein Kopf seltsam klein. Unter der Nase trug er einen dicken Schnurrbart – blond wie die kurzen Haare –, der zu beiden Seiten zu runden Bögen gezwirbelt war.

Hinter ihm saß vor einem Bildschirm eine blonde, etwas mollige Frau. »Und Sie sind …«

Frank trat mit ausgestrecktem Arm einen Schritt auf sie zu. Sie sprang so eilig auf, dass ihr Stuhl rückwärts kippte. In ihrer Verwirrung machte sie sogar einen Knicks. Ihre Hand war schlapp wie ein Gummihandschuh und blieb einfach hängen, als er sie losließ.

»Lisa Stenersen.«

Der Name kam beim zweiten Versuch, nach einem nervösen kleinen Lacher. Flache, breite Schuhe ließen sie klein und gedrungen erscheinen, aber ihr pausbäckiges Gesicht wurde von schönem blonden Haar umrahmt. Frank Frølich drehte sich um und entdeckte im linken Ohr des Gewichthebers einen kleinen Ring.

Es wurde still.

»Tja.«

Bregård wippte nervös auf und ab.

»Wir sollten uns vielleicht einen Raum suchen, wo wir in Ruhe miteinander reden können«, schlug Frølich entgegenkommend vor.

Der Finanzplaner nickte und ging zu einer Tür am anderen Ende des Raumes.

Das Büro des Mannes war nur mit einem Schreibtisch eher spärlich möbliert. Aber der dazugehörige Stuhl war Spitzenklasse. Velours, Nackenstütze und eingebauter Kippmechanismus. Ein Sessel, in dem man wunderbar die Fliegenfischerei des Jahres planen und dazu mit den Füßen auf dem Tisch schaukeln könnte. Außer einem wackeligen Hocker gab es kein weiteres Mobiliar. Der Polizist schob ihn an die Wand, um sich irgendwo anlehnen zu können. Die Wände waren rosa. Dekoriert mit Computerreklame. Ziemlich fetzige Teile. Eine Frau zog sich Netzstrümpfe an, den Fuß auf einen Computer gestellt. Es waren ungewöhnlich schöne Beine. Und sie hatte ungewöhnlich viele Haare auf dem Kopf.

Bregård setzte sich in den Bürostuhl. Jetzt trug er eine kleine randlose rechteckige Brille.

Frank riss den Blick von den Netzstrümpfen los. »Es geht, wie Sie sich sicher denken können …«

»Reidun«, unterbrach ihn der andere. »Das habe ich schon kapiert.«

Frank lächelte. Notierte in großen Buchstaben »ARSCHLOCH« auf seinem Block und zeichnete Kilroy auf einem Bretterzaun.

»Reidun Rosendal war bei Ihnen als Verkäuferin angestellt?«

Bregård nickte.

»Sie handeln mit Computersystemen, soviel ich weiß?«

»Administrative Systeme, Bürosysteme.«

Der Mann zog eine Schreibtischschublade auf und kramte darin herum.

»Wir stehen kurz vor einer größeren Erweiterung.«

Seine Worte kamen stoßweise, während er weiter in der Schublade suchte. Schließlich nahm er einen Stapel Broschüren heraus, reichte ihn dem Polizisten und knallte die Schublade wieder zu. »Reidun hatte auch damit zu tun. Sie sollte Vertragspartner und Interessenten für die Erweiterung akquirieren. Und natürlich hatte sie auch mit dem Verkauf der üblichen Dienste zu tun«, fügte er hinzu und faltete die Hände geschäftsmäßig vor sich auf dem Tisch.

Franken blätterte uninteressiert in den Werbeprospekten. Bunte Säulendiagramme und schöne Worte über Nutzen und Spareffekte. In der Mitte lächelte ihm das schnurrbärtige Gesicht des Mannes vom Hochglanzpapier entgegen. Ein gutes Bild. Frølich verglich das Foto mit dem Mann auf der anderen Schreibtischseite. Der Ring im Ohr trat auf dem Bild nicht in Erscheinung. Und er war förmlicher angezogen als im wirklichen Leben. Das Foto zeigte einen klassischen Bürohengst mit weißem Hemd, Schlips und grauem Jackett. Die Brille war dieselbe. Der Finanzplaner hob den Daumen, so wie ein Flieger im Weltkrieg. »Setzen Sie auf mich«, stand in einer Sprechblase über seinem Kopf.

»Haben außer Reidun noch andere im Verkauf gearbeitet?«

»Svennebye, unser Marketingchef. Und ich.« Er breitete die Arme aus. »Wir sind ein kleiner Betrieb, es kommt zu häufigen Überschneidungen. Engelsviken, unser Geschäftsführer, arbeitet auch im Verkauf, wenn er Zeit hat.«

»Wie viele Angestellte gibt es hier?«

»Insgesamt fünf, nein. Entschuldigung, vier, mit Reidun waren wir fünf.«

Der Polizist hielt die Prospekte hoch. »Die Firma will sich also vergrößern?«

»Wir werden sehr groß«, korrigierte Bregård unbescheiden. »Wir werben gerade neue Verkaufspartner im ganzen Land an.«

»Mit selbst entwickelten Produkten?«

»Nein. Wir haben eine Agentur im Ausland.«

Er ließ den Sessel nach hinten kippen. Spreizte die Finger und tippte mit den Fingerspitzen gegeneinander. »Das liegt schon im Namen. Software Partners. Wir bauen auf diesem Konzept auf und werden durch unsere Verbindung mit anderen Handelspartnern größer.«

Frank Frølich nickte. »Was Reidun betrifft ...«

Der andere wartete ruhig.

»Kennen Sie ein Lokal namens Scarlet?«

Bregårds Augen flackerten. Er beugte sich wieder vor und stützte die Ellbogen auf den Tisch. Dann strich er sich über den Schnurrbart. »Scarlet?«

Er probierte den Namen.

»Ja ... doch ... da war ich sogar schon mal.«

»Ist das schon lange her?«

»Sicher schon ein paar Wochen.«

»Aber am Samstag waren Sie nicht da?«

»Nein.«

»Wo waren Sie am Samstag?«

»Zu Hause.«

Frølich schwieg einen Moment, dann fragte er: »Kann das jemand bestätigen?«

»Ich war Samstagabend allein.«

»Haben Sie vielleicht ferngesehen?«

»Nein.«

»In der Glotze kommt ja auch nur Scheiße«, gab Franken vage zu. »Ich guck mir das auch nie an. Ich binde Fliegen.«

Der andere starrte stumm über den Tisch.

»Beim Fliegenbinden höre ich Radio«, sagte Frølich und kritzelte auf seinem Block herum. »Einige Sender bringen ziemlich gute Musik, viel besser als die öde Familienunterhaltung in der Glotze. Finden Sie nicht?«

Bregård lächelte herablassend. »Ja, vielleicht.«

»Haben Sie am Samstag vielleicht Radio gehört?«

Das Lächeln verschwand. »Nein, habe ich nicht.«

»Verheiratet?«

Der andere schüttelte den Kopf.

Frank Frølich streckte die Beine aus und streifte seine ausgetretenen Stiefel ab. Ein schwacher Geruch nach alten Socken erfüllte das Zimmer. Bregårds Gesicht war leicht steif. Franken folgte dem Blick des Mannes und entdeckte ein Loch in der linken Socke. Ein knochiger kleiner Zeh lugte hervor und schnappte frische Luft. Er spreizte die Zehen und überlegte sich, dass er seine Zehennägel schneiden müsste.

»Freundin?«, schlug er vor.

Der Mann verstand nicht.

Franken seufzte. »Ich möchte wissen, ob Sie eine Freundin haben!«

»Nein«, antwortete Bregård irritiert.

»Was haben Sie denn eigentlich am Samstag gemacht, Bregård?«

»Ich war zu Hause.« Er machte ein abweisendes Gesicht. »Ohne fernzusehen, ohne Radio zu hören. Ich bin einfach früh ins Bett gegangen.«

Frølich nickte.

»Ich wollte am Sonntag früh aufstehen.«

Der Polizist runzelte fragend die Stirn.

»Ich habe eine längere Wanderung im Wald gemacht.«

»Ist es dazu jetzt nicht zu nass?«

»Es ist nass, aber ich mache trotzdem solche Wanderungen.«

»Allein?«

»Allein«, bestätigte Bregård nickend.

»Oft?«

»Ja, oft.«

Frølich sah ihn an. Er war braun gebrannt, muskulös. Nicht unwahrscheinlich, diesem Mann im Wald zu begegnen. Absolut nicht. Einfach nur in anderen Kleidern, einem Isländer statt des weißen Baumwoll-Sweatshirts, einer grünen Kunstfaserhose statt der modischen Hose. Bergstiefel und graue Wollsocken. Himmel, ja, dieser Typ war bestimmt viel im Freien. Aber es war eine andere Frage, ob er gerade Sonntagmorgen unterwegs gewesen war. Frølich beschloss, das Thema zu wechseln.

»Haben Sie sie gut gekannt, Reidun, meine ich?«

Bregård zögerte.

»Sie haben ein halbes Jahr lang zusammen gearbeitet«, drängte Frølich. »Haben Sie sie gut kennen gelernt?«

»Einigermaßen.«

Der Kerl war irgendwie unsicher.

»Tut mir leid«, seufzte er resigniert. Bewegte sich unruhig und legte die Hände auf den Tisch. »Es ist einfach zu schrecklich! Am Freitag war sie doch noch hier!«

Er sagte noch etwas, das in einer hektischen Bewegung unterging. Sein Mienenspiel hätte gut ins Fernsehtheater gepasst, dachte Frølich. Die Hände, die sich hypernervös zu Fäusten ballten und wieder öffneten. Gleichzeitig diese gefühlsbetonten Kopfbewegungen. Das hatte etwas Übertriebenes, etwas Künstliches. Es bot keinen angenehmen Anblick. »Wann haben Sie sie zuletzt gesehen?«

»Freitagnachmittag. Ich wollte mit ihr ausgehen, aber sie konnte offenbar nicht.«

Der Polizist wartete. Aber der Mann brachte den Rest nicht über die Lippen.

»Sie waren also auch früher schon zusammen ausgegangen?«

»Das ist vorgekommen.«

»Waren Sie zusammen?«

»Zusammen?«

Der Mann wandte sich um, wie um zu wittern. Frank Frølich holte tief Atem, starrte kalt zurück. »Waren Sie mit ihr zusammen?«

»Wie meinen Sie das?«

»Haben Sie zum Beispiel mit ihr geschlafen?«

Bregård ging zurück zu seinem Sessel und setzte sich wieder. Er war wütend. »Ja, ich habe mit ihr geschlafen«, sagte er mit abweisendem Gesichtsausdruck.

»Haben Sie oft miteinander geschlafen?«

»Jetzt haben Sie verdammt noch mal, was Sie wollten! Wollen Sie auch noch wissen, wie lange wir es jedes Mal gemacht haben?«

»Geografie und Liebe«, Frølich dachte an das Stück von Bjørnstjerne Bjørnson.

»Hatten Sie eine Beziehung?«, fragte er freundlich.

»Nein! Wir hatten keine Beziehung.«

»Sie haben also schon länger nicht mehr miteinander geschlafen?«

Bregård gab keine Antwort.

»Oder konnten Sie einfach anrufen, wenn Sie gerade Zeit hatten, und eine Nummer bestellen?«

Bregård nahm langsam die Brille ab. Seine Finger zitterten nicht. Aber sein Blick war tödlich. »Sie können wirklich dankbar sein, dass Sie dienstlich hier sind. Wenn nicht, dann würde ich …«

»Schon gut!«

Frølich schnitt ihm das Wort ab und hob demonstrativ seinen Block, um den Mann daran zu erinnern, was sie hier machten. Er fuhr fort: »Als Sie sie am Freitag einladen wollten und Reidun ablehnte, hatte sie da schon eine andere Verabredung?«

»Sie meinen, ob sie einen anderen hatte?«

Bregård hatte sich beruhigt. Drehte sich mit seinem Sessel herum und starrte nachdenklich an die Wand, wo die Frau mit den üppigen Haaren noch immer mit ihren Netzstrümpfen beschäftigt war. Sie kehrte ihnen halbwegs den Rücken zu. Ein silberner Tanga endete zwischen ihren Pobacken. Ihr Kopf war dem Fotografen zugewandt, und sie formte die Lippen zu einem Kuss.

Bregård war gedankenverloren. »Nein«, sagte er schließlich. »Sie hatte keine andere Verabredung.«

Der Polizist ließ ihn nicht aus den Augen. »Mit anderen Worten, sie hat Sie auf Distanz gehalten?«

Bregårds Mund verzog sich zu einem resignierten Lächeln. Er gab keine Antwort.

»Wie war sie?«

Das Lächeln verschwand. Die Augen waren zwei schwarze Punkte.

»War sie heiß?« Frank Frølich schwieg und wartete ab. Der Dummkopf war noch nicht reif. Sein Gesicht war außer Kontrolle, seine Finger umklammerten die Tischkante.

»Sie hatte es am liebsten von hinten!«, fauchte er. »Warum kaufen Sie sich nicht selber eine Frau? Das muss doch viel besser sein, als sich alle Einzelheiten darüber aufzuschreiben, wie es andere Leute treiben!«

Frølich spürte, wie seine Lippen ein geduldiges Lächeln formten. »Wenn Reidun Rosendal weder von vorne noch von hinten genommen wurde, sondern Ihre Kollegin war, was hat sie dann interessiert? Wie war sie als Mensch?«

»Kleider«, sagte der andere mechanisch. Sein Ausbruch war abgeklungen. Der Mann war wieder in der Melancholie von vorhin gefangen. Er starrte erneut verträumt ins Leere. »Ich glaube, sie interessierte sich für Kleider … und für ihren Hund. Sie konnte ihn wohl nicht in ihrer Wohnung halten, und deshalb war er bei ihrer Mutter. Irgendwo in Westnorwegen. Sie hat übrigens dauernd von zu Hause geredet. Von ihrem Dorf da oben im Westen.«

»Gefiel es ihr hier in der Stadt nicht?«

»Nein, das war es nicht. Sie war einfach so.«

Er fuchtelte mit den Fingern und suchte das passende Adjektiv. »Sie selbst!« Jetzt war er zufrieden. »Sie selbst«, wiederholte er nickend.

»Sie hat sich also für Kleider interessiert. Was hatte sie für einen Stil?«

»Keinen besonderen Stil.« Er holte Luft. »Jeden Stil. Verstehen Sie? Sie konnte alles tragen. Am einen Tag sah sie aus wie ein Schulmädchen, am nächsten wie der fleischgewordene Traum aller Knastbrüder. Sie … ja, das hat sie wohl zu etwas Besonderem gemacht.«

Knastbrüder, notierte Frølich und blickte auf. »Ja?«

Bregård sah auf, das war jetzt keine Show mehr. »Sie war … nein«, unterbrach er sich. »Jetzt im Nachhinein klingt es doch nur platt.« Frank Frølich wartete, aber Bregård wollte nicht mit der Sprache heraus. Sein Profil war blass und leicht konturlos. Ein Schnurrbarthaar hatte sich gelöst und klebte zwischen den schmalen, blutlosen Lippen. »Mit wem hatte sie hier den meisten Kontakt?«

»Mit Sonja.«

Der Mann mit dem Schnurrbart drehte sich um und seufzte resigniert. »Sonja Hager. Die kommt sicher bald.«

Frølich zog seine Stiefel wieder an. Er ließ sich Zeit und band sorgfältig die Schnürsenkel, ehe er sich erhob. Bregård schaukelte noch immer in seinem Sessel und war mit seinen Gedanken scheinbar ganz woanders. Frølich ging. An der Tür drehte er sich noch einmal um. Bregård drehte zerstreut einen Kugelschreiber zwischen seinen Fingern.

»Wenn Ihnen etwas einfallen sollte, was uns weiterhelfen könnte«, sagte der Polizist freundlich, »dann melden Sie sich.«

Er wartete die Antwort nicht ab, sondern machte einfach nur kehrt und ging zurück zum Fahrstuhl.

10

Lisa Stenersens Gesicht war glatt und jungmädchenhaft. Dennoch wurde ihr Alter jetzt, wo sie ihre Überkleidung angezogen hatte, deutlicher sichtbar. Sie trug einen wattierten Steppmantel. In diesem Mantel und ihren flachen, pantoffelähnlichen Schuhen sah sie aus wie einer Revue entsprungen. Es fehlte nur noch die Blume am Hut. Sie wirkte verlegen und schaute nervös auf ihre Uhr, als Frølich auftauchte. Ihr Mund war zu einem ängstlichen Lächeln verzogen, während sie mit einem Stück Papier herumspielte.

»Haben Sie vielleicht keine Zeit?«, fragte er entgegenkommend.

Sie errötete. »Doch!«

Sie sah verwirrt an sich herunter, an ihrem Mantel, und wurde noch röter.

In diesem Moment klingelte das Telefon. Sie lief zu einem der Tische, die mitten im Büro standen. Nahm den Hörer ab, während Frølich sich hinter ihr aufs Sofa fallen ließ. Er blickte ins Fenster, um dort ihr Spiegelbild zu betrachten.

»Nein, er war heute noch nicht hier«, sagte sie formell und wollte auflegen. Aber so weit kam sie nicht.

»Was sagen Sie?«, rief sie plötzlich aufgeregt mit einer hohen Fistelstimme und bewegte sich nervös, weil kein Stuhl in Reichweite war.

»Kann ich mir denken, jaja, sicher.«

Zu Beginn des Gesprächs kamen die Floskeln noch einigermaßen aufrichtig, aber je länger es dauerte, umso weniger schien sie zu meinen, was sie sagte. Sie wand sich immer mehr, und es war nicht zu übersehen, wie schwer es ihr fiel, das Telefonat zu beenden.

Als sie endlich auflegte, blieb sie verwirrt stehen und knabberte an einem Nagel, während sie die andere Hand krampfhaft zur Faust ballte. Es sah aus, als hätte sie ein Problem.

»Sie kommen offenbar doch zu spät«, sagte Franken.

Ihre Zähne ließen von dem Fingernagel ab. Stattdessen biss sie sich auf die Unterlippe. »Ja, wahrscheinlich.«

»Mit wem haben Sie gerade gesprochen?«, fragte er, ohne sich seiner Neugier zu schämen.

»Mit der Frau von Egil Svennebye. Unserem Marketingchef.«

Sie setzte sich ein Stück von ihm entfernt steif auf eine Stuhlkante. »Sie macht sich Sorgen. Er ist gestern nicht nach Hause gekommen. Sie behauptet, er sei verschwunden.«

Sie lächelte mit gesenktem Blick. Frank Frølich wartete, bis sie ihn ansah. »Hat sie die Polizei angerufen?«

Sein Gegenüber zuckte mit den Schultern. »Sie will die Polizei wohl nicht mit hineinziehen.«

»Aber sie klang doch ziemlich aufgeregt?«

»Sie war aufgeregt«, bestätigte die Lisa Stenersen nachdenklich. »Vielleicht könnten Sie kurz mit ihr reden?«

Frølich erwiderte ihren Blick. »Wir können nicht viel ausrichten, wenn sie es nicht selber will.«

»Aber vielleicht beruhigt sie sich dann ein bisschen«, meinte Lena Stenersen optimistisch. Sie hatte das Stück Papier zu einer kleinen Kugel zusammengeknüllt. »Sie kam mir … verängstigt vor!«

Frølich nickte. »Wir würden ja auch gern ein paar Takte mit ihrem Mann reden, immerhin arbeitet er hier«, sagte er beruhigend. »Also kann ich ruhig mal bei ihm zu Hause vorbeischauen!«

Sie wirkte etwas erleichtert.

Frølich wechselte eilig das Thema. »Haben Sie mit Reidun Rosendal zusammengearbeitet?«

Die Frau warf einen raschen Blick auf ihre Uhr. »Nicht sehr eng. Reidun machte häufig Kundenbesuche. Ich habe vor allem mit der Korrespondenz zu tun.«

»Aber ein bisschen kannten Sie sich doch?«

»Sicher.«

Sie schauderte. Kniff die Augen zusammen. »Ist sie … ist sie gequält worden?«, fragte sie nervös.

Frølich erwiderte ihren Blick. »Das wissen wir nicht.«

Lena Stenersen faltete die Hände auf ihrem Schoß, murmelte mit geschlossenen Augen etwas. Ein Goldkreuz an einer Kette ruhte in ihrer Halsgrube.

»Sie war toll«, sagte sie schließlich.

»Attraktiv, meinen Sie?«

»Ja, schönes Haar, ein schöner Körper …«

Frølich hob den Zeigefinger und tippte sich an die Schläfe. »Und hier?«

»Keine Ahnung.« Lisa Stenersen lächelte. »Da hat sicher auch nichts gefehlt, aber … sie hat sich bedeckt gehalten.«

Die Frau im Steppmantel starrte zu Boden. »Aus manchen Leuten wird man irgendwie nie schlau.« Dann plötzlich sagte sie heftig: »Die sehen einen an, so wie die Leute im Fernsehen einen ansehen. Es wird nichts Besonderes gesagt, und man weiß nie, ob sie wirklich mit einem reden.«

Frank Frølich nickte langsam. Lina Stenersen hätte im Nähkränzchen seiner Mutter verkehren können. Er konnte es sich gut vorstellen, wie die Worte tot zu Boden gefallen waren, wenn Reidun versucht hatte, mit ihr zu sprechen.

Er betrachtete ihr luftiges Haar, bemerkte die vielen Illustrierten neben der braunen Handtasche auf dem Tisch. Den

Ehering, der sich leicht ins Fleisch des rötlichen Fingers eingegraben hatte. Lisa Stenersen, eine Repräsentantin des stummen Heeres, das alles über Baisers, Königskuchen, Englands betrübliches Königshaus und Unterarten der Weihnachtsbegonie weiß. Sie war mindestens dreißig Jahre älter als Reidun Rosendal. Ein Altersunterschied, der im Einzelfall nicht so wichtig, hier aber von Bedeutung war.

Lisa Stenersen fühlte sich unwohl und senkte den Blick.

»Aber offenbar war sie ja nicht ganz dumm«, sagte er versuchsweise.

Sie schwieg.

»Hatte sie viele Verehrer?«

»Weiß nicht. Von einem festen Freund war jedenfalls nie die Rede. Sie und Bregård haben ein bisschen miteinander geturtelt. Aber so einen Ton war sie gewöhnt. Für Reidun waren Flirts und Techtelmechtel und so normal.«

Auf Letzteres folgte ein leicht verlegenes Lachen. Sie fügte hinzu: »Sie hat immer eine lockere Stimmung verbreitet.«

»Hatten Sie keinen sehr engen Kontakt?«

»Nein, das nicht.«

»Wissen Sie, mit wem sie sich hier am besten verstanden hat?«

»Mit Kristin Sommerstedt. Die arbeitet nicht bei uns«, fügte sie eilig hinzu. »Aber Sie haben sie sicher am Empfang gesehen.«

Er erinnerte sich an die Rezeptionistin mit dem Muttermal am Mund.

»Sie hatten einige Gemeinsamkeiten«, fügte sie hinzu und sah auf die Uhr. »Meinen Sie …«

»Ja, sicher«, versicherte er freundlich. »Alles klar. Wir melden uns, wenn wir noch Fragen haben.«

»Ich kann auch gerne auf die Wache kommen«, beteuerte

sie und packte die Illustrierten und ihre Handtasche. Sie schaute auf ihre Armbanduhr. »Es ist bloß, weil ich …«

»Kein Problem«, sagte Frølich und begleitete sie zum Fahrstuhl.

»Wollen Sie nicht …«, fragte sie verwirrt, als er nicht mit einstieg.

Er gab keine Antwort. Lächelte nur beruhigend und sah zu, wie die Fahrstuhltür sich hinter ihr schloss.

11

Frank Frølich durchquerte langsam das Zimmer. Es war eine spärlich möblierte Bürolandschaft: Schreibtisch und diverse Bürogeräte. Nur eine Besprechungsecke mit zwei Sofas und zwei gemütlichen Sesseln an einem Tisch brach mit dem Eindruck von Arbeitsplatz. Eine große Archivwand grenzte die Besprechungsecke ab.

Er ließ sich Zeit und studierte die Prospekte in den Ablagefächern. Las die Titel der Bücher in den Regalen und ging schließlich zum Archivschrank. Er probierte eine Schublade. Sie war abgeschlossen. Frank Frølich stutzte und versuchte eine andere. Alle Schubladen waren abgeschlossen. Er untersuchte das Schloss. Es war neu. An den Spalten zwischen Aktenschrank und Schubladen konnte er Spuren sehen. Die Ablage war aufgebrochen worden, und danach hatte jemand die Schlösser ausgewechselt. Warum aber sollte irgendwer sein Archiv abschließen wollen? Fünf Angestellte in einer kleinen Firma. Hatten die kein Vertrauen zueinander?

Das Licht fiel durch die Fenster auf zwei weitere Schreibtische. Auf dem einen war neben dem Telefon mit Klebeband ein weißer Papierstreifen befestigt. Reidun Rosendal. Ihr Name in zierlicher blauer Kugelschreiberschrift. Ihr Platz, dachte er und setzte sich auf ihren Stuhl. Er öffnete die Schubladen, sah alles durch, fand aber nichts Interessantes. Sie waren so gut wie leer. Kein Terminkalender. Keine persönlichen Dinge. Nur Kugelschreiber, ein Farbband für einen Drucker und einige Büroklammern. Eine leere Colaflasche kullerte durch die unterste Schublade, als er sie öffnete.

Ganz oben lag unter einer Glasplatte ein Passbild. Er hob die Glasplatte an, fischte das Bild heraus und betrachtete das Schwarz-Weiß-Bild. Das Gesicht im Halbprofil. Eine Frau, die den Kopf in den Nacken gelegt hatte und ihr dauergewelltes Haar zur Seite warf, als ob sie in den Spiegel schaute. Sie hatte einen eitlen Blick. Eine Frau, der ihr Spiegelbild gefiel. Aber sie war jung. Er legte das Foto auf den Tisch. Wie alt das Bild wohl war? Es stammte aus einem Automaten, und er ahnte einen leichten Schleier in ihrem Blick. Vielleicht war sie leicht beschwipst gewesen. Die Frau, die er tot auf dem Boden gesehen hatte, hatte widerspenstiges und relativ kurzes Haar gehabt. Das Bild war also nicht ganz neu.

Sie hatte es am liebsten von hinten, hatte Bregård gesagt. Frølich entdeckte etwas, was er in ihrem durchscheinenden toten Gesicht nicht gesehen hatte. Etwas, das das Foto hatte erfassen können. Etwas Besonderes mit dem Mund, den Lippen. Diese Kombination von Mund, Augen und Zähnen machte dieses Gesicht so sinnlich.

Wer sich an Bregård ein Beispiel nimmt, weiß nicht, was er verpasst, dachte Frølich und steckte das Bild in die Tasche.

In diesem Moment brummte der Fahrstuhl. Er hielt in seiner Etage an, und eine Frau betrat den Raum.

12

Auch sie eine Frau in den besten Jahren. Sie war hübsch, hatte volle Lippen und war dezent geschmink. Eine elegante Schultertasche schlug ihr gegen die Hüfte, während sie unter der Last von zwei Plastiktüten keuchte. Sie ließ sich auf einen Bürostuhl fallen, und erst dann entdeckte sie den Polizisten, der sich schnell erhob. Sie sprang wieder auf und kam langsam auf ihn zu, während sie ein Paar schwarze Handschuhe auszog. Sie enthüllte schlanke Hände, elegant und mit nur wenig Gold. Das Edelmetall trug sie in Form von einigen dünnen Armreifen, die leise klirrten, als er ihre Hand ergriff. Sie war trocken, und es war angenehm, sie zu berühren.

»Tag«, sagte sie. »Ich bin Sonja Hager.«

Mit ihr war ein Schwall frischer Luft hereingekommen. Sie sah ihm mit einem neugierigen kleinen Lächeln in die Augen, als er sich vorstellte. »Dann haben wir ja bereits miteinander gesprochen!«, rief sie und fuhr in gedämpftem Tonfall fort:

»Es war ein entsetzlicher Schock. Es ist eine Sache, wenn ein Mensch stirbt, mit dem man viel zu tun gehabt hat, aber es ist doch etwas ganz anderes, wenn er auf so entsetzliche Weise getötet wird.«

Sie drehte sich um und hängte ihre Pelztiere in eine Ecke hinter der Fahrstuhltür. Danach stand sie in einem damenhaften Rock und einer geblümten Weste über einer lockeren Bluse vor ihm. Sie war eine wohlhabende Frau. Eine, die ein teures Auto fuhr und sicher edles Porzellan sammelte.

»Manche Männer müssten kastriert werden, finde ich«, sagte sie leichthin und zog ihre Bluse zurecht.

Frølich bemerkte zwei Ketten an ihrem Hals. Eine kurze aus Gold und eine längere, deren Anhänger sich bei ihren Brüsten versteckte, die schwach irgendwo unter den Kleidern wogten.

»Es steht noch nicht fest, ob sie vergewaltigt worden ist oder nicht!«

»Aber das liegt doch auf der Hand!«

Sie wühlte in einem Aktenschrank herum und winkte mit einer Kekspackung. »Eine Tasse Kaffee?«

»Ja, gerne.«

Sie trat zum Telefon, wählte eine kurze Nummer und sprach.

»Es ist besser so«, sagte sie danach zu ihm. »Ich möchte nicht gern in der Kantine verhört werden.«

»Aber das ist doch kein Verhör.«

»Nennen Sie es, wie Sie wollen.«

Sie setzte sich ihm gegenüber auf das Sofa. »Wir alle sind es Reidun schuldig, dabei zu helfen, den zu erwischen, der sie umgebracht hat.«

Frank Frølich hob entschuldigend seinen Notizblock.

»Wie gut haben Sie Reidun gekannt?«

»Im Grunde kaum. Sie war ja neu hier, aber sehr …«

Sie suchte nach dem passenden Wort. Einen kleinen Moment lang wirkte sie geistesabwesend. »Positiv«, fügte sie nach einer Weile mit in sich gekehrtem Blick hinzu. »Wir konnten gut miteinander kommunizieren«, fügte sie hinzu. »Eine intelligente Frau, die Manieren hatte und die überall Freunde fand. Aber es hat zwischen uns nie einen engeren Kontakt gegeben.«

Frølich nickte. Es lag sicher ein tiefer Graben zwischen der Mietwohnung in Grünerløkka und dem Schloss, in dem diese Frau residierte.

»Sie war überhaupt eine gute Verkäuferin«, erklärte sie.

Sie wurden von einer Frau mittleren Alters unterbrochen, die ein Tablett mit zwei Kaffeetassen hereinbrachte und es auf einem Kasten neben der Tür abstellte. Sonja stand auf, um das Tablett zu holen. Sie richtete ihre Frisur, ehe sie zurückkam. Setzte sich, schlug ein Bein über das andere und riss ein kleines Loch in die Sahnepackung aus Pappe.

Frølich lehnte höflich ab, er trank den Kaffee schwarz, nippte behutsam an der Tasse und fragte: »Inwiefern war sie eine gute Verkäuferin?«

»Wie sollte eine gute Verkäuferin sein?«

Eine gescheite Frau. Sie stellte eine Gegenfrage. »Na ja …«

Er wartete. »Glatt«, schlug sie mit ihrem permanenten Lächeln vor. »Verkäufer sind glatt und gerissen, und man weiß nie, was man von ihnen halten soll.«

Wollte sie ihm etwas mitteilen? Er konnte ihr Lächeln nicht ganz deuten. Es war aufgesetzt. Und in ihren Augen sah er zwei stechende Punkte.

»Hatte Reidun Rosendal diese Eigenschaften?«

»Reidun war intelligent, schön und … jung.«

»Hatte sie Feinde hier im Haus?«, fragte er ruhig.

»Ganz im Gegenteil.«

»Hatte sie mit irgendwem besonders engen Kontakt?«

Sonja nahm einen Schluck von ihrem Kaffee. »Nein.«

Frølich notierte, dann fragte er weiter: »Bregård hat erzählt, dass er ein Verhältnis mit ihr hatte.«

»Er hat *was* gesagt?«

Sie starrte in ihre Kaffeetasse.

»Na ja. Ich hatte den Eindruck.«

»Was für einen Eindruck?«

Die Reaktion kam etwas zu schnell. Das Lächeln, das der Frage den Stachel ziehen sollte, war zu steif. Ihre Lippen bebten schwach und ein wenig unkontrolliert. Frølich konzentrierte sich und gewann Zeit, indem er sich vorbeugte und doch noch etwas Sahne in seinen Kaffee goss.

Danach richtete er seinen Blick auf einen Punkt schräg über ihr, um nicht zu zerstören, was hier in der Luft hing. Er lächelte ein bisschen unbeholfen. »Heutzutage kann ein Verhältnis ja alles zwischen Verlobung und …«

Weiter kam er nicht.

Sie fiel ihm mit gebleckten Zähnen ins Wort: »Und einem *Stich*, wie manche es doch so gerne nennen.«

Intensive Augen. Ihre Kiefermuskeln waren zu zwei hässlichen Knoten angespannt. Als ob jemand hinter ihr stand und ihr die Mundwinkel hochzog.

Seine Augen fanden ihre, doch das schien sie nicht zu bemerken. Ihre Stimme kam von weit her, als ob sie in einem Boot auf einem stillen See säße und zu jemand Unsichtbarem redete.

»Bekanntlich lassen manche Frauen sich ja gern als Mülleimer benutzen.«

Eine Blase war geplatzt. Sie starrte einen Moment lang in ihre Tasse. Als sie abermals den Blick hob, war sie wie zuvor. Beherrscht und adrett.

»Es ist schon einige Jahre her, dass wir auf der Straße Pornohefte verbrannt haben.« Sie lächelte selbstironisch.

Franken spielte ihr Spiel mit und erwiderte das Lächeln. Er täuschte sie, indem er den Kopf abwandte und für wenige Sekunden aus dem Fenster schaute. Sie biss an. Er spürte, wie ihr Blick ihn abtastete. Er sah sie wieder an. »Es tut mir leid, wenn ich ungeschickt war, aber ich konnte ja nicht wissen, dass Sie und Bregård …«

»Aber das stimmt doch auch nicht!«

Sie lachte mit offenem Mund. Sie war schön, wenn sie lachte. Schön und adrett.

»Du meine Güte! Bin ich so leicht misszuverstehen?«

Nein, er hatte überhaupt nichts missverstanden. Aber es gab hier etwas, was er nicht zu fassen bekam, was aber vermutlich fertig verpackt vor seinen Augen auf dem Tisch lag, ohne dass er es sehen konnte.

»Ich leite diesen Betrieb zusammen mit meinem Mann. Er ist hier der Direktor.«

Franken sah in seinen Notizen nach. »Ich hatte schon gedacht, ich wäre taktlos«, log er und lachte die üppige Frau, die nun aus ihrem Blick sprach, willig an.

Wieder biss sie an. Wogende Welle unter der Bluse, leichte Röte auf den Wangen.

»Terje Engelsviken ist also Ihr Mann?«

Sie nickte zögernd. »Ich meinte nur, dass …«

Sie unterbrach sich und zog die Nase kraus. »Das bringt mich nur so auf. Alles geht so leicht! Es ist nicht richtig, dass sich alles nur um Sex dreht!«

»Es gibt ja auch so etwas wie Liebe«, schlug er vorsichtig vor.

Sie hob wachsam den Kopf. »Vielleicht«, gab sie zu. »Aber was soll das denn sein, Liebe, meine ich?«

Klebrige Frage. »Na ja, ich bin nicht gerade ein großer Philosoph.«

»Aber ist das Philosophie?«

Ganz offensichtlich beschäftigte sie dieses Thema. Ihre Miene wirkte ernst und nachdenklich. »Die Beziehung zwischen Menschen«, begann sie. »Wenn zwei Menschen sich finden und sich zusammen eine Existenz aufbauen. Worauf beruht das alles?«

Klebrig, dachte Frølich, wie klitschiges Bonbonpapier an den Fingern.

»Liebe«, schlug er vor, um zu entkommen.

Sie lächelte zur Antwort nachsichtig zu ihm herab, von irgendwo sehr hoch oben. »Liebe ist ein flüchtiger Begriff.«

Es war eine Belehrung. Ein Stein kann nicht fliegen, Mutter Nille kann nicht fliegen. Ihr Blick hatte Nachsicht mit ihm. War voller Fürsorge für den Idioten auf der anderen Seite des

Tisches. Sie wägte ihre Worte jetzt ab, hatte Angst, sie könnten zu schwierig für ihn, diesen Schafskopf, sein:

»Das Flüchtige kann überhaupt nichts tragen. Jedenfalls nichts so Beständiges wie das gemeinsame Leben zweier Menschen.«

Ergo ist Mutter Nille ein Stein. Frølich seufzte bei dem Gedanken an seine Schullektüre, rührte in seinem Kaffee und räusperte sich vorsichtig:

»Gemeinsames Leben?«

»Ihnen ist wohl noch nie der Gedanke gekommen, dass manche Menschen ihre Versprechen ernst nehmen«, fragte sie aggressiv. Ihre Lippen zitterten angespannt. Frølich verschüttete seinen Kaffee. Er griff nach einer Serviette auf dem Tablett und wischte das Schlimmste weg, aber das bemerkte sie nicht.

Sie saß vornübergebeugt, ihre Finger so weiß und leicht zitternd wie ihre Oberlippe. »In guten wie in schlechten Tagen. Was bedeutet das?«

»Immer«, schlug er vor.

Diese Antwort schien richtig zu sein. Sie beruhigte sich und schwieg. »Es ist Ihnen also neu, dass Bregård und Reidun auch außerhalb der Arbeitszeit Kontakt hatten?«

Sie antwortete nicht, sondern starrte abwesend vor sich hin. Frank Frølich wusste nicht so recht, ob sie seine Frage gehört hatte. Er hustete.

»Sie hat nur an sich selber gedacht«, sagte Sonja plötzlich.

Franken sah sie eindringlich an.

»Verstehen Sie das nicht falsch! Ich meine nur, dass das Wort Verhältnis nicht passt. Ich nehme an, sie fühlten sich zueinander hingezogen, aber ...«

Er nickte. »Sie waren zwei junge ... schöne Menschen, die zusammengefunden haben?«

Sie holte Luft. Ein Hauch von Eis in ihrer Stimme. »So könnte man es wohl ausdrücken.«

Da war es wieder. Sie hätten wohl erst heiraten sollen, dachte er spöttisch und wagte den Sprung: »Sie meinen, sie haben sich gepaart?«

Ruhige Hand, leerer, toter Blick. Die Hand stellte die Tasse ohne ein einziges Klirren weg.

Game over.

Er lehnte sich in seinem Sessel zurück. Ihr schönes Gesicht war professionell verschlossen und schien uneinnehmbar hinter einer unsichtbaren Glaswand.

Frank Frølich übereilte nichts. Er ließ sich Zeit und blätterte in seinen Notizen. »Ich habe mit Lisa Stenersen und mit Bregård gesprochen.«

Sie nickte kühl.

»Wird sich der Verlust von Reidun Rosendal auf die Firma auswirken?«

»Marginal.«

Er beugte sich leicht vor. »Marginal?«

»Als wir davon gehört haben, hatten wir eine Besprechung. Terje hat schon eine Lösung gefunden.«

Terje, der Gatte und Direktor. »Terje habe ich wohl verpasst.«

Wieder ein kühler Blick. »Er ist heute leider nicht hier.«

»Dann habe ich ihn ja noch gut.«

Nicken.

»Wir müssen alles über Reidun Rosendals verschiedene Kontakte herausfinden. Ich könnte deshalb ein Kundenregister oder ihre Besuchsliste brauchen.«

Sie zog ihre Bluse stramm und erhob sich. Sie trat an einen der Computer, und schon bald knisterte ein Drucker. Sie reichte ihm ein Blatt Papier.

Frølich verabschiedete sich.

Unten am Empfang war niemand zu sehen. Lisa Stenersen hatte erzählt, dass Kristin Sommerstedt die Tote gekannt hatte. Frølich schaute auf die Uhr und beschloss, später mit Reidun Rosendals Freundin zu sprechen.

Er verließ das Gebäude und öffnete die Tür seines Autos. Er wandte sich noch einmal zu dem Haus um, aus dem er gekommen war. So viel Glas und doch nirgendwo durchsichtig. An manchen Stellen war es undurchdringlich wie Metall. Meine Herrn, dachte er und stieg ein. Was für eine Bande!

13

Die Tür des Polizeigebäudes hatte sich gerade hinter ihm geschlossen, da blieb er plötzlich stehen und machte auf dem Absatz kehrt. Aber es war zu spät, er war bereits entdeckt worden. Die Frau von der Zeitarbeitsvermittlung strahlte ihm entgegen. Ihr dicker Körper kam auf ihn zugewogt.

»Ho! Ho! Hallo, Frank!«

Ein Wackelpudding auf der Flucht von einem Kinderfest, dachte er und machte sich auf das Weitere gefasst. Er war immer wieder aufs Neue überrascht von dieser Kombination von großem Körper und kleinem Kopf. Oben thronte eine lila Punkfrisur, und unten stöckelte sie auf dünnen Absätzen. Sie trug eine schwarze Stretchhose, die sich über dem Bauch spannte. Jetzt winkte sie. Ihre ganze Gestalt wallte und wogte.

»Jetzt laufe ich hier schon seit Stunden wie ein aufgescheuchtes Huhn durch die Gegend!«

Er spürte, wie sich seine Ungeduld zwischen seinen Augen breit machte.

»Und jetzt kommst du! Wo ich gerade vergessen hatte, was ich fragen wollte!«

Sie brach in ein schallendes Gelächter aus, packte seinen Arm und zog ihn zur Treppe, während sie sich geheimnisvoll umschaute. Er versuchte, sich loszureißen, doch es gelang ihm nicht.

»Es geht um diesen Brief, den ich für dich schreiben soll.«

Sie hielt ihm ein paar Blätter unter die Nase, und er konnte die Treppe nicht mehr sehen. Irgendwer kam ihnen entgegen, und Frølich stellte sich seitlich und drückte sie eine Stufe tiefer.

»Oh!«, rief sie. »Body!«

Er lief weiter nach oben, um zu entkommen. Aber sie verfolgte ihn die Treppe hinauf und über den Flur. Völlig außer Atem war sie immer zwei Schritte hinter ihm. Sie wedelte mit den Unterlagen und redete ununterbrochen, während sie auf ein falsch geschriebenes Wort zeigte. Er legte die Hand auf die Klinke der Bürotür und drehte sich zu ihr um. »Alles klar«, er verbeugte sich. »Schreib das so, wie du willst, alles klar.«

Der Wackelpudding beruhigte sich. Sie stemmte die Hände in die Hüften. »Weißt du, was der zu mir gesagt hat, dein Chef?«

Sie deutete mit dem Kinn auf die Bürotür hinter seinem Rücken.

Was auch immer, es kann nicht schlimm genug gewesen sein, dachte Frølich. Er ließ sie weiterreden, sich zu beiden Seiten umsehend und demonstrativ verstummend, als zwei uniformierte Kollegen vorbeikamen. »Er hat gesagt, ich sollte mich zum …«

Sie unterbrach sich für zwei Sekunden. »Teufel …«, mimte sie lautlos und blickte sich wieder verschwörerisch nach allen Seiten um.

»Ich habe nichts dazu gesagt«, versicherte sie. »Aber diese Worte wird er noch bereuen!«

Franken, der Gunnarstrandas Vorschlag gar nicht so dumm fand, zwinkerte mit schwerem Augenlid. »Du hast dich sicher verhört«, sagte er diplomatisch.

»Nein, überhaupt nicht. Aber ich weiß, warum er so ist!«

Franken merkte, dass er neugierig wurde.

»Angeblich hat er sich verändert, als er Witwer wurde. Daher kommt das also.« Sie nickte noch immer. »Er kriegt nicht mehr, was er braucht, verstehst du! Schon seit Jahren nicht mehr!«

»Wie belieben?«

»Was mir beliebt …«

Sie wackelte auf ihren dünnen Absätzen. »Was mir beliebt, ist mehr, als das Auge begehrt, Mann. Ha! Ha!«

Daraufhin walzte sie wieder über den Flur. Ihr Hintern hüpfte auf und ab.

Plötzlich blieb sie stehen und drehte sich um. »See you! Darling!«

Und verschwand um die Ecke.

»Schwenke hat angerufen«, hörte er Gunnarstrandas Stimme, als er die Tür öffnete. Eine Zigarette wippte in seinem Mundwinkel. Frølich ließ sich auf einen abgenutzten blauen Bürostuhl fallen und blies in die Finger.

»Du darfst nicht so hart mit den Schreibkräften umspringen«, sagte er.

»Mit der Dicken?«

Gunnarstranda rieb sich die Nase, ließ seine Zigarette in einen roten Aschenbecher fallen, auf dem der weiße Schriftzug »Cinzano« kaum noch zu lesen war. Er biss auf seinen Kugelschreiber.

»Sie muss lernen anzuklopfen, ehe sie anderer Leute Türen aufreißt! Tottenham, Heimspiel gegen Leeds«, murmelte er fragend.

»Auswärtssieg«, sagte Franken und schaltete den Computer ein.

Gunnarstranda war anderer Meinung. »Hat Tottenham nicht einen norwegischen Torwart?«

»Dann nimm eben unentschieden.«

Er betätigte die Tastatur. Kurz darauf leuchtete der Bildschirm blau. »Was hatte der Scharfrichter mitzuteilen?«

»Nichts. Abgesehen vom Speisezettel der Kleinen. Und den kannten wir ja schon. Und er glaubt, sagen zu können, dass sie irgendwann zwischen fünf und acht Uhr am Sonntagmorgen gestorben ist. Und das ist uns ja auch nicht wirklich neu.«

Frank Frølich nickte langsam und überlegte sich, dass diese Auskunft eigentlich sehr wohl nützlich war. Aber er kannte seinen Chef gut genug, um zu wissen, dass er diesen Zeitpunkt im Geiste sicher rot unterstrichen hatte.

»Was denkst du über Sigurd Klavestad?«, fragte Gunnarstranda über den Tisch hinweg. »Glaubst du, er sagt die Wahrheit?«

»Ja.«

»Gut«, sagte der andere und nickte, ehe er sich wieder an seinen Lotto-Toto-Zettel machte.

Frank Frølich runzelte die Stirn. »Wieso?«

Gunnarstranda schrieb weiter und zählte Kreuzchen.

»Ich hab ihn entlassen«, sagte Gunnarstranda ohne aufzublicken. »Hab Jack Myrberget ausgeliehen, und der klebt ihm bis auf weiteres an den Hacken.«

Der Totozettel war fertig, und er steckte ihn in die Innentasche seines Jacketts, das über der Stuhllehne hing. Vom Stapel unten in der Schublade nahm er einen weiteren und füllte ihn diesmal ohne Probleme aus.

»Diese Zahlenfolge nehme ich jetzt schon seit fünfundzwanzig Jahren. Weißt du, wie viel ich damit gewonnen habe?«

»Nein.«

»Vierundfünfzig Kronen. Am letzten Samstag. Neun Richtige.«

»Mehr hast du in fünfundzwanzig Jahren nicht gewonnen?«

»Mit diesen Zahlen nicht. Aber ich weiß, dass sie irgendwann an die Reihe kommen.«

»Zweiundfünfzig Wochen im Jahr. Fünfundzwanzig Jahre. Hast du dir mal die Mühe gemacht, deinen Nettoverlust zu berechnen?«

»Reg dich ab! Stell dir mal vor, wie viel ich dann gewinne!«

»Vierundfünfzig Kronen!«

Gunnarstranda steckte den Totozettel ein. »Was kannst du von Software Partners berichten?«

Franken drehte sich wieder um. »Bürgertum«, antwortete er kurz. »Anständige Leute, allesamt über vierzig mit ungleichen Risikomargen. Teure Klamotten, teures Haus, Computer! Fünf Angestellte. Ich habe mit dreien gesprochen. Das einzige leicht Auffällige war, dass sie ihr Archiv abgeschlossen hatten. Mit richtigen Superschlössern. Ich schreibe jetzt gerade meinen Bericht.«

Er nahm eine Tüte vom Boden. »Ich habe jede Menge Hochglanzpapier und Reklame mitgebracht.«

Er hob die Tüte mit den Prospekten hoch. »Der Laden ist klein, aber sie protzen wie IBM. Offenbar vergrößern sie sich gerade. Ich habe das nicht ganz kapiert, aber sie wollen mehr Eigenkapital und gleichzeitig mehr Verkaufspartner im ganzen Land akquirieren.«

Gunnarstranda zog ein paar Broschüren aus der Tüte. »Da hab ich was zum Lesen fürs Bett«, murmelte er.

»Der Finanzplaner«, fuhr Franken fort, »heißt Øyvind Bregård. Ein typischer Bodybuilder, unverheiratet. Er war nicht sehr gesprächig. Scheint eher ein Freiluftmensch zu sein, jedenfalls hat er behauptet, seine Zeit in Wald und weiter Flur zu verbringen. Nach vielem Hin und Her hat er zugegeben, dass er mit der Kleinen vor einiger Zeit im Bett war. Sie hat Schluss gemacht.«

»Bringt uns das was?«, fragte Gunnarstranda.

»Kann sein, er hat für Samstag kein Alibi. Hat behauptet, er sei früh ins Bett gegangen, um am Sonntag früh in den Wald zu können. Und diesen Ausflug hat er auch allein gemacht.«

Der Kriminalhauptkommissar nickte langsam.

»Der Marketingchef heißt Svennebye. Er hat sich irgendwie aus dem Staub gemacht. Seine Frau hat angerufen, als ich da war, und war schrecklich aufgeregt. Ihr Mann ist nicht aus dem Büro nach Hause gekommen, nachdem der Mord bekannt geworden war. Seither hat sie ihn nicht mehr gesehen.«

Gunnarstranda stieß einen Pfiff aus und griff nach der Zigarette im Aschenbecher.

»Ich hab der Sekretärin versprochen, mich um die Sache zu kümmern«, sagte Frank Frølich zögernd. »Die wirkte ziemlich normal. Ist die Älteste da. Bloß ein bisschen nervös.«

Er wartete, bis Gunnarstranda seine Kippe angesteckt hatte. »Dann ist da noch diese andere Frau. Sonja Hagen. Ich habe ihr von Bregårds Affäre erzählt, und daraufhin ist sie erst mal hochgegangen.«

»Eifersucht?«

»Kein Stück. Die Frau ist mit Engelsviken verheiratet, dem Direktor. Nein, keine Eifersucht.«

Er ging zum Waschbecken in der Ecke und trank einen Schluck Wasser. »Aber sie ist besessen von der Ehe als Institution«, fügte er hinzu und wischte sich mit dem Handrücken über den Bart.

Gunnarstranda rauchte. »Da stimmt wohl was nicht?«

»Irgendwas stimmt nicht«, sagte Franken und ging zurück an seinen Platz. »Sie meint, Reidun Rosendal habe andere Menschen ausgenutzt.«

»Wie denn?«

Frølich zuckte mit den Schultern. »Ich glaube, das hatte mit Sex zu tun.«

»Dass sie Männer ausgenutzt hat?«

»Keine Ahnung. Die Frau war überhaupt ganz schön nebulös.«

Gunnarstranda klopfte seine Taschen ab und ging zur Tür. »Schreib das in deinen Bericht. Wenn du fertig bist, kannst du Feierabend machen.«

Frølich blieb sitzen und starrte die Tür an, dann wandte er sich wieder seinem Computer zu. Wenn ich fertig bin, dachte er mutlos und setzte sich.

14

Ganz oben am Hang, wo der Kiesweg sich zu einem kleinen Wendeplatz erweiterte, parkte Gunnarstranda. Eineinviertel Stunde Fahrt von Oslo hierher in die Gegend von Hurum, vorausgesetzt, dass man an strategischen Stellen grün hatte und es im Oslotunnel keine Schlange gab.

Heute nicht. Mürrisch schaute er auf die Uhr. Er hatte seinen Skoda unterwegs mindestens sieben oder acht Mal anhalten müssen. Der Motor wollte einfach nicht und krepierte, wenn man schneller als siebzig fuhr. Dann hustete und stotterte er und wurde immer langsamer, sodass die anderen Autos ihm fast hintendrauf fuhren und wütend blinkten und hupten. Bis er sich schließlich dazu gezwungen fühlte, an den Straßenrand zu fahren und einige Minuten schräg geparkt dort zu stehen, während die dichte Schlange vorüberbretterte und er sich Sorgen machte, der Motor könne überhaupt nicht wieder anspringen. Er hatte alles Mögliche versucht. Den Choke benutzt, Vollgas gegeben und gehofft, noch ein paar Kilometer zu schaffen, bis es wieder so weit wäre. Was für eine schreckliche Fahrt. Aber jetzt war er endlich angekommen.

Seine Gereiztheit hatte sich noch nicht ganz gelegt. Deshalb blieb er ruhig sitzen und schaute aus dem Fenster, bis sich das vertraute Gefühl einstellte.

Das wunderbare Gefühl, nach Hause zu kommen, privat zu sein. Er dachte an Edel. Sie hatte es geschafft, hier draußen eine Art Garten anzulegen. Jetzt, wo sie nicht mehr lebte, hatte er ihr Werk übernommen. Ihr ganzes Leben lang hatte sie sich so einen Garten gewünscht, und am Ende hatte sie ihn bekommen. Gunnarstranda vollendete das, was sie nicht mehr geschafft hatte. Ein halbes Leben hatte er die Blätter von Esche und Ahorn nicht auseinanderhalten können. Jetzt wusste er sehr viel mehr. Und seit ihrem Tod waren vier Jahre vergangen.

Die Hälfte des Jahres verbrachte er mehr oder weniger hier. Es war sein privater Zufluchtsort. Dennoch konnte er die braune Kiefer vor der Hütte nicht ansehen, ohne einen Stich zu verspüren. Der kleine Stich und das Bild von Edel in hohen Stiefeln, die, den geflochtenen Korb am Arm, vom Pilzesammeln zurückkam. Er fragte sich manchmal, warum er gerade dieses Bild vor Augen hatte. Warum kein anderes, und warum dazu immer dieser Stich? Von der hohen Kiefer führte ein kleiner Pfad die fünfundzwanzig Meter zur Hütte, die sich zwischen zwei hohen Felskuppen versteckte. Auf der Vorderseite offenbarte sich das Wunder. Im Frühling, Sommer und Herbst. Hier hatte sie das erreicht, was in dieser Klimazone überhaupt möglich war. Und er hielt es in Stand. Schon jetzt, als er Ordner und Unterlagen aus dem Wagen lud, zeigte sich auf seiner Stirn eine besorgte Falte, als er an das Wasserproblem im Sommer dachte. Man wusste es nie – so ein Fall wie der Mord an Reidun Rosendal konnte sich hinziehen. In den kommenden Wochen würde er bestimmt nicht hier wohnen können, aber wie würde es im Mai sein, wenn vielleicht die Frühjahrstrockenheit einsetzte?

Seine Gedanken wurden von brechenden Zweigen und schweren Schritten unterbrochen. Aus dem Unterholz am Wegesrand trat ein Mann in einem verwaschenen Isländer und einer zerlumpten alten Hose. Gunnarstranda erkannte seinen Hüttennachbarn Sørby, der grüßend die Hand an die Stirn legte und nervös grinste.

Gunnarstranda murmelte etwas Unverständliches zur Antwort und ließ sich Zeit mit seinem Gepäck.

Sørby gehörte zu einer Gruppe von Rentnern, die hier draußen zusammenhockte, Akkordeon spielte und sich um sonst nichts kümmerte. Gunnarstranda mochte ihn nicht. Er war ein Wichtigtuer und sprach in einem Ton über seine Kinder, als verriete er ein Staatsgeheimnis.

Gunnarstranda waren anderer Leute Kinder und Kindeskinder restlos egal. Vor allem die, für die dieser Fettsack verantwortlich war. Außerdem hatte er den Verdacht, dass die Rentner an ihren Akkordeonabenden über ihn herzogen.

So wie Sørby da stehen blieb, unsicher und zahm, konnte er ja keine ehrlichen Absichten haben.

Gunnarstranda blickte aus zusammengekniffenen Augen abweisend in Richtung des Mannes. Was hatte dieser Kerl auf seinem Grundstück zu suchen gehabt? Hatte wahrscheinlich rumgeschnüffelt. Er und die anderen.

Zusammen waren sie stark. Aber dann kam einer nach dem anderen angekrochen, um um Ableger und Wurzeln zu bitten. Wer sich nicht traute, schnüffelte hier herum, wenn Gunnarstranda in der Stadt war. Er fand immer ihre Spuren. Später wuchsen oft kleine Kümmerlinge zwischen Sørbys Kiefern und gingen bald ein. Denn weder seine Frau noch der Idiot selbst wussten, was es mit Spaten, Dünger oder Kalk auf sich hatte.

»Das wird ja schön dahinten«, versuchte der Rentner sich anzubiedern und deutete zu dem hinüber, was vom geplanten Ausbau der Hütte schon zu sehen war.

Gunnarstranda zuckte mit den Schultern und packte mit jeder Hand eine Tasche.

»Ist das nicht schrecklich teuer?«, plauderte der Dicke.

»Doch. Sauteuer, du kannst dir das bestimmt nicht leisten.«

Du bist bestimmt nicht daran gewöhnt, beleidigt zu werden, dachte Gunnarstranda, genoss einen Moment lang den Anblick des ausdruckslosen Gesichts, dann verabschiedete er sich kurz von dem Mann und drehte ihm den Rücken zu.

Anschließend ging er an der Felswand entlang und betrachtete die Ranken, die sich über den Boden zogen, untersuchte Knospen und Stängel. Er ging weiter zur Westwand, wo eine Grube von fünf mal einem Meter ein Stück von der Wand entfernt den Felsboden bloßlegte. Es waren bereits Pfähle eingelassen worden. Sørbys Fußspuren zeichneten sich im nassen Kies klar ab. Gut, dass ich noch kein Baumaterial gekauft habe, dachte er. Dann kommt er nicht in Versuchung.

Er zog die Plastikplane über dem kleinen Zementmischer zurecht und ging zurück. Er setzte sich auf den Hocker vor dem Kamin und zündete sich eine Zigarette an.

Edel war diejenige gewesen, die Kontakt zur Außenwelt gehalten hatte. Er hatte durch seine Arbeit genug mit Menschen zu tun. Zu viel, um seine Freizeit mit Geplauder zu vergeuden. Edel hätte sicher Mitleid mit dem Dicken gehabt. Hätte ihn mit Pflanzen und guten Ratschlägen versorgt. Aber genutzt hätte es doch nichts, die Ratschläge wären umsonst gewesen.

Es war windstill. Aber hier war man immer windgeschützt. Nur von Süden konnte der Wind hier hereinkommen, und das war nur selten der Fall. Der See unten im Tal lag still und blank da. Es unterstrich die Stille, dass sich die kahlen Bäume darin spiegelten. Er stand auf. Der charakteristische Klingelton des Telefons drang durch die Bretterwand.

Es war Jack Myrberget, Sigurd Klavestads Reisebegleiter.

»Sigurd Klavestad ist nicht mehr alleine.«

»Aha«, grunzte Gunnarstranda abwartend. Er hatte sich aufs Sofa fallen lassen und die Beine entspannt auf den Tisch gelegt. Es war dunkel im Zimmer, nicht einmal seine gewichsten Schuhe konnten in der Dämmerung glänzen.

»Er ist mit dem Bus gefahren und bei Væker ausgestiegen. Ist dann zu einem Laden namens Rentoffice. Da hinten gibt es viele kleine Firmen.«

»Namen?«

»Hat die Rosendal nicht in 'ner Computerfirma gearbeitet?«

»Software Partners nennen die sich.«

»Die sind auch hier.«

Gunnarstranda packte den Hörer fester. »Weiter!«

»Er ist so gegen drei da rein und dann um halb vier wieder raus, zusammen mit 'ner Frau. So um die dreißig, angezogen wie 'ne Büroangestellte, lange dunkle Haare, einssiebzig groß, ziemlich hübsch, mit 'nem Muttermal am Kinn.«

»Und dann?«

»Ich hab sie im Visier. Die sitzen hier gegenüber und trinken Wein. Halten Händchen, weinen zwischendurch 'ne Runde. Was mach ich, wenn die sich trennen?«

Gunnarstranda überlegte. »Häng dich an ihn«, beschloss er schließlich. »Aber halt mich auf dem Laufenden.«

So viel dazu, dachte er. Der Teufel hole dieses Auto! Natürlich musste es ausgerechnet heute seinen Geist aufgeben!

15

Frank gähnte. Es war früh am Morgen zwischen sechs und halb sieben. Graues, kaltes Wetter. Der feuchte Nebel hüllte Häuser, Bäume und Autos ein. Die Feuchtigkeit in der Luft konnte Hochnebel sein oder auch eine zähere Suppe. Es war noch zu früh, um das mit Sicherheit zu sagen. Der Tag konnte leicht und angenehm und sonnig werden oder schwer und regnerisch.

Zwei Reihen mit parkenden Autos standen dicht an dicht am Straßenrand. So früh morgens gab es nur wenige Lücken. Die meisten Leute saßen noch am Frühstückstisch, lasen Zeitung und schlürften Kaffee.

Der Gedanke an Frühstück frustrierte ihn. Kein Frühstück, kein Kaffee, keine Einkaufsmöglichkeit und vermutlich noch Stunden sinnlosen Wartens in Sicht.

Gunnarstranda hatte ihn vor einer Dreiviertelstunde telefonisch geweckt und ihn unverzüglich nach Lambertseter beordert. Ohne Auto. Frølich fühlte sich müde. Er bekam einfach nicht genug Schlaf. Der fehlte ihm dann oft bis zum späten Vormittag.

Weiter unten auf der Straße konnte er kleine Rauchwolken aus dem Fenster eines dunklen Zivilfahrzeugs quellen sehen, das einen halben Meter weiter in die Straße ragte als die anderen. Beschlagene Scheiben und blauweißer Zigarettenrauch, der zum Himmel stieg. Gunnarstranda hatte das Fenster einen Spaltbreit hinuntergekurbelt. Frank öffnete die Beifahrertür und stieg ein.

»Ich hab noch nicht gefrühstückt«, murmelte er vorwurfsvoll, ohne zu grüßen.

»Hier«, sagte Gunnarstranda und reichte ihm eine altmodische, glänzende Thermoskanne. Frølich drehte am Verschluss, der sich mit einem leisen Ploppen öffnete. Sofort verbreitete sich ein herrlicher Duft von starkem schwarzen Kaffee. Er nahm einen gelben Plastikbecher mit Trauerrand vom Armaturenbrett und schenkte sich ein.

»Du hast nicht gegessen, ich habe nicht geschlafen.«

Gunnarstranda drückte seine Zigarette in dem überquellenden Aschenbecher aus.

»Ich gebe ihnen noch zwanzig Minuten, dann gehe ich rein.«

Er schaute auf die Uhr, danach richtete er seinen Blick auf den mittleren Aufgang eines niedrigen Wohnblocks. Ein Plattenweg führte über die zwanzig Meter zwischen Bürgersteig und Haustür. Insgesamt gab es in diesem Block drei Eingänge. Die grünbraunen Stachelarme einiger großer Berberitzensträucher verbargen die Eingangstür zum Teil. Über den Wohnungstüren verliefen Balkonreihen mit knallgelben Markisen.

»Auf wen warten wir?«, erkundigte Franken sich.

»Auf den Jungen. Auf Sigurd Klavestad und auf eine Frau.«

Gunnarstrandas Augen wichen nicht von der Haustür. »Jack hat mich gestern Abend um halb elf angerufen, als ich in meiner Hütte war! Er wollte keine weitere Verantwortung übernehmen, und deshalb musste ich wieder in die Stadt kommen. Ich hab drei Stunden gebraucht, um mir ein neues Auto zu besorgen. Irgendwas stimmt mit dem Skoda nicht, der Motor säuft andauernd ab.«

Er machte eine Pause, schnippte Asche von der Zigarette und redete weiter: »Also habe ich die ganze Nacht allein hier gesessen und die Verantwortung dafür übernommen, dass die Frau da oben noch am Leben ist. Du kennst nicht zufällig einen billigen Automechaniker?«

Franken verkniff sich einen Witz über den Wagen des Chefs. »Ich kenne da einen unten in Kampen«, sagte er und pustete in seinen Kaffee. Er nahm sofort einen Schluck. »Wohnt in der WG von einer Bekannten von mir. Ist selbstständig.«

»Geht das ohne Rechnung?«

Franken quittierte den harschen Tonfall seines Chefs mit einem kurzen Schulterzucken. »Du hast gefragt, ob ich jemanden kenne, der billig ist.«

Gunnastranda strich sich über das Kinn, wo eine ungleichmäßige Schicht von grauen Bartstoppeln gegen seine Hand rieb. »Klavestad hat gegen halb vier das Gebäude von Software Partners verlassen. Zusammen mit dieser Frau, Kristin Sommerstedt.«

Frank Frølich drehte langsam den Kopf und war gleich ein wenig wacher. Er erinnerte sich an sie. An ihre langen Haare und das Kostüm, die Empfangsdame in der Eingangshalle.

Gunnarstranda warf den Kopf herum. »Das ist ihre Wohnung.«

»Kristin Sommerstedt war offenbar mit Reidun Rosendal befreundet.«

»Aha. Jedenfalls ist sie mit Sigurd mit der U-Bahn zum Nationaltheater gefahren. Dort sind sie in ein Restaurant gegangen, haben zwei Stunden lang Wein getrunken, ganz schön feuchter Abend. Sie haben Händchen gehalten und ein paar Tränchen verdrückt. Danach haben sie einen Spaziergang über Aker Brygge gemacht, sind wieder zur U-Bahn zurück und kamen um halb acht gestern Abend hier an. Um half elf haben sie das Licht ausgemacht, und dann hat Jack mich angerufen.«

Beide betrachteten die braune, breite Haustür.

»Der Kerl hat wahrscheinlich munter rumgebumst, während ich mir verdammte Kopfschmerzen und eine Höllenlaune eingefangen habe.«

Gunnarstranda gähnte und klopfte mit der Hand auf das

Lenkrad. Frølich schenkte sich noch Kaffee nach und beobachtete, wie der Chef immer wieder auf die Uhr schaute.

»Um Viertel vor gehen wir rein«, wiederholte Gunnarstranda und leckte sich über die Lippen. Seine Augen waren rot gerändert.

Die Tür öffnete sich. Sie fuhren auf, entspannten sich aber wieder. Ein unbekannter Mann mit brauner Jacke und kurz geschnittenen Haaren trat aus dem Haus. Er stieg in einen Opel ein, der in ihrer Nähe geparkt stand. Gunnarstranda drehte sein Uhrarmband, als das Auto wegfuhr.

»Vielleicht wollten sie ja ausschlafen«, tröstete Frank. Er spürte, dass der Kaffee irgendwo hinter seinen Augen ein Lebensfünkchen angezündet hatte.

»Da oben ist erst vor einer halben Stunde das Licht angegangen und das auch nur hinter einem Fenster.«

Wieder öffnete sich die Tür. Eine Frau mittleren Alters blieb für einen Moment unter dem kleinen Windfang stehen und holte tief Luft. Langsam zog sie ein Paar Handschuhe an und ging ruhig in Richtung U-Bahn die Straße entlang.

Die Fenster beschlugen. Vorher war es schon schlimm gewesen, und der Dampf des Kaffees verstärkte das noch. Frank Frølich zog sich den einen Pulloverärmel über die Hand und wischte die Fenster sauber.

Jetzt! Die Tür wurde geöffnet, und Sigurd Klavestad stand allein da. Gunnarstranda hatte schon sein Handy bereit, tippte eine Nummer ein, ohne den Blick von dem jungen Mann abzuwenden.

Sigurd Klavestad war blasser geworden. Die Haut um seine Augen herum hatte eine ungesunde dunkle Färbung angenommen. Dieser Kontrast zu seiner weißen Haut ließ das Gesicht hohl aussehen. Seine langen Haare waren wie immer zu einem Pferdeschwanz gebunden.

Frank hörte, wie eine Verbindung aufgebaut wurde. Endlich! Es klingelte. Der Mann ging langsam auf die Straße zu. Er ging ruhig, ohne Eile. Niemand nahm ab. Frølich öffnete die Autotür einen Spaltbreit. Das Telefon klingelte immer noch.

»Hallo?«

Eine leise, verschlafene Frauenstimme erklang plötzlich in der Hand des Kriminalhauptkommissars. Sie lebte noch.

Langsam ließ Gunnarstranda das Handy sinken. Sigurd Klavestad war nun schon weit weg.

»Bis dann!«, sagte Frank Frølich kurz und quetschte sich aus dem engen Auto.

16

Gunnarstranda starrte den beiden hinterher. Der Nebel hatte sich so weit gelichtet, dass Klavestad noch zu sehen war. Ein schmächtiger junger Mann in langer, schwarzer Jacke mit steifem und leicht unbeholfenem Gang. Frølich ein Stück dahinter. Groß, breitbeinig und leicht schwankend, die Hände in den Jackentaschen.

Bald verschwand Klavestad im Strom der Menschen, die zur U-Bahn eilten. Und als der lange rote Zug endlich einfuhr, war auch Frølichs großer Körper im Gewimmel nicht mehr zu erkennen.

Gunnarstranda wartete, bis die Bahn weitergefahren war. Dann stieg er aus dem Auto und ging durchs Treppenhaus nach oben.

Nichts rührte sich, als er an ihrer Tür klingelte. Hinter seiner Stirn wuchs die Gereiztheit. Die Erschöpfung nach den vielen schlaflosen Stunden machte einer heftigen Wut Platz, die er an der Klingel ausließ. Als er den Knopf endlich losließ, waren drinnen deutliche Schritte zu hören.

»Aufmachen!«, kläffte er gereizt und klopfte mit der Faust an die Tür.

»Wer ist da?«

Die Stimme war durch die Holztür kaum zu hören.

»Polizei! Aufmachen!«

Wieder totale Stille. Gunnarstranda starrte ungeduldig gegen das braune Holz und seufzte. Er hob die Hand, um dagegenzudonnern, doch dann nahm er sich zusammen. Als es im Schloss klickte und die Tür einen Spaltbreit geöffnet wurde, atmete er erleichtert auf.

»Was ist los?«

Ihr Gesicht war blass und zuckte nervös. Der Polizist wedelte mit seinem Dienstausweis. »Lassen Sie mich rein«, verlangte er und drückte die Tür auf.

Sie wich zurück. Sie trug nur Unterwäsche.

»Ziehen Sie sich an!«, befahl er und ging vor ihr in die Wohnung. Sein Blick schweifte durchs Zimmer. Er registrierte viel Kleinkram, Nippes und Figuren in Setzkästen und auf Regalbrettern. Gedämpfte Farben und Kunst an der Wand. Eine Tür war geschlossen, wahrscheinlich ging es dort ins Schlafzimmer. Ein riesiger Webstuhl nahm das halbe Zimmer ein, und das Sofa unter einer beeindruckend großen Zimmerbirke war zerwühlt. Die Luft war ziemlich stickig. In diesem Zimmer war definitiv geschlafen worden.

Sie kam hinter ihm her, war in Jeans und ein T-Shirt geschlüpft, aber noch immer barfuß. Sie wirkte allerdings nicht mehr so verwirrt.

»Setzen!«

Sie gehorchte. Sah ihn abwartend an, hatte keine Angst mehr. Gunnarstranda musterte sie mit scharfem Blick.

»Wer hat auf dem Sofa geschlafen?«

»Ein Bekannter.«

Er packte sie am Arm. Ihre Augen waren weit offen.

»Ich bin nicht gefährlich«, versicherte er sanfter und mit spröder Stimme. Die Worte hingen in der Luft.

Seine Kopfschmerzen meldeten sich jetzt wieder stärker. Er verzog vor Schmerz das Gesicht, ehe er mit ruhiger Stimme fragte:

»Wie gut kennen Sie diesen Mann, der heute Nacht bei Ihnen war?«

»Wie gut ich ihn kenne?«

Himmel! Dem fühlte er sich nicht gewachsen. Er ließ sich

auf das ungemachte Sofa fallen. »Sigurd Klavestad, der heute Nacht hier war. Ist Ihnen klar, in welcher Verbindung er zum Mord an Reidun Rosendal steht?«

»Ja.«

»Wie lange kennen Sie ihn schon?«

»Seit gestern.«

Sie war eine hübsche Frau. Groß und schlank, aber mit leichtem Kuhblick. Große, braune, sehr feuchte Augen. Er dachte an die weiche Haut um ihren Nabel, vorhin, als sie in der Tür zurückgewichen war. Ertappte sich dabei, dass er das fast schwarze Muttermal in ihrem Gesicht anschaute. Ihre Lippen bewegten sich. »Er musste mit jemandem reden. Ich musste mit jemandem reden. Wir haben … wir haben über … Reidun gesprochen.«

Ihre Stimme war ruhig, der Blick ruhig, wahrscheinlich sagte sie die Wahrheit.

Gunnarstranda beugte sich vor. »Wir müssen ihn zu den Verdächtigen zählen.«

Sie starrte ebenso ruhig zurück. »Das weiß ich.«

»Und trotzdem laden Sie ihn ein und lassen ihn hier übernachten?«

»Das geht Sie nichts an.«

Ein neuer Glanz legte sich über die Kuhaugen. Jetzt starrte sie ihm mühelos in die Augen.

Plötzlich sah Gunnarstranda, dass zwei Kissen nebeneinander auf dem Sofa lagen. Zwei Kissen, aber nur eine Decke.

»Und bis gestern Nachmittag hatten Sie ihn noch nie gesehen«, bemerkte er spöttisch.

Sie nickte trotzig, und er spürte wieder den stechenden Schmerz im Kopf.

»Ihr Gast muss ja unwiderstehlich sein.«

Sie schwieg. Aber sie war wachsam, hatte seinen Tonfall registriert.

Kriminalhauptkommissar Gunnarstranda merkte, dass ihm ihr Schweigen nicht gefiel.

»Wie haben Sie reagiert, als er gestern gekommen ist?«

»Reagiert?«

Gunnarstranda verzog zynisch die Lippen. »Es muss doch einen gewissen Eindruck gemacht haben, dass das Mannsbild, das noch wenige Minuten vor ihrer Ermordung mit Ihrer Freundin zusammen war, plötzlich vor Ihnen stand.«

»Es hat mich beruhigt.«

Ihr Gesicht war blass und bewegt. »Es hat gutgetan, über sie sprechen zu können.«

Er klopfte auf die Kissen. »Das muss Sie sehr gefreut haben«, er lächelte kalt.

Sie schwieg, aber ihre Augen verhöhnten ihn.

Da haben wir dich, dachte er. Da. Herablassende Verachtung für seine pathetischen Provokationsversuche. Das gefiel ihm. Die Kraft, mit der sie ihn abschätzte, gefiel ihm. Sie starrten einander an. Ein kleiner Zug um die Lippen machte ihr Gesicht sehr schön.

»Ich glaube Ihnen«, versicherte er ihr und strich sich über die Stirn. »Warum sind Sie nicht zur Arbeit gegangen?«

»Ich hatte heute einfach keinen Nerv.«

Nicht, na gut, dachte er und nickte. »Sie hatten viel Kontakt zu ihr?«

»Mit mir hatte sie wohl die meisten Gemeinsamkeiten, ja.«

»Warum haben Sie vorhin nicht gewagt, die Tür aufzumachen?«

»Ich dachte, da wäre jemand ... Das Telefon hat geklingelt. Wie bei Reidun, und dann hat jemand einfach aufgelegt, und gleich darauf hat es an der Tür geläutet, so früh ...«

»Wie bei Reidun?«

»Das Telefon. Sigurd hat erzählt, dass jemand sie angerufen

hat, als er gerade gehen wollte, jemand, der dann einfach aufgelegt hat.«

Gunnarstranda sah nachdenklich aus und biss sich auf die Unterlippe. »Wissen Sie, wo sie gewohnt hat?«

»Ja.«

»Waren Sie mal zu Besuch?«

»Ja.«

»War sie zufrieden mit ihrem Leben?«

»Ja und nein.«

Er griff zu. »Was hat denn nicht gestimmt?«

Sie zögerte.

»Na los.«

»Ein Spanner.«

Der Polizist nickte. »Ein älterer Mann? Der Nachbar?«

»Ja. Der alte Sack hat sie beobachtet, und deshalb musste sie immer die Vorhänge zuziehen.«

Kristin Sommerstedt zögerte und dachte nach. »Anfangs hat ihr das ganz schön zu schaffen gemacht, glaube ich. Aber irgendwann hatte sie beschlossen, darauf zu pfeifen.«

»Wie das?«

Die Frau zögerte immer noch. Als ob ihre Antwort ihm Probleme machen könnte.

»Lassen Sie es drauf ankommen«, forderte er sie auf und zwinkerte der Frau zu, die zu bestimmen hatte.

Kristin Sommerstedt zog die Beine auf den Sessel und überkreuzte die Füße. Sie hatte rot lackierte Zehennägel.

»Das hört sich vielleicht bescheuert an. Aber sie hatte dieses alte Schwein ziemlich satt. Total satt.«

Sie suchte nach Worten. »Ich glaube, sie fand, so ein Mann dürfte sie nicht zwingen, nach seinen Regeln zu leben! Immer auf die Vorhänge achten zu müssen und so. Sie hatte beschlossen, auf seine Spannerei zu pfeifen!«

»Wie denn?«

Die Frau zuckte mit den Schultern. »Indem sie es eben ignoriert hat. Sie ließ ihn auch mal was sehen, um ihn ein bisschen anzumachen. Sie hat dann erst nach einer Weile die Vorhänge vorgezogen. Hat ihn einfach provoziert, und manchmal war er dann ziemlich wild, glaube ich.«

Sie überlegte noch einmal. »Einmal hatte er oben am Fenster gestanden und ...« Sie senkte den Blick. »Am Fenster onaniert. Reidun hat ein bisschen aus Jux gestrippt und dann ... na ja ... nach einer Weile die Vorhänge zugezogen.«

Gunnarstranda nickte zerstreut.

»Das war letzte Woche. Danach hat er sie angerufen. Hat sie bedroht und schweinische Sprüche von sich gegeben.«

»Wie hat sie darauf reagiert?«

»Wie meinen Sie das?«

»Auf seine Anrufe.«

»Sie hat bloß gelacht.«

Gunnarstranda runzelte verständnislos die Stirn.

»Das stimmt«, versicherte die Frau auf dem Sofa. »Der Alte quoll über vor Müll. Er nuschelte vor sich hin, dass er sie vergewaltigen und in Fetzen schneiden wollte, und war ziemlich grob. Aber sie hat nur gelacht. Ich glaube, das Ganze entwickelte sich zu einer Art Krieg. Sie wurde immer aggressiv, wenn die Rede darauf kam. Es war eigentlich ziemlich ... ekelhaft.«

»Auf welche Weise ekelhaft?«

Sie hob die Arme. »Vielleicht ist ›verrückt‹ eine bessere Beschreibung. Es war ein bisschen ... verrückt, die letzten Neuigkeiten vom Spannerkrieg zu hören.«

»Sie hatte wirklich keine Angst?«

»Nein.«

»Und das war letzte Woche?«

»Ja. Ich glaube, sie hat das am Donnerstag erzählt. Doch, das war am Donnerstag.«

Drei Tage vor ihrem Tod also. Das hier waren so relevante Informationen, dass die Frau das wissen musste. Er musterte ihr Gesicht. Die sensiblen Lippen und den braunen Blick.

Sie fuhr fort: »Wir haben nicht oft darüber gesprochen. Aber manchmal haben wir über ihre Wohnsituation allgemein geredet. Sie hatte wenig Platz und hätte gern großzügiger gewohnt. Und dann sind wir auch auf den Spanner gekommen.«

Gunnarstranda hörte zu, wie Kristin Sommerstedt von Reiduns Privatkrieg erzählte. Sie sprach von persönlicher Entwicklung und Bewusstwerdung. Über das Recht, Frau zu sein und sich nach eigenem Wunsch anzuziehen, ein eigenes Leben zu leben, auch wenn im Nachbarblock ein altes Schwein wohnte. »Sie fühlte sich gewissermaßen verletzt!«

Kristin Sommerstedts braune Augen strahlten bewegt. »Verletzt, weil sie nicht in Ruhe gelassen wurde.«

Gunnarstranda nickte. Er versuchte, sich ein blondes und langbeiniges Busenwunder vorzustellen, das die Vorhänge offen ließ und die Nacht mit diesem langhaarigen Jungen verbrachte, um sich von Arvid Johansens Unterdrückung zu befreien. Gunnarstranda kam sich ein bisschen alt vor, wenn er ihr zuhörte. Er lächelte deshalb kühl, als sie verstummte. »Und es hat ihr nicht auch Freude gemacht? Es hat ihr nicht gefallen, den alten Sack aufzugeilen?«

Ihre Augen begegneten seinen. Sichtlich enttäuscht.

»Besteht diese Möglichkeit? Dass es ihr Freude gemacht hat?«

Sie starrte zu Boden. Die Wut kochte in ihrem Gesicht.

Er wartete.

»Ich hätte einfach die Klappe halten sollen!«, rief sie, sprang auf und lief aufgebracht auf und ab. Das hier war kein Schauspiel.

Er lehnte sich zurück. Das Sofa war unangenehm tief. Es war unmöglich, entspannt darauf zu sitzen. »Beruhigen Sie sich«, krächzte er und beugte sich vor. Er seufzte resigniert. »Ich habe gefragt, ob es ihr Freude gemacht hat, den Mann aufzugeilen, weil ich Sie für klug genug halte, das zu beurteilen. Jetzt sehen Sie mich nicht so an! Erzählen Sie mir, ob ihr ihr Job gefallen hat.«

Es blitzte in ihren Augen. Sie kommunizierten wieder. Ein selbstironisches Lächeln über dem Muttermal, ein Seufzer, ein unausgesprochenes »na gut«. Sie setzte sich.

»Hatte Reidun einen Freund?«, fragte er.

»Mir ist keiner bekannt.«

Er wartete.

»Es gab schon Typen, die ein bisschen scharf auf sie waren«, murmelte sie.

»Jemand Spezielles?«

Sie antwortete mit einem Schulterzucken. »Mir ist keiner bekannt.«

»Hat sie noch von anderen Nachbarn gesprochen?«

Kristin Sommerstedt dachte nach. »Kann mich nicht erinnern.«

»Vielleicht von einem Ehepaar mit einem kleinen Kind?«

»Nein.«

»Auch kein Mann aus der Gegend, der ihr mit Kleinigkeiten geholfen hat, zum Beispiel den Wagen anzulassen, wenn es sehr kalt war?«

»Leider nein.«

Kristin Sommerstedt lächelte.

»Mochte sie ihre Arbeit?«

»Na ja …«

Sie zögerte. »Waren Sie schon dort?«, fragte sie.

»Nein.«

»Der Chef ist ein bisschen speziell.«

»Engelsviken?«

Sie nickte. »Er ist über vierzig und hält sich für fünfundzwanzig. Er fährt in einem offenen Sportwagen durch die Gegend, trägt nur Seidenanzüge und immer eine Sonnenbrille. Grüßt nie. Flucht viel und spricht überhaupt viel Slang. Er will, dass die Leute ihn exotisch finden. Aber er ist bloß klebrig und fett und arsch- und tittenfixiert.« Sie schauderte, und ihre Schultern bebten sehr überzeugend.

»Seine Frau ist das genaue Gegenteil. Ganz die feine Dame. So fromm und bieder wie im Märchen. Ziemlich unglaublich, dass die beiden verheiratet sind.«

»Unglaublich?«

Sie überlegte. »Eigentlich glaube ich nicht, dass es ihr sehr gutgeht«, sagte sie leise.

Gunnarstranda wartete. Die Frau starrte vor sich hin. »Sie hat es sehr schwer. Es kann nicht leicht sein, immer solchen Dreck aushalten zu müssen. Die Fassade zu wahren.«

»Warum lassen sie sich nicht scheiden?«, fragte Gunnarstranda. Und als er ihren Gesichtsausdruck sah, fügte er hinzu: »Sie haben vielleicht Kinder, die sie verbinden?«

»Keine Ahnung. Aber ich glaube nicht.«

Kristin Sommerstedt fuhr fort: »Trotzdem kann ich mir kaum vorstellen, dass Sonja Hager ihn verlässt. Oder aus ihrem schönen Haus auszieht. Oder allein durch die Stadt zieht. Oder ...« Sie grinste. »Ehrlich gesagt, ich kapiere nicht, wie sie das aushält. Fragen Sie sie selber.«

Er konnte nicht mehr still sitzen. Er sprang auf, begann hin und her zu laufen.

»Was ist mit dem Finanzplaner?«

»Jagdgeiler Trainingsjunkie.«

»Jagdgeil?«

Sie nickte. »Der hat das ganze Jahr so einen Sarg auf dem Autodach. Hat immer sein Gewehr dabei.«

Gunnarstranda runzelte die Stirn.

»Das ist wahr! Er hat es mir gezeigt. Wollte mir wohl imponieren. Er ist so. Macht dicke Muskeln und gibt damit an, dass er unter freiem Himmel schläft. Erzählt, dass er abends losfährt und in den Wald geht und Hasen abknallt und so, außerdem verbreitet er sich gern darüber, wie leicht es ist, Tiere sauber zu machen.«

»Auszuweiden.«

»Was?«

»Es heißt ausweiden, wenn man die Innereien aus Tieren herausholt«, sagte Gunnarstranda leicht zerstreut. »Darüber verbreitet er sich gern, sagen Sie?«

»Er sorgt gern für Gänsehaut. Damit er seine starken Arme um die Frauen legen und sie seine Muskeln spüren lassen kann.«

Sie lächelte sarkastisch.

»Haben Sie dieses Gewehr häufiger gesehen?«

»Einmal. Aber alle wissen, dass Bregård mit einem Gewehr auf dem Dach durch die Gegend düst.«

»Was für eine Art Gewehr ist das?«

»Weiß ich nicht. Damit kenne ich mich nicht aus.«

»Wie viele Läufe hat das Gewehr, einen oder zwei?«

»Zwei.«

Sie nickte, als Gunnarstranda schwieg. »Zwei«, wiederholte sie.

Gunnarstranda fuhr sich übers Kinn. »Eine Schrotflinte auf dem Dach«, murmelte er.

Sie blickte zu ihm hoch. »Sie scheinen ein ziemlich intelligenter Mann zu sein«, sagte sie unvermittelt.

Er blieb stehen. Begegnete ihrem Blick. Das hier war schwierig.

Kristin Sommerstedt kam auf das Thema Weiblichkeit zurück. Die ganze Zeit Rollen spielen. Gunnarstranda dachte an die Tote, die von der Post kam und als Kassiererin und Computerverkäuferin gearbeitet hatte. Was für verdammte Rollen die wohl gespielt hat, dachte er plötzlich genervt. Er fixierte die schöne Frau auf dem Sofa. Volle rote Lippen und ein faszinierendes Muttermal am Kinn. »Reidun war gescheit«, erklärte sie. »Gescheiter als die meisten. Aber das wurde ja nie anerkannt. Reidun war der Typ, der sich der Umgebung anpasst. Sie stellte sich dumm, spielte eine Rolle, um dazuzugehören, um akzeptiert zu werden.«

Der Kriminalhauptkommissar nickte langsam. Ihr Selbstbild. Das war wichtig. Ob Johansens kleine Rose vielleicht eine kleine aufgeblasene Besserwisserin gewesen war?

»Wie gut gelang ihr dieses Rollenspiel?«

»Sehr gut.«

»Hat sie ihre Umgebung herausgefordert?«

»Nein, sie hatte die volle Kontrolle. Sie hat getan, was sie wollte.«

»Sie hat Menschen manipuliert?«

»Dieses Wort würde ich nicht verwenden. Sie hat gemacht, was sie wollte.«

»Aber manchmal wurden die Leute böse auf sie?«

»So habe ich das nicht gesagt.«

»Sie haben nur von einem alten Sack erzählt, der wütend wurde.«

Sie gab keine Antwort.

Er versuchte, sie sich vorzustellen. Den Teufel im Blut strippte sie ein bisschen für einen alten Geilomanen, der sich hinter seinem Fernglas versteckte.

Die Frau auf dem Sofa beobachtete ihn. »Sie dürfen das nicht missverstehen«, sagte sie. »Sie war nicht so. Aber sie konnte so sein.«

»Ja.« Er nickte zerstreut.

»Dieser Bregård, konnte der bei Reidun landen?«

»Davon weiß ich nichts.«

»So etwas hat Sie Ihnen nicht anvertraut?«

»Wir waren nicht auf diese Weise befreundet.«

»Auf was für eine … Weise?«

Sie lachte wie über einen guten Witz. »Wir haben nicht über Männer diskutiert.«

Kristin Sommerstedts Mund war überraschend breit, wenn sie lächelte. Ihre Zähne standen dicht und waren spitz mit blassen Flecken.

Sie saßen eine Weile schweigend da, und am Ende brach sie die Stille. »Manchmal sind sie zusammen ausgegangen, die aus ihrem Büro.«

»Wohin?«

»Ich weiß, dass sie mal ein Lokal genannt hat«, murmelte sie.

Gunnarstranda unterbrach seine Wanderung. »Nicht zufällig in ein Lokal namens Scarlet?«

Kristin zuckte mit den Schultern. »Ich weiß es nicht mehr. Über so was haben wir auch nicht geredet.«

Lächeln.

»Kennen Sie dieses Lokal?«

»Ich bin nie dort gewesen.«

»Auch nicht am Samstag?«

»Natürlich nicht.«

»Wo waren Sie am Samstag?«

Sie begegnete seinem Blick mit demselben Lächeln. Als ob sie auf diese Frage gewartet hätte. »Im Kino mit guten Freunden. Danach sind wir ins Rockefeller gegangen, so gegen halb zwölf, glaube ich. Um drei Uhr war ich zu Hause.«

»Allein?«

»Ja.« Und sie fügte hinzu: »Sie können die Telefonnummern von den Leuten haben, mit denen ich im Kino und im Rockefeller war.«

»Das ist schon in Ordnung«, murmelte er und setzte seine Wanderung wieder fort. »Wenn es nötig sein sollte. Worüber haben Sie und Reidun am häufigsten gesprochen?«

Sie deutete auf den Webstuhl. »Handarbeit.«

Er nickte. Von Textilien hatte er keine Ahnung. »Ich habe vorhin angerufen«, sagte er plötzlich ins Blaue hinein. »Ich wollte feststellen, ob Sie noch leben.«

Sie war eine clevere Frau. Um die dreißig und alleinstehend. Sicher hatte sie ein starkes Selbstvertrauen und einen starken Willen. Möglicherweise waren dies Worte, die auch auf die Tote zugetroffen hatten. Er glaubte schon.

»Wo wollte Klavestad jetzt hin?«

Sie zuckte mit den Schultern. »Zur Arbeit, glaube ich. Aber es geht ihm nicht so gut!«, rief sie mit besorgtem Blick.

Der Kriminalhauptkommissar spürte, wie hinter seiner Stirn die Kopfschmerzen zunahmen.

»Machen Sie's gut«, sagte er kurz, drehte sich auf dem Absatz um und verließ sie.

17

Der Strom von Menschen, die aus der U-Bahn und hinauf zum Egertorget hasteten, war undurchdringlich. Am Fuße der Rolltreppe staute es sich. Menschen mit trägem Morgenblick und einer schwachen Energie, die sich unmittelbar außerhalb des Kopfes in nichts auflöst. Die U-Bahn-Fahrenden sehen nicht viel um sich herum. Frank Frølich stellte rasch fest, dass Sigurd Klavestad nicht ans U-Bahn-Fahren gewöhnt war. Er war ein Bauer in der Stadt. Der Kerl stellte sich auf die linke Seite der Rolltreppe und verstellte denen, die wenig Zeit hatten und einen Bus erwischen mussten, den Weg. Die Menge drückte von hinten. Ein rabiater Mann mit Hut schubste den Kulaken nach rechts. Klavestad ließ die Leute höflich vorbei und trat zurück an seinen alten Platz. Esel, dachte Frank Frølich.

Draußen angekommen, blieb Sigurd Klavestad stehen und sah sich um. Schließlich ging er mit langen Schritten in Richtung Karl Johans Gate. Er bewegte sich schaukelnd, mit geradem Rücken. Frølich konnte nicht umhin, ihn mit Finanzplaner Bregård zu vergleichen, diesem Breitmaul. Der Finanzplaner neben Sigurd Klavestad. Schnurrbart gegen Pferdeschwanz und Bart. Frank Frølich merkte, wie die Mädchen sich nach dem Mann umsahen. Sigurd hatte offensichtlich Chancen bei den Frauen. So viel stand fest. Er war ein sensibler Typ, Frauen sehen so was wohl. Er war ja auch gleich zu Reiduns Arbeitsplatz gerannt, um sich jemanden zum Reden zu suchen. Dann hatte er über einem Glas Rotwein mit Frau Sommerstedt Händchen gehalten und seinem Kummer Luft gemacht. Softie. Er sprach sicher so gern über seinen Ödipuskomplex wie andere über ihre letzte Grippe.

Frank Frølich stellte sich vor, wie Bregård am Sonntagmorgen durch den Wald streifte. Ein Finanzplaner am Waldsee. Wahrscheinlich saß er auf einem Klappstuhl vor einem Loch im brüchigen Eis, auf dem Kopf eine Mütze mit Ohrenklappen, und dann weiter zum nächsten Loch, um einen Barsch oder eine Forelle herauszuziehen. Nein. Dafür war Bregård nicht der Typ. Er war vermutlich eher Jäger. Ja, Jäger. Das passte zum Schnurrbart.

Und diese vollkommen unterschiedlichen Typen waren also von derselben Frau erhört worden. Von der Frau, die sich überall anpassen konnte. Ein Chamäleon? Heute angezogen wie ein Schulmädchen, hatte Bregård gesagt, morgen wie der fleischgewordene Traum der Knastbrüder. Himmel, woher nahm der Kerl dieses Bild? Wie er das gesagt hatte, Knast, vielleicht war ihnen dieser Fisch schon irgendwann einmal ins Netz gegangen?

Sigurd Klavestad blieb vor einer Bank beim winterlich trockenen Springbrunnen in Spikersuppa stehen und setzte sich schließlich. Frank Frølich kaufte am Kiosk an der Ecke Rosenkrantz' Gate einen Schokoriegel und eine Zeitung. Lehnte sich dann an einen Baum, während der andere bewegungslos auf der Bank saß und kleine Zigarettenrauchwölkchen in die Ozonschicht schickte.

Frølich dachte an den misshandelten Oberkörper der Toten und wunderte sich über die fehlende persönliche Note ihrer Wohnung. Nur ein einsames Regal, in dem zahlreiche Bücher aus dem Buchclub standen. Ungelesen und mit steifem Papier. Blaue, handgetöpferte Weinbecher, hübsch und dekorativ aufgestellt. Nichts an den Wänden, abgesehen von zwei breitkrempigen Damenhüten, auf denen eine dicke Staubschicht lag, und einem Spiegel mit schönem Rahmen. Ein paar Platten, die von einem eher chaotischen Geschmack zeugten: Housemusic neben Pavarotti, Randy Crawford und Lillebjørn Nilsen. Wahrscheinlich hatte sie überhaupt keinen Geschmack gehabt. Aber was hatte ihr Persönlichkeit verliehen?

Kleider, dachte er. Kleider und ihr Skizzenblock. Den hatten sie in ihrer Handtasche gefunden. Einen Block mit Zeichnungen und Karomuster. Auch die zeigten Kleider, Jacken und Röcke an mageren Körpern in groben Kohlestrichen. Er gehörte auf jeden Fall ihr. Unbegreiflich für ihn, aber menschlich.

Frølich sah auf die Uhr. Klavestad hatte sich schon seit über einer Stunde nicht gerührt. Er merkte, dass die Schokolade seinem Magen nicht ausreichte. Das Hungergefühl machte ihn unruhig, und er begab sich zu einer Gruppe von Leuten, die sich mit Transparenten auf dem Eidsvollsplass aufstellten.

Endlich ragte dort unten der Kopf über die Hecke. Frank verabschiedete sich von den Demonstranten und folgte Klavestad zufrieden zu McDonald's.

Das Neonlicht war scharf, die Farben grell, und die Leute hinterm Tresen waren freundlich. Es waren nur wenig Kunden im Laden. Frølich wich seinem Spiegelbild aus und ging stattdessen das Risiko ein, sich gleich hinter Klavestad in die Schlange zu stellen.

Eigentlich müsste der doch bei der Arbeit sein. Seine Arbeitsstelle, ein Zeitschriftenverlag, war auch nicht weit entfernt. Eigentlich schien er ein stabiler Typ zu sein. Nur heute nicht, heute war er ein wenig nervös. Beim Bezahlen schüttelte er fieberhaft seine Brieftasche. Lange, magere und blasse Finger. Frølich starrte mitfühlend die Griffel an, die zitternd nach Münzen suchten. Du wirst nie ein Fliegenbinder, dachte er.

Es war schon fast elf, als es weiterging. Frølich folgte im Abstand von siebzig Metern. Der Doppeldecker in seinem Magen erfüllte ihn vorübergehend mit Zufriedenheit.

Er ging auf die Straßenbahnschienen zu. Sie blieben stehen

und warteten auf die Straßenbahn. Auf die Linie 11, wie sich herausstellte.

Langsam fuhr die Bahn durch die Storgata und dann die Thorvald Meyers Gate entlang. Das Drehgestell quietschte. Frølich hatte sich ganz hinten in den letzten Wagen gesetzt und versuchte, anonym auszusehen. Die Straßenbahn schaukelte im Rhythmus der Unregelmäßigkeiten der Schienen hin und her. Das Gewackel pflanzte sich in den Köpfen der Fahrgäste fort. Die wackelten auch. Alle zusammen. Ebenso die Halteschlaufen, die von den Stangen unter der Decke im Mittelgang hingen. Wenn es jetzt nur keine Kontrolle gab! Ohne Fahrkarte in einem schaffnerlosen Wagen zu sitzen zeigte, dass Beschatten nicht seine starke Seite war. Er würde für den Rest seines Lebens ausgelacht werden, wenn ihm durch eine Fahrkartenkontrolle sein Fisch von der Angel ging!

Klavestad saß weiter vorne. Er hing zusammengesunken auf einem niedrigen Einzelsitz. Sein Pferdeschwanz baumelte schlapp über die Rückenlehne und wackelte leise.

Endlich hob Klavestad die Hand, um den Halteknopf zu drücken. Er stand auf. Frølich blieb zunächst sitzen und blickte so entspannt wie nur möglich aus dem Fenster, während der andere hohl vor sich hin sah. Zwei Männer kamen aus einer Toreinfahrt geschwankt. Sie waren so betrunken, dass sie fast schon seitwärts gingen. Dem einen war scheinbar mal die Nase eingeschlagen worden, sie hing beinahe platt im Gesicht. Eine Hasenscharte vervollständigte seine Gangstervisage. Der andere war größer, dünner und trug eine verrutschte Brille. Er entblößte braune Zähne und damit seine Angst vor dem Zahnarzt.

Die Straßenbahn hielt an. Klavestad stieg aus. Frølich folgte ihm. Er stieß mit einem der Wracks zusammen, der Mann grunzte und spuckte auf ein parkendes Auto.

Frølich kannte die Gegend. Sie hatten Kurs auf Reidun Rosendals Adresse.

Er hielt sich fünfzig Meter hinter Klavestad. Die Gegend war riskant, ein stilles Viertel. Rechts ein Spielplatz vor dem Gitterzaun des Dælenenga Stadions. Plötzlich blieb Klavestad stehen und blickte zu Boden. Frølich musste weitergehen. Es war gefährlich still. Lediglich eine ältere Dame in grauem Wollmantel und grauem Hut schleppte sich in einiger Entfernung mit einer Plastiktüte ab. Er ging auf der anderen Straßenseite an Klavestad vorbei und steuerte eine blaue Tür an, die mit einer Reklame für Rubbellose beklebt war.

Worüber der Mann bloß so nachdachte? Er sah aus wie aus einem Reklamefilm. Die Hände tief in den Hosentaschen, damit die offene Jacke locker hing.

Frølich trat durch die Tür und wäre fast mit Arvid Johansen zusammengestoßen. Der Alte befand sich in seiner eigenen Welt und verließ den Kiosk seitwärts, wie alte Leute das machen, wenn sie glauben, dass es glatt ist. Er stützte sich auf seinen Stock und fluchte wie ein Bierkutscher, als Frølich ihm in den Weg kam. Doch er machte sich nicht die Mühe, nachzusehen, wer ihn da angerempelt hatte. Sein Blick war gesenkt, und er schimpfte weiter vor sich hin.

Der Spanner hinterließ im Kiosk den Gestank von altem Fisch. Frølich versuchte, aus dem Fenster zu sehen. Aber das Fenster in der blauen Tür war aus Drahtglas und daher undurchsichtig. Zwischen den Regalen mit Männermagazinen konnte er beobachten, wie der Alte über die Straße schlurfte. Er trug einen dicken Wintermantel aus den fünfziger Jahren und einen Hut, der unrhythmisch auf und ab hüpfte, wie eine Puppe in einem Puppentheater.

Eine pakistanische Frau mit schwarzen Haaren und rotem Kittel erkundigte sich lächelnd nach Frølichs Wünschen.

»Toto«, bat er, und sie zeigte auf ein zwei Meter entferntes brusthohes Regalfach. Zettel und Kugelschreiber lagen bereit. Fast ein Logenplatz. Er musste sich allerdings bücken und die Covergirls mit ihren Ballontitten ignorieren, um einen Blick nach draußen werfen zu können. Die Frau hielt ihn sicher für verrückt. Er nahm sich einen Stapel Tippzettel aus einem Halter.

Die Entfernung zwischen den beiden Männern dort draußen verringerte sich. Der Alte kam immer näher an Klavestad heran. Im Grunde war der Alte gar nicht so steif, den Stock brauchte er eigentlich nicht.

Johansen blieb stehen. Was war da los? Die Sekunden tickten. Plötzlich wich Klavestad zurück. Verdammt! Der Alte hatte seinen Stock gehoben. Sigurd Klavestad stolperte eilig rückwärts und blickte sich immer wieder um. Schließlich verschwand er um die Ecke.

Johansen starrte einen Moment lang hinter ihm her. Aber dann machte er sich an die Verfolgung. Er ging ebenfalls zurück zur Ecke. Plötzlich bewegten seine Beine sich schneller, und sein Stock rotierte wie eine Kurbelwelle. Sein Gesicht war hart und verschlossen.

Franken stopfte sich die Totozettel in die Tasche, warf ein paar Kronen auf den Tresen, griff sich eine Zeitung und lief hinterher.

18

Gunnarstranda blickte zur Decke seines Büros. Er blinzelte, hob automatisch den linken Arm und schaute auf die Uhr. Zweieinhalb Stunden Schlaf. Das war gar nicht so schlecht. Seine Kopfschmerzen hatten sich gelegt. Dafür spürte er, dass sein Nacken ziemlich verspannt war. Sein Kopf hatte etwas zu steil an der Armlehne des alten Sofas geruht. Damit musste er leben. Er schlug die alte karierte Wolldecke zurück, setzte sich auf, fuhr sich über Hals und Nacken und versuchte, den Kopf gerade zu halten. Der Schlafmangel saß ihm noch immer im Mund. Zeit für Kaffee und Zigaretten.

Zwei Stunden später fuhr er im Dienstwagen über den Mossevei und dachte nach. Die Frage war, wie der Weg vom jungen Klavestad zum Kern des Dramas führte, das sich hier abgespielt hatte.

Die Wahrscheinlichkeit, dass Reidun Rosendal vor dem Mord sexuell misshandelt worden war, war minimal. Da ihre Wohnungstür nicht aufgebrochen worden war, hatte Reidun Rosendal ihren Mörder vermutlich eingelassen. Aber was war danach passiert? Und warum war in der Wohnung so ein Chaos, wenn doch niemand etwas gehört hatte? Die Antwort lag direkt vor seiner Nase. Nur sah er sie nicht. Das war das Problem. Um die richtige Antwort zu erkennen, muss man die richtige Frage stellen. Und wo war die richtige Frage? Sie ist da, nur noch nicht formuliert worden. Man sieht, dass sie da liegt, bekommt sie aber nicht zu fassen. Sie huscht weg, wie ein kleiner Käfer, den man in einer Waschschüssel zu fangen versucht.

Wenn man nicht fragen kann, muss man beobachten. Und Frølich war ein guter Beobachter.

Gunnarstranda fuhr am Badestrand Katten vorbei und blickte auf die feuchten Felsen hinunter. Alles still. Nur ein einziger Mensch war zu sehen. Eine dünne, ältere Männergestalt in blauer Kleidung, mit schwarzer Schirmmütze auf dem Kopf. Am Himmel stand eine einsame Möwe. Etwas weiter entfernt watschelte ein fetter alter Cockerspaniel. Hechelnd sah er sich um und strahlte sabbernd und geduldig seinen Besitzer an, der nicht hinterherkam.

Gunnarstranda bog von der Straße ab. Im beleuchteten Tunnel war er allein, dann bog er nach Holmlia ab.

Es wurde eine ziellose Fahrt. Schließlich hielt er unter einem weißen Schild an. Sein Ärger darüber, dass er sich nicht zurechtfand, hatte ihm einen leichten Stich der Kopfschmerzen von vorhin beschert. Auf dem Schild standen sehr viele Zahlen. Es zeigte auf eine Gruppe von Wohnblocks und drei kleine Holzhäuser, wo Autofahren verboten war. Er stieg aus und machte sich auf die methodische Suche nach Nr. 66, dem Haus von Marketingchef Svennebye. Seine Frau riss die Tür auf, als Gunnarstranda klingelte. Sie war füllig, vielleicht so um die fünfzig.

Hatte sie eben noch aufgeregt geöffnet, dann war sie jetzt umso enttäuschter, als sie die Gestalt auf der Türschwelle sah. Sie starrte auf ihn hinunter und schien ihn dazu bringen zu wollen, sich wie eine Kohlraupe zu fühlen. Das war gut, es entsprach seiner Stimmung. Er erwiderte ihren Blick. Ihr Mund war klein mit ungewöhnlich schmalen Lippen. Dennoch hatte sie es geschafft, sie mit einer dicken Schicht knallroten Lippenstifts zu schminken. Ein Schneidezahn hatte ein wenig Lippenstiftfarbe abbekommen. Er leuchtete rot in diesem weißen Mund.

Gunnarstranda stellte sich vor und wurde nach einem Moment des Zögerns hereingebeten. Sie ging vor. Ihr enger Rock spannte über dem Hintern und betonte ihr leichtes Übergewicht. Ihre Fußknöchel waren dick. Im Wohnzimmer setzte sie sich auf einen hohen Hocker an eine Art Bar. Hier verzehrte sie eine halbe Selleriestange, die mit etwas Mayonnaiseähnlichem bestrichen war, sah den Polizisten schräg an und sprach: »Ich kann mich nicht erinnern, die Polizei gerufen zu haben!«

Das war reine Provokation. Sie rieb sich die Finger an einer Serviette ab. Ihre Stimme war schrill und passte gut zu ihr.

»Ist Ihr Mann auch früher schon auf diese Weise verschwunden?«

»Wer behauptet, er sei verschwunden?«, schrillte sie. Ihre dünne Oberlippe konnte sich kaum so schnell bewegen und blieb wieder an ihrem Schneidezahn hängen. Schweigen trat ein, als der Polizist keine Antwort geben wollte. Gedämpfter Lärm von spielenden Kindern unten zwischen den Blocks drang zu ihnen herein. Die Frau drehte sich um, nahm sich eine weitere Selleriestange, brach sie durch und kaute laut.

»Wann haben Sie Ihren Mann zuletzt gesehen?«, fragte Gunnarstranda, als sie fertig gekaut hatte. Er hatte sich nicht gesetzt, sondern war mit den Händen in der Manteltasche in der Tür stehen geblieben.

»Montagmorgen, ehe er zur Arbeit gegangen ist.«

»Hatten Sie irgendeinen Grund zu der Vermutung, dass er am Montag nicht nach Hause kommen könnte?«

»Gar keinen.«

»Kein Streit, keine überraschenden Ereignisse innerhalb der Familie?«

»Nicht, dass ich wüsste.«

»Er hat also ganz normal gewirkt, ehe er zur Arbeit gegangen ist?«

»Ja.«

»Ich muss Sie noch einmal fragen: Ist so was schon früher vorgekommen?«

Ihre Lippen bebten. Sie nahm die Brille ab, und Gunnarstranda registrierte, dass sie damit auch ihre Maske abgelegt hatte. Sie versuchte, sich zu beherrschen, schaffte es aber nicht, und plötzlich strömten die Tränen über ihre überschminkten Wangen.

Gunnarstranda wartete geduldig, aber mit einem Finger trommelte er bereits leise auf seinem linken Oberschenkel. Diese schlecht verhohlene Ungeduld gab schließlich den Ausschlag. Sie zog ein Taschentuch aus ihrem Jackenärmel und wischte sich hektisch die Augen.

»Trinkt er?«

»Was?«

»Trinkt er?«

»Was erlauben Sie sich!«

»Mäßigen Sie sich, Gnädigste!«

Er war einen Schritt vorgetreten, nahm aber die Hände nicht aus den Taschen. »Ich bin Polizist«, sagte er kalt. »Natürlich kann Ihrem Mann etwas zugestoßen sein. Aber das ist wenig wahrscheinlich, da Sie ihn nicht vermisst gemeldet haben. Also bleiben uns drei Möglichkeiten. Entweder ist er bei einer anderen, oder er liegt irgendwo sturzbetrunken, oder er hat Dreck am Stecken. So einfach ist das. Und wenn es eine Frau wäre, dann wüssten Sie das und hätten sich nicht im Büro nach ihm erkundigt.«

Er wandte sich zum Fenster, sah sich im Zimmer um. »Ich ermittle in einer Mordsache, wo es Verbindungen zum Arbeitsplatz Ihres Mannes gibt. Entweder hat das Verschwinden Ihres Mannes etwas mit meinen Ermittlungen zu tun oder nicht. Deshalb frage ich: Trinkt er?«

In diesem Moment war ein Schlüssel an der Haustür zu hören. Die Frau warf hastig einen Blick auf die Uhr. »Trine und Lene«, flüsterte sie und schrie dann zum Flur:

»Ich bin hier!«

Ihre Stimme brach. Das letzte Wort klang wie der Schrei einer waidwunden Möwe.

Gunnarstranda ging den beiden Jugendlichen entgegen. »Vielleicht könnt ihr mir ein bisschen mehr über das Verschwinden eures Vaters erzählen.«

Sie sahen ihn verständnislos an. Gunnarstranda stellte sich vor. »Ist was passiert?«, fragte die Jüngere nervös.

Der Kriminalhauptkommissar überhörte die Frage, trat aber dichter an sie heran. »Ist dein Vater zum ersten Mal auf diese Weise verschwunden?«

»Nein.« Sie zwinkerte unschuldig. Sie hatte blaue Augen, die sie leider von ihrer Mutter geerbt hatte. Sie lagen nicht tief, sondern versteckten sich einfach in zwei Hautfalten links und rechts der Nase. Schweinsaugen.

Ihre Mutter glitt vom Barhocker und strich nervös mit den Händen über den strammen Stoff ihres Rockes.

»Wann ist er zuletzt auf diese Weise verschwunden?«

»Sie haben ja Recht!«, unterbrach ihn die Frau, noch ehe die Tochter antworten konnte. »Egil kann nicht mit Alkohol umgehen.«

»Warum trinkt er dann?«

Zur Antwort zuckte sie mit den Schultern.

»Es kommt immer ganz plötzlich«, warf die älteste Tochter sichtlich verlegen ein.

Die drei Frauen rückten dichter zusammen. Das geschah ganz automatisch, sie bauten eine Barrikade, und Gunnarstranda witterte sofort die in der Luft liegende Feindseligkeit. Deshalb wurde er sichtlich lockerer, zwinkerte gutmütig und erklomm einen der Hocker an der seltsamen Bar. Er konnte die Fußstützen nicht erreichen. Seine Beine baumelten herab. Das gab ihm einen Grund, zu lächeln und demonstrativ die Füße zu heben.

Die dichte Verteidigungsfront brach. Die beiden Mädchen tauschten einen Blick und kicherten über den Mann mit den kurzen Beinen.

Der Polizist nutzte die Gelegenheit und machte ein ernstes Gesicht. »Kommt er wirklich manchmal zwei Nächte am Stück nicht nach Hause?«, fragte er mit besorgt gerunzelter Stirn. Alle drei schüttelten den Kopf. Die blassblauen Augen der Mutter wurden plötzlich wieder feucht. »Das ist es ja gerade«, jammerte sie und umklammerte ihr Taschentuch. »Gerade das ist noch nie passiert!«

19

Es war schon seltsam. Johansen machte keinen Hehl aus seinem Tun. Er verfolgte Klavestad ganz offen. Es ging aufwärts, in Richtung Christies Gate, Lilleborg Kirche und weiter zum Torshovpark.

Frank Frølich begriff, wohin sie unterwegs waren, denn er wusste, wo Klavestad wohnte. Deshalb ließ er sich ein Stück zurückfallen. Jetzt war die Aufgabe leichter. Er beschattete den Schatten. Und der junge Mann mit dem Pferdeschwanz achtete nur auf den Alten, der sich an seine Fersen geheftet hatte. Sigurd Klavestad schaute sich immer wieder um, rannte nicht, ging aber leicht nervös schnellen Schrittes. Unten in der Ole Bulls Gate blieb er stehen und drehte sich zu dem Alten um, der erstarrte. Die Entfernung zwischen ihnen betrug weniger als hundert Meter. Frank Frølich versuchte, so zu tun, als warte er auf den Bus, ging zur Bushaltestelle hinüber, betrachtete den Fahrplan und schaute genervt auf die Uhr. Weiter oben geschah nichts. Die beiden sahen einander nur an. Bis Klavestad plötzlich langsam auf Johansen zuging. Der rührte sich nicht, stocherte nur ziellos mit dem Stock in der Gegend herum. Die Entfernung verringerte sich um zwanzig Meter. Sigurd Klavestad blieb stehen. Frank Frølich steckte beide Hände in die Hosentaschen und umkreiste langsam den Fahrplan. Nichts passierte. Zwei Augenpaare starrten einander an.

Bis Sigurd Klavestad sich endlich umdrehte und einige Schritte machte. Der Alte folgte. Klavestad fuhr herum. Der Alte erstarrte abermals. Frank Frølich gähnte und sah auf die Uhr. Zehn Minuten waren vergangen. Noch immer starrte

Sigurd den ihm unbekannten Mann an. Dann wandte er sich um und ging. Schneller diesmal. Johansen musste sein Tempo steigern. Sie gingen bergauf, ganz am Torshovpark vorbei, bis sie ihr Ziel erreicht hatten.

Ruhig ging Frølich weiter. Und richtig. Die Tür hatte sich hinter Sigurd geschlossen. Johansen stand vor der Haustür und studierte die Namensschilder.

Frølich überquerte rasch die Straße zum Block gegenüber von Klavestad. Es hätte ziemlich problematisch werden können, wenn sich nicht zwischen dichten Sträuchern eine Telefonzelle verborgen hätte.

Er schlüpfte hinein und blätterte langsam in den zerfetzten Papierstreifen, die einst Telefonbücher gewesen waren. Eine blaue, eine braune und eine rote Leitung lugten aus dem Telefon. Der Rest des Hörers lag auf dem Boden.

Frank Frølich lehnte sich gegen die Scheibe und beobachtete den Mann auf der anderen Straßenseite. Der Alte war wirklich irre. Er führte Selbstgespräche, betrachtete die Klingelschilder und lief mit kleinen Schritten vor der Haustür hin und her. Himmel, dachte Frank Frølich und schnalzte mit der Zunge. Du hast wirklich nicht alle Tassen im Schrank!

20

»Und dann ist er wieder fort, ohne ins Haus zu gehen?«

Frølich nickte und hielt vor der Kreuzung zwischen Karl Johans Gate und Dronningens Gate an.

»Und du bist sicher, dass er mit dem Bus zurückgefahren ist?«

Wieder ein Nicken.

Es war Abend und inzwischen dunkel geworden. Sie blickten die Straße entlang. Ein paar dunkle Gestalten lungerten auf dem Bürgersteig herum. Die meisten machten eine dumme Bemerkung und musterten das Auto missbilligend. Plötzlich erkannte Frølich den Charmeur mit der schiefen Brille und den schlechten Zähnen wieder. Diesmal hatte er einen kurzhaarigen Dobermann mit äußerst rastlosen Beinen und spitzer Schnauze an der Leine. Nebenbei unterhielt er sich mit einer Nutte mit dicken Lippen und mageren Oberschenkeln, die sich alle Mühe gab, aufrecht stehen zu bleiben. Sie versuchte, sich eine Zigarette anzuzünden. Bis jetzt waren ihr drei Marlboro auf den Asphalt gefallen. Sie waren ihr einfach aus den weißen, knöchrigen Fingern gerutscht.

Gunnarstranda suchte in seiner Manteltasche. »Du hast da einen nützlichen Spaziergang gemacht«, fuhr er fort. »Aber ich glaube, es macht wenig Sinn, hier weiter zu beobachten. Abgesehen davon, dass der alte Johansen mir ein bisschen Kopfzerbrechen macht.«

»Der kommt mir aber nicht gerade gefährlich vor.«

»Nein, vielleicht nicht«, gab Gunnarstranda leicht unsicher nach und suchte weiter. »Aber trotzdem stimmt hier irgendwas nicht. Hier.«

Er reichte Frølich ein Passfoto.

Der betrachtete das Bild eines Mannes Ende vierzig. Ein spitzes Gesicht, dicker Hals, eine sehr schmale Oberlippe und buschige Augenbrauen. Eine dicke Haarsträhne war vom linken Ohr über den Schädel gekämmt, um eine Glatze zu verstecken. Der Mann hatte den Hocker im Fotoautomaten zu weit nach unten gedreht. Deshalb reckte er auf dem Bild den Hals, was seine Augen zum Starren brachte. »Wer ist das?«

»Egil Svennebye. Marketingchef bei Software Partners. Seine Frau hat mir das Bild gegeben.«

»Warst du bei ihr?«

»Ja, sie konnte berichten, dass er sich unter seinen Kollegen verdammt unwohl fühlt und dass er an der Flasche hängt. Das heißt, er hat früher an der Flasche gehangen. Deshalb hab ich die Jungs gebeten, die üblichen Kneipen zu überprüfen.«

In diesem Moment kam ein unrasierter Rocker in Jeans und Steppweste die Skippergata entlang. Der Dobermann musste beruhigt werden. Der Knabe kam auf das Auto zugeschlendert. Ein Schäferhund lief ruhig neben ihm her. Er würdigte den Dobermann keines Blickes, obwohl der einen Höllenlärm veranstaltete, kläffte und die Zähne fletschte. Frølich kurbelte das Fenster hinunter. Aber der Mann ließ sich nicht anmerken, dass er sie wiedererkannte, als er sich zum Wagenfenster hinabbeugte. »Bankplassen«, sagte er mit leiser Stimme und senkte den Kopf, um sich beim Reden eine Kippe in seinem Mundwinkel anzuzünden.

»Er ist ganz schön voll! Ist vor einer Stunde aus dem Original Pilsen geworfen worden und trinkt jetzt seine Vorräte auf der Treppe des alten Bankgebäudes aus.«

Die Information war weitergegeben worden. Der Mann richtete sich auf und ging weiter, ohne sich umzublicken. Er konnte nach dem Weg gefragt, sie angesehen oder ihnen etwas mitgeteilt haben. Es war rasch geschehen. Die Leute werden misstrauisch, wenn sich ein Typ zu einem Polizeiauto beugt, ob der nun zivil ist oder nicht. Denn Polizisten werden erkannt. Der Köter hörte auf zu kläffen, als der Schäferhund verschwunden war. Aber bei der Kundschaft auf der Straße hatte sich eine nervöse Unruhe breitgemacht, die noch zunahm, als Frølich den Zündschlüssel umdrehte und losfuhr.

Sie hielten vor einer roten Ampel. Frølich sah sich um. Gunnarstrandas blanker Schädel leuchtete im Spiel der Reklamelichter rot und grün. Grün. Das Auto glitt langsam weiter, und sie wechselten kein Wort. Draußen war es kalt, und in der Tollbugata pfiff der Wind. Die Nutten pressten sich in Treppenaufgänge und Torwege, um dem kalten Wind zu entgehen. Nur eine einsame junge Frau mit offenem Kaninchenpelz ging breitbeinig auf der rechten Straßenseite weiter. Frank Frølich gefiel es, wie sich ihre Oberschenkel zwischen Strumpfkante und dem kurzen Rock rundeten. Er winkte einem anderen Polizisten zu, der neben seinem Dienstwagen eine Wurst aß. Zwei halb betrunkene Männer standen auf dem Bürgersteig im blauen Licht eines Restaurantschildes. Neben ihnen lag ein Mann mit dem Gesicht in Blut oder Kotze.

Frølich bog auf den Bankplassen ab, fuhr an die Seite und parkte. Eine Frau, die in einem Türeingang gestanden hatte, drehte sich um und wich zurück, als sie sah, um was für ein Auto es sich handelte. Nur ein kurzes Aufleuchten von Seidenhaut über schwarzen blanken Lederstiefeln, ehe sie wieder mit dem Schatten verschmolz.

Frølich ließ den Blick schweifen. Es war kaum Verkehr, und die wenigen Autos, die die Straße entlangrollten, wurden bald von denen aufgehalten, die am Straßenrand standen. Ein Mann mit kurzen hellen Haaren und Jeans pisste zwischen die rostigen Pfeiler, die das Museum für Zeitgenössische Kunst kennzeichneten. Ein Stück entfernt wackelte ein Minirock zu einem

Wagen. Sie beugte sich wie üblich vor, um sich vor dem Einsteigen den Kunden anzusehen.

Die Treppe war verlassen. Er ließ den Blick weiterwandern. Der Kollege hatte die Treppe erwähnt. Der Mann konnte nicht weit gekommen sein.

»Da!«

Ein Mann torkelte durch die Kongens Gate. Seinen Mantel hatte er schon fast verloren, und in der rechten Hand baumelte etwas, das aussah wie eine Schnapsflasche. Der Mann nutzte die gesamte Breite des Bürgersteigs und stieß dauernd gegen Schilder, Autos oder andere Hindernisse.

Sie stiegen aus und gingen hinter ihm her. Der Mann stolperte weiter. Seine Frisur war nicht mehr in Ordnung. Die Haarsträhne war zur anderen Seite gefallen und wehte wie eine Flagge im Wind. Sie gingen schneller und holten ihn ein, als er sich auf einen Steinblock bei der Grünfläche fallen ließ.

»Svennebye!«

Frølich hockte sich neben ihn.

Der Mann hob den Kopf. Sein Blick flackerte. Mantel und Hemd waren von Erbrochenem verschmiert. Die Ähnlichkeit mit seinem Passbild war minimal. Es war derselbe Mensch, aber sein Gesicht war aufgedunsen und fremd.

»Polizei«, sagte Frølich energisch. Es war blödsinnig, das zu sagen. Das hörte er selber.

Die Unterlippe des Mannes hing noch weiter runter. Sein Kopf kippte zur Seite, und er versuchte, seine Ellenbogen auf die Oberschenkel zu stützen. Sein Kopf schwang zwischen seinen Schultern wie eine reife Birne. Frank Frølich stand auf und überließ Gunnarstranda seinen Platz.

Der Mann hob den Arm, um ihn zurückzuhalten. Dabei quoll weiße Spucke aus seinem Mund. Die Flasche rutschte aus seinen Fingern und zerschellte, als sie auf die Straße fiel.

Einige Möhrenstückchen und zwei grüne Erbsen belebten einen dünnflüssigen Matsch, der herb nach Alkohol stank. Gunnarstranda war zwei Schritt zurückgetreten, um seine Füße vor dem Regen zu bewahren. Der Mann hob langsam die rechte Hand, um sich den Rotz abzuwischen, der sich unter seiner Nase gesammelt hatte. Als er sich nicht mehr auf den Oberschenkel aufstützte, verlor er das Gleichgewicht und fiel in sein Erbrochenes. Eine Glasscherbe schnitt ihm in die Hand, die sich sofort blutrot färbte. Gunnarstranda bückte sich und band vorsichtig sein Taschentuch um die schlaffe blutende Hand.

»Svennebye!«, sagte er leise und vertraulich.

Der Kopf wackelte und wackelte.

Gunnarstranda fasste die Stirn des Mannes und zwang ihm den Kopf nach hinten. Das Gesicht war völlig verdreckt.

»Svennebye!«

Keine Reaktion.

Gunnarstranda packte das linke Ohrläppchen und zog es herum. Der Kopf kippte noch weiter nach hinten, und die Augen verdrehten sich, sodass nur das Weiße darin zu sehen war. Der Polizist ließ los, aber der Kopf hing weiterhin nach hinten. Der Mund stand offen. Und dann gurgelte es plötzlich in der Brust, und eine weitere Fontäne quoll aus dem Mund, diesmal nach oben, wie sich das für eine Fontäne gehört.

Die beiden Männer wichen ein Stück zurück. Ließen ihn in Ruhe erbrechen, dann bückte sich Gunnarstranda wieder zu ihm hinunter. »Reidun!«, flüsterte er optimistisch. »Reidun Rosendal!« Keine Reaktion.

Ein Paar mittleren Alters eilte vorbei. Sie machten einen sorgfältigen Bogen um die drei, und beide bedachten die Polizisten mit skeptischen Seitenblicken.

Svennebye versuchte einen Pfiff auszustoßen, aber es kam

nur Luft. Dann schluchzte er. Nuschelte irgendwas. Verzog den Mund. Hier bahnte sich etwas an.

Svennebye war schwer beschäftigt. Grobe Grunzgeräusche kamen von unten. Er bewegte sich, kippte auf die Seite. Sein Kopf schlug gegen ein parkendes Auto. Franken zog ihn wieder ins Sitzen. Jetzt blutete er auch am Kopf. Noch immer grunzte er. Machte sich an seinem Hosenschlitz zu schaffen. Schließlich gelang es ihm, seinen Schwanz herauszuholen, und er stöhnte laut, als sein Urin über den Asphalt floss. Es sammelte sich zu einer Pfütze und durchtränkte seine Hose.

Sie schlenderten zum Auto zurück.

Svennebye saß noch immer mit ausgestreckten Beinen in Kotze und Pisse. Sein Kopf wackelte und wackelte.

Frølich überließ Gunnarstranda den Funk.

Kurz darauf fuhr ein Wagen mit blinkendem Blaulicht auf den Platz. Zwei uniformierte Polizisten packten den Mann an den Schultern, schleppten ihn zum Mannschaftswagen und warfen ihn brüsk auf die Ladefläche, wo er bewegungslos auf seinem Gesicht landete, wie ein auf den Tisch geklatschter Kuchenteig.

Gunnarstranda rief der nächststehenden Uniform zu:

»Ein Arzt soll sich seine Hand ansehen!«

Der Uniformierte nickte und stieg zu Software Partners' Marketingchef in die Grüne Minna.

21

Sigurd Klavestad schlief unruhig. Er träumte von weißer Haut vor einem grauen Fenster, von Telefonen, die klingelten, ohne dass jemand sich meldete. Und er wusste, dass das alles ein Traum war. Wusste, dass er aufwachen und zu sich kommen musste, um das Gefühl der Unsicherheit loszuwerden, das diesen Traum so schrecklich machte. Deshalb gab er schließlich nach und riss die Augen auf.

Als Erstes spürte er, wie sein Schweiß die Bettdecke kalt, etwas steif und unangenehm gemacht hatte. Aber er bewegte sich nicht. Lag einfach da und starrte in die Dunkelheit.

Es war Nacht. Von draußen drang nur graues Licht herein. Die Nacht war schwach erleuchtet von Straßenlaternen. Wie viel Uhr es wohl sein mochte? Die Stille verriet ihm, dass es spät war. Nicht der geringste Verkehrslärm. Also musste es irgendwann zwischen zwei und halb fünf sein. Dann war es immer still. Wenn die Nachttaxis das Schlimmste hinter sich hatten und die ersten Schichtarbeiter noch nicht unterwegs waren.

Es war immer schrecklich, mitten in einem Traum wach zu werden. Der Ruck, der durch den Körper ging. Das Gefühl, an einem unbekannten Ort zu fallen, ohne Kontrolle und unsicher, ob irgendwo in der Dunkelheit jemand stand, um einen aufzufangen.

Er konnte sich nicht sofort bewegen. Aus irgendeinem Grund hatte er Angst, ein Geräusch zu machen. Angst, jemand könnte ihn hören. Idiotisch. Aber so war es immer schon gewesen. Schon als ganz kleines Kind hatte er geglaubt, dass nachts im Schrank ein Mann mit schwarzer Kapuze und erhobenem

Schwert wartete. Ohne sich zu rühren, starrte er dann immer in die Finsternis, und seine Haut prickelte. Bis er entweder wieder einschlief oder sich überwinden und die Nachttischlampe einschalten konnte.

Jetzt, wo er allein wohnte, wusste er zwar, dass es die Albträume seiner Kindheit waren, die ihn quälten, trotzdem hatte diese feuchte Steifheit seine Arme fesseln können. Auch dieses Mal.

Endlich bewegte er sich. Hörte das leise Rascheln der Bettdecke und streckte die Hand nach der Lampe aus. Das Licht war schwach. Es konnte gerade die Ecken des Schlafzimmers beleuchten. Aber immerhin traute er sich, sich aufzusetzen und die Zigaretten vom Nachttisch zu nehmen. Es schmeckte nicht. Gleich nach dem ersten Zug bereute er es. Nicht, weil es nicht schmeckte, sondern weil er jetzt das Fenster aufmachen musste. Etwas hielt ihn davon ab, das Fenster aufzumachen. Er rauchte mit raschen, nervösen Bewegungen. Dachte an den verrückten alten Mann von gestern. An seinen düsteren Blick. Sicher ein Homo. Die Stadt wimmelte nur so von verrückten Schwulen, und meistens geriet er an sie. Das Gesicht des Alten hatte ihn an ein Gesicht von vor vielen Jahren erinnert. Daran, wie er einmal in der Straßenbahn gesessen hatte. Und dann tanzte plötzlich dieser Typ zur Tür herein und setzte sich auf die Bank gegenüber. »Komm mit mir zum Wichsen nach Hause, dann kriegst du tausend Kronen!«, hatte er gesagt. Das hatte dem Alten irgendwie auch im Gesicht gestanden. Es machte ihm Angst, wenn er sich überlegte, mit was für einer Art von Irrem er da eigentlich zu tun hatte. Solche Leute waren doch unberechenbar, verdammt noch mal, es war unmöglich zu wissen, wozu sie möglicherweise im Stande waren. Wie gestern. Als er sich umgedreht hatte und stehen geblieben war. Dieses schwammige Greisengesicht, das ihm entgegengestarrt hatte.

Das Telefon klingelte.

Das überraschte ihn nicht. Es war, als habe er darauf gewartet. Es hatte mit diesem alten Schwulen zu tun. Als wäre er aufgewacht, damit so etwas passieren konnte. Er steckte die Zigarette in den Mund und starrte das lärmende Telefon an und nahm ab. »Ja«, sagte er kurz und fast tonlos. Räusperte sich. »Ja«, wiederholte er.

Kein Mucks am anderen Ende. Er drehte sich um und schaute auf die Uhr. Halb vier. Genau wie er getippt hatte.

Aber dann wurde ihm kalt. Es war dieses Geräusch. Das hatte er schon einmal gehört. Jemand hatte den Hörer auf die Gabel geworfen. Einfach nur ein trockenes Klicken. Und dann Stille.

Ein Kilo Blei senkte sich in seinen Bauch. Seine Beine lagen steif und gefühllos unter der Decke. Seine Gedanken standen still. Ihr Bild. Ihr verzweifeltes Lächeln, als sich niemand gemeldet hatte. Das Klicken im Hörer an jenem Morgen.

Langsam legte er ebenfalls auf. Noch langsamer ließ er sich im Bett wieder zurücksinken. Er dachte an das Foto, das dieser kleine Polizist ihm zugeworfen hatte. An ihre zerstörte Brust und ihren erstarrten Gesichtsausdruck. Als hätte sie sich zurückfallen lassen, um den Stichen zu entkommen, sei dann aber vom Boden aufgehalten worden und hätte keinen Ausweg mehr gehabt.

Die Nachttischlampe erleuchtete das ganze Zimmer. Fast. Die Schlafzimmertür war zu. Er hörte deutlich, wie still es war. Es war zu still.

War da jemand?

Seine steifen Beine schmerzten. Die Schlafzimmertür leuchtete ihm entgegen.

Er bemühte sich, die Panik zu unterdrücken. Er war zu Hause.

Ganz allein. Die Wohnungstür war abgeschlossen. Er versuchte, sich zu beruhigen. Irgendwer hatte sich verwählt. Die Wohnungstür war abgeschlossen. Aber die Kette? Hatte er die Kette vorgelegt? Natürlich nicht.

Das machte er nie. Sicherheitsketten sind etwas für alte Omas. Er schloss die Augen. Die Tür.

Seine Beine wurden wieder schwerer. Hier ist niemand! Jemand hat sich verwählt! Hier ist niemand! Jetzt steh schon auf, geh auf den Flur, und leg die Kette vor!

Diese verdammte Unsicherheit. Hatte er die Tür abgeschlossen?

Er sah seine Hände die Decke hochheben. Sah sich aufrecht stehen.

In diesem Moment klingelte es an der Tür. Das Blei in seinem Bauch drängte nach oben. Er spürte die Kälte im Nacken. Seine Gedanken blieben stehen. Seine Hände waren plötzlich taub, kraftlos, alt und wächsern und gehörten nicht mehr zu ihm.

Er spürte seine Kleider nicht, als er sie anzog. Er hatte keinen Kontakt zu seinem Körper. Ein widerliches, taubes Gefühl. Er setzte sich aufs Bett. Rührte sich nicht.

War das alles Einbildung?

Das vertraute Dingdong. Hatte er es gehört oder nicht?

Das klingelnde Telefon, und jetzt das Läuten an der Tür. Um diese Uhrzeit. Nachts um halb vier. Er dachte an das Messer auf dem Tisch des Polizisten. Blinkendes Metall.

Er fand sich selber vor der Schlafzimmertür wieder. Fasste die Klinke. Langsam, langsam öffnete er lautlos die Tür. Wohnzimmer und Küche lagen dunkel und still vor ihm. Ein graues Licht von draußen ließ ihn in der Dunkelheit einige Konturen erahnen. Ein gelber Lichtstreifen im dünnen Spalt zwischen Badezimmertür und Rahmen verriet ihm, dass er gestern vergessen hatte, es auszuknipsen.

Er stand ganz still vor der Wohnungstür und horchte.

Wie unglaublich still. Das Klingeln von vorhin. Hatte er das nun gehört oder nicht? Warum hatte er keinen Spion in der Tür? Alle haben einen Spion in der Tür! Wenn er doch bloß hinausblicken könnte!

Da.

Es klingelte noch einmal. Das Geräusch hallte im stillen Flur wider. Es war wie ein Dröhnen. Seine Knie gaben unter ihm nach.

Da war jemand. Da wartete jemand.

Sein Mund trocknete aus. Sollte er etwas sagen, fragen, wer da sei? Seine Gedanken weigerten sich. Seine Stimme weigerte sich. Er konnte nur mit offenem Mund atmen. Aber dann musste er seine Haltung ändern. Sein Knie knackte. Es hallte in seinen Ohren. Es hörte sich an wie ein abbrechender Ast. Ob das durch die Tür zu hören war?

Von draußen kein Laut. Sein Körper schmerzte. Seine Stellung war unerträglich. Wie lange stand er schon so? Es kam ihm vor wie eine Ewigkeit.

Dann plötzlich Schritte. Jemand ging weg. Ganz deutlich. Er schloss die Augen, atmete auf. Seine Schultern sanken nach vorne. Seine Knie gaben nach. Sein ganzer Körper hatte sich verausgabt. Seine Muskeln, die allesamt angespannt gewesen waren, kamen wieder zur Ruhe. Er sah auf die Tür, versuchte die Zeit abzuschätzen und horchte. Zehn Minuten stand er so da. Zehn Minuten. Da draußen konnte niemand mehr sein. Jetzt nicht mehr. Seine Hand leuchtete ihm seltsam weiß entgegen, als er die Tür aufschloss und sie öffnete.

22

Gunnarstranda hatte sein Auto in Kampen abgeliefert, und deshalb lag eine gereizte Falte auf seiner Stirn, als er anderthalb Stunden später raschen Schrittes vom Bus zum Grand Hotel lief. Es war nicht leicht gewesen, sein Auto zu verlassen. Die Reparaturannahme war keineswegs so gewesen, wie er sich das vorgestellt hatte. Zuerst hatte er überhaupt keine Werkstatt entdecken können. Der Hinterhof war ein leerer, mit Kies bedeckter Platz, auf dem es nur einen Schuppen, eine Wäscheleine und einen Fahrradständer gab. Der Schuppen war eine baufällige Garage aus grauen, zersplitterten Brettern, die seit dem Krieg bestimmt nicht mehr angestrichen worden waren. Aus dem schiefen Dach ragte ein dünnes Metallrohr mit Hut, ein Schornstein wie aus einer Comiczeichnung.

Eine einzige Tür in einer Ecke. Dort hatte er die Namensschilder sorgfältig gelesen, ohne Auto Gunder zu finden. Am Ende war er aus dem Hof geschlichen, hatte sich die Hausnummer noch einmal angesehen und die Adresse noch einmal überprüft. Hatte geflucht, sich einem kleinen, dünnen Typen in ölbeflecktem Overall zugewandt, der über die Straße kam. »Auto Gunder. Das bin ich«, hatte der Widerling gesagt und war mit mildem Lächeln an ihm vorbeigegangen. Dann hatte er ihn in die Garage gewinkt.

Es war noch Platz für den Skoda gewesen. Gunder hatte ihn hereingelotst. »Dort! Dort! Dahin! So, ja, geradeaus, geradeaus, na los, na los!«

Bis der Polizist endlich schweißnass und erschöpft am Ziel war. Und er hatte verdammt noch mal noch nicht mal die Autotür aufgemacht, als der magere Pfeifenreiniger auch schon einen Wagenheber zur Seite getreten und einen Metalleimer weggeschoben hatte, in dem sicher Schnaps angesetzt war. Gunnarstranda erkannte das an dem Steigrohr und dem leicht entrüsteten Ausdruck, der zwei Minuten lang das Gesicht des Mechanikers geziert hatte.

Der Mann hatte kein Papier gehabt und war deshalb schließlich die Treppe zum Klo hochgestiegen, um sich was zu schreiben zu holen. Er kam mit zwei Blatt Klopapier und einem schmutzigen Bleistift in der Hand wieder zurück.

»Jahaaa, Probleme mit der Zündung, jahaaa, krepiert beim Gasgeben, jahaaa, macht 'nen Höllenlärm!«

Der Kriminalhauptkommissar hatte den Mechaniker zweifelnd angesehen. Zögernd hatte er gefragt, wann er seinen Wagen wieder abholen könnte. Ohne darauf eine richtige Antwort zu erhalten. Der Mann redete einfach weiter darüber, was vielleicht nicht in Ordnung war und was bei diesem elektrischen Teufelszeug noch alles kaputtgehen konnte.

Im Bus hatte er sich gefragt, auf was zum Teufel er sich da eingelassen hatte, und eine Weile mit dem Gedanken gespielt, seine Verwirrung an Frølich auszulassen, der ihn schließlich dorthin geschickt hatte. Dieser Gunder wohnte ja mit Frølichs Freundin in einer WG. Andererseits hatte Gunnarstranda überlegt, dass er schließlich das Auto aus dem Hof fahren und sich hätte retten können. Deshalb wollte er erst auf die Rechnung warten, ehe er seinen Kollegen zur Schnecke machte.

Jetzt begab er sich ins Grand Café, wo er gleich bei der Tür stehen blieb und Ausschau nach seinem Schwager hielt.

Ein Zischen erklang an einem der Fenster zur Karl Johans Gate. Sein Schwager. Zu hören, aber nicht zu sehen. Gunnarstranda ließ seinen Blick noch einmal durch das Lokal schweifen. Da! Ein Jackett, das mit einer Zeitung winkte.

Gunnarstranda deutete eine Verbeugung an, und der Oberkellner nickte reserviert zurück. Er ging zum Tisch seines Schwagers und setzte sich. Ein langes Leben hatte Edels Bruder gelehrt, sein Lachen zu unterdrücken. Es war trocken und schrill, wie der klagende Gesang eines rotierenden, rostigen Zahnrades. Das Geräusch erweckte überall Aufmerksamkeit. Zum Ausgleich war sein Lachen dann, wenn er ihm freien Lauf ließ, sehr ansteckend. Aber Gunnarstrandas Schwager wollte kein Clown sein. Deshalb zischte er wie eine Schlange, wenn er lachen, grüßen oder einfach nur Aufmerksamkeit erregen wollte.

»Welch seltener Anblick«, begann der Schwager höflich und nippte am Kaffee. Gunnarstranda nickte ihm zu, lehnte sich zurück und winkte einer Kellnerin. »Kaffee«, murmelte er, sah wieder seinen Schwager an und erwiderte etwas Belangloses.

Es war das erste Mal seit vier Jahren. Das erste Mal seit Edels Beerdigung. Überall im Saal saßen gut gekleidete Damen und schwatzten bei einem Stück Kuchen und dem Vormittagskaffee. Dazwischen mühten sich müde Geschäftsleute mit einem späten zweiten Frühstück ab. Sein Schwager passte hierher mit seiner runden Brille und der grauen Weste über dem weißen Hemd. Er hatte einen sanften und nachsichtigen Gesichtsausdruck. Wenn man es nicht besser gewusst hätte, hätte man ihn auch für beschwipst halten können.

Ein Diplomatenkoffer aus Leder belegte den Stuhl am Fenster. Ein überdimensionaler Terminkalender mit vielen Extrafächern und losen Blättern lag aufgeschlagen auf dem Tisch.

Der Schwager winkte einem schwarz gekleideten Herrn zu, der auf der Straße vorübereilte.

»Kennst du eine Firma namens Software Partners?«, fragte Gunnarstranda.

»Nein.«

»Die machen Computerprogramme für Büros.«

»Das tun doch alle!«

Der Schwager pustete über seinen Kaffee. Aber in seinem Blick lag jetzt, nachdem Gunnarstrandas Grund für dieses Treffen geklärt war, weniger Zurückhaltung.

Der Mann war vom ersten Tag an bei Norsk Data angestellt gewesen. Gunnarstranda wusste, dass er sich irgendwo in der Mitte der Hierarchie befand. Und wo er nun schon einmal da war und also Wachstum, Stagnation und Schwierigkeiten überlebt hatte, musste er ziemlich wichtig sein. Heute sollte er noch einen Vortrag über »Die Zukunft norwegischer IT« halten, mit dem Untertitel »Ein Abriss über Informationstechnologie, Norwegen und die EG«.

Gunnarstranda war eine Audienz in der Pause bewilligt worden. Die Frau mit der quäkenden Stimme, die die Anrufe seines Schwagers annahm, hatte ihm erklärt, dass alle, die in der Branche Rang und Namen hätten, vertreten seien. Gunnarstranda fand das Lokal ein bisschen zu klein dafür. Andererseits hatte das Grand ja noch allerhand Räumlichkeiten, und vielleicht nahm die Branche ihre Kanapees anderswo ein.

»Namen«, sagte sein Schwager.

»Terje Engelsviken.«

Der andere schaute auf, stellte seine Tasse ab, hob theatralisch die Hand und pustete, als ob er sich verbrannt hätte.

Gunnarstranda wartete geduldig.

»Hat an der TH in Trondheim studiert«, fuhr sein Schwager fort und griff wieder nach seiner Kaffeetasse. »Weißt du, die Generation von Akademikern, die beim ersten Bewerbungsgespräch mit Stirnband und Mao auf dem T-Shirt angetreten sind. Und den Job gekriegt haben. Engelsviken ist ein mittelmäßiger Ingenieur, der aus unerfindlichen Gründen um 1980 bei IBM war. Er hat dort nach zwei Jahren ganz plötzlich aufgehört. Angeblich, weil er sich selbstständig machen wollte.«

Die Kellnerin brachte den Kaffee. Der Schwager legte eine Pause ein, während sie ihr Tablett leerte. Erst als sie sich entfernt hatte, fuhr er fort: »Inoffiziell ist Engelsviken ein faules Ei.«

»Erzähl.«

»Sein Gehalt bei IBM war ihm wohl nicht hoch genug.«

»Unterschlagung?«

»Nein, Engelsviken hat noch an zwei anderen Stellen Gehalt bezogen.« Der Schwager zwinkerte. »Also hat er IBM lieber verlassen.« Gunnarstranda begriff, dass »IBM verlassen« doppeldeutig war.

»Danach hat er sich selbstständig gemacht«, fuhr der Schwager fort. »In den achtziger Jahren, als die Banken Geld für ein Säugetier gehalten haben, das lebendige Junge wirft, wenn ein Betrieb, der ein Darlehen braucht, sein Projekt nur in ausreichenden Fremdwörtern verpackt hatte.«

Gunnarstranda sah sich um und zog eine Zigarette aus der Tasche. Drehte sie zwischen den Fingern hin und her und fragte:

»Kennst du ihn?«

»Bin ihm nur einmal begegnet.«

»Was ist das für ein Typ?«

Der andere überlegte kurz. »Engelsviken hat das alte Problem, den Verhältnissen entsprechend zu leben«, meinte er dann. »Hast du noch nicht mit ihm gesprochen?«

»Nein, ich habe bloß gehört, dass seine Frau sich nicht gerade darum bemüht, ihren Wohlstand zu verstecken.«

»Mm, First Class. Er aber nicht. Er ist ein Exzentriker. Trinkt gern mal einen. Es gibt eine Geschichte über Engelsviken. Aus der Zeit, als er in die Branche eingestiegen ist.«

Er stellte die Tasse mit einem kleinen Klirren auf der Untertasse ab und wischte sich mit einer Serviette über die Lippen.

»Die Firma lief nicht besonders gut«, begann er. »Aber das konnte unmöglich am Verkauf liegen. Verstehst du, das war zu Beginn der 80er Jahre, als die PCs neu waren und kräftig unters Volk gebracht wurden. Damals wollten alle Betriebe ihre Gehaltslisten und Rechnungen per Computer laufen lassen.«

Gunnarstranda lehnte sich zurück und lauschte der zischenden Stimme seines Schwagers. Erfuhr von Engelsvikens Firma, die wie bescheuert verkauft hatte, ohne ihre Rechnungen zu bezahlen. »Sie schwammen geradezu in Schulden«, erzählte der Schwager. »Die Gläubiger wollten schließlich den Konkurs.«

Er hob wieder seine Tasse und trank aus.

Gunnarstranda räusperte sich. »Sie haben wie bescheuert verkauft, aber keine Rechnungen bezahlt?«

Sein Schwager breitete die Arme aus und grinste. »Sie saßen oben in Brekke. Ich bin einmal da gewesen. Das eine Mal, als ich mit ihm gesprochen habe.«

Der Mann blickte nachdenklich in den Saal. »Der Laden war unglaublich aufgeblasen. Teppiche und Chesterfieldmöbel in der Kantine. Warenlager und Garage im Untergeschoss.«

Der Schwager schien über Einzelheiten recht gut informiert zu sein. Jedenfalls wusste er, dass der LKW der Firma mitten im Winter nur abgefahrene Sommerreifen gehabt hatte. Und er wusste, wie an diesem Tag das Wetter gewesen war. »Es war Ende des Jahres, November oder Dezember. Und nachts kam ein entsetzliches Unwetter. Glatteis und Regen.«

Sein Schwager hatte auch gehört, dass Engelsviken über eine alte Scheune in Brakerøya bei Drammen verfügte. Dorthin war nämlich der LKW unterwegs gewesen, voll geladen mit Computern, Büromaschinen und anderen Wertgegenständen. Es geschah an dem Morgen, als der Gerichtsvollzieher zur Beschlagnahmung schreiten sollte. Engelsviken war offenbar die ganze Nacht damit beschäftigt gewesen, den LKW zu beladen.

Und als er fertig war, war auch seine Flasche leer und Engelsviken ganz schön betrunken. An diesem Punkt waren sich die Quellen allerdings nicht ganz einig. Einer Version zufolge hatte Engelsviken überhaupt nicht mitgemacht, sondern den Job an einen Jungen übergeben. Eine andere Quelle behauptete, der Direktor habe den Wagen beladen, und der Junge habe fahren sollen. Auf jeden Fall: Der Anwalt und der Gerichtsvollzieher waren ganz überraschend eingetroffen, als die Karre noch in der Garage gestanden hatte. Und die Quellen waren sich über zwei Ereignisse einig: Der Junge hat die Beine in die Hand genommen. Und Engelsviken, der also ziemlich blau war, war elegant ins Führerhaus gesprungen, hatte den Wagen angelassen und war durch die doppelte Garagentür nach draußen gebrettert.

Sein Schwager zischte leise und zog ein Zigarillo aus seiner Brusttasche. Gunnarstranda, der mit seinem Feuerzeug herumgespielt hatte, hielt ihm die Flamme hin, und der andere paffte los.

»Danach haben wir erst mal eine Lücke. Erst später werden die Informationen wieder verlässlich«, erklärte Gunnarstrandas Schwager, der sich allerdings sehr gut vorstellen konnte, was passiert war. »Der Wagen war ja so schwer beladen, dass er während der ersten Kilometer gut auf der Straße lag. Aber als Engelsviken bei Lierskogen ankam, schneite es. Es herrschte ein dickes Schneetreiben, und die Straße war so glatt, dass die Autos sich querstellten. Der Lastwagen muss sich richtiggehend hochgekämpft haben, vorbei an Asker bis zur höchsten Stelle von Lierskogen. Aber dann – dieser Suffkopp von Engelsviken ist ja geizig wie ein Lottomillionär und hatte sicher kein Mautgeld bei sich. Er fuhr also die alte Straße nach Drammen hinunter. Und das ging nicht gut. Die Karre geriet in einer Haarnadelkurve außer Kontrolle.«

Der Schwager stieß mit amüsiertem Blick eine dicke blaue

Rauchwolke aus. »Engelsviken konnte gerade noch herausspringen, ehe der Wagen etwa fünfzig Meter den Berg hinunterrollte und sich dabei immer wieder überschlug, bis er dann an einem Baum zum Halten kam. Der ganze Hang war übersät mit Computern. Der ist sicher schlagartig nüchtern geworden, als er sein Warenlager sah!«

Das Zahnrad legte los. Sein Kreischen füllte das Lokal, und einige Gäste drehten sich zu ihnen um.

Der Schwager hob die Tasse und unterdrückte seine Geräusche. Er stellte fest, dass seine Tasse leer war, und goss aus der Kanne nach, die die Kellnerin auf den Tisch gestellt hatte. »Und Engelsviken musste brav per Anhalter nach Hause fahren.«

Gunnarstranda wollte etwas sagen, aber der andere winkte ab.

»Das war noch nicht alles«, sagte er rasch. »Verstehst du, die anderen hatten gesehen, wie der Junge weggerannt war. Und sie konnten sich gerade noch umsehen und mitkriegen, wie der LKW die Garagentür durchbrach und davonjagte. Deshalb befanden die Juristen, es sei ein Fall von schnödem Diebstahl. Und das Ende vom Lied war, dass die Versicherungsgesellschaft für Warenlager und Lastwagen blechen musste, während Engelsviken ungeschoren davonkam.«

Gunnarstranda rauchte gedankenverloren. »Wie viel von dieser Geschichte ist wahr?«

Der Schwager zuckte mit den Schultern und gab keine Antwort.

Der Polizist rauchte nachdenklich weiter. Irgendwer hatte sich eine Geschichte über Gerissenheit, Suff und das Glück eines Mannes ausgedacht. Egal, wie viel Wahres daran war, dass es die Geschichte überhaupt gab, sprach schon für sich.

»Dass er sein Lager leer machen und seine Gläubiger austricksen wollte, stimmt sicher«, dachte Gunnarstrandas Schwager laut. »Dass Glatteis und Baum ihn aufgehalten haben, sicher auch. Aber das mit der Versicherung hört sich ein bisschen wild an.«

»Ist er Alkoholiker?«

»Glaube ich nicht. Nur ein Draufgänger! Er hat sogar sein eigenes Namensschild im ›Barock‹, weil er da den Champagner in Magnumflaschen bestellt hat, als das modern war.«

Der Ingenieur runzelte die Stirn und überlegte. »Er ist einfach ein großer Junge, der einen Sportwagen fährt und wilde Partys liebt. Danach heißt's dann heim zur Gattin, die nett in die Welt lächelt und so tut, als ob nichts wäre.«

»Sie verzieht keine Miene?«

»Doch, aber sie ist irgendwie edel. Kratzt ihm eben lieber nicht die Augen aus. Du weißt schon, solche Wunden werden gesehen und geben dem Fußvolk noch mehr Anlass zum Tratschen.«

Gunnarstrandas Schwager schaute auf die Uhr und schob seinen Stuhl zurück. »Mein Vortrag wartet auf mich«, entschuldigte er sich und packte zusammen. Gunnarstranda winkte der Kellnerin, die die Rechnung auf den Tisch legte. »Die übernehme ich«, sagte er kühl und schob seinem Schwager den Hunderter wieder hin.

»Ich geb dir noch einen Tipp«, sagte er, als die Kellnerin sich wieder entfernt hatte. »Ich weiß nicht, wie seriös Engelsviken heute ist. Aber ich rate jedem, der mit ihm Geschäfte machen will, sich in Acht zu nehmen.«

Er griff nach seinem Aktenkoffer und erwiderte den Blick des Polizisten.

»Ich habe nur Gerüchte gehört«, präzisierte er mit hartem Blick. »Den Rest müsst ihr selber herausfinden. Aber Engelsviken ist immer wieder in Konkurs gegangen. Ich will das mal so sagen: Niemand wundert sich, wenn seine Firmen eine Bauchlandung machen. Aber seine Gläubiger machen jedes Mal wieder ein langes Gesicht.«

»Pleite?«

»Pleite ist noch hoch gegriffen.«

Sie verließen den Tisch, gingen ins Foyer und blieben dort stehen, um sich zu verabschieden.

»Ich habe in diesem Zusammenhang von einem Anwalt gehört«, sagte der Schwager. »Aber jetzt komme ich verflixt noch mal nicht auf seinen Namen.«

Der Polizist griff nach seinem Notizblock und blätterte darin.

»Brick«, schlug er fragend vor.

»Schon möglich«, nickte der Schwager und nahm den Koffer in die andere Hand. »Ich habe gehört, dass dieser Anwalt alles für Engelsviken hintrickst, wenn der mal wieder in der Klemme steckt. Eine Art juristischer Berater. Aber woher kennst du überhaupt diesen Namen?«

»Software Partners ist eine Art Konzept, wo man sich mit Partnern verbindet, wenn sie Geld bezahlen, eine Art Einsatz von Eigenkapital einbringen«, antwortete Gunnarstranda. »Und dieses Konzept scheint dieser Brick sich ausgedacht zu haben.«

Der Schwager zischte viel sagend und streckte die Hand aus.

Gunnarstranda ergriff sie. »Danke für deine Hilfe«, murmelte er.

23

Sie fuhren zum Gericht, wo Gunnarstranda sich ins Archiv begab und Erkundigungen einzog. Das dauerte. Anwalt Brick wusste, wie man schrieb. Die Firma Software Partners war in nicht weniger als sieben Prozesse verwickelt, und das allein in den letzten sechs Monaten. Eine Klage war allerdings zurückgezogen worden. Gunnarstranda machte sich die Mühe, alle streitenden Parteien auf einen eigenen Zettel zu schreiben. Diesen Zettel steckte er in seine Brieftasche. Viele der Fälle drehten sich um Forderungen von Firmen, die Kaufvereinbarungen auf Grund der ausbleibenden Zahlungen rückgängig machen wollten. In einer Sache standen sich Software Partners und Rentoffice gegenüber, die Engelsviken & Co. ihre Büroräume vermieteten. Rentoffice wollte auf Grund ausbleibender Mietzahlungen kündigen. Anwalt Brick forderte im Namen von Software Partners Schadenersatz für angeblich skandalöse Verstöße gegen den Mietvertrag und die so genannten nachweisbaren Widersprüche zwischen Mietvertrag und den tatsächlichen Gegebenheiten.

Gunnarstranda sog nachdenklich an seiner Wange, als er das Gericht verließ und im Café Justisen verschwand.

Es war ziemlich voll. Größtenteils die üblichen Spieler und ein paar Arbeitslose, die über einem Bier brüteten, aber auch das Gesicht des einen oder anderen Kollegen war zu entdecken. Ganz hinten im Lokal saß Reier Davestuen, ein Kollege vom Wirtschaftsdezernat. Reier teilte seinen Tisch mit einem blonden Penner, der dauernd zum Spielertisch hinüberbrüllte und zahnlos grinste. Der arme Reier hatte sich, so weit es ging, in die Ecke zurückgezogen, um ungestört zu bleiben. Das gelang ihm aber nicht so recht. Reier mit seinen Pranken, Schuhgröße 47 und stets zu klein wirkenden Kleidern, brauchte ohnehin ziemlich viel Platz, und seine Wirtschaftszeitung machte die Sache auch nicht besser.

Gunnarstranda stieg die breite Treppe, die auf die Empore führte, hinauf. Hier war es fast ebenso voll. Ein freier Platz neben einem faltigen Gesicht unter einem alten Filzhut. Der Mann hatte nur noch einen Schluck von seinem Bier übrig und seine Galoschen schon übergestreift, weil er gehen wollte.

»Ist hier frei?«, fragte der Polizist.

Der Mann versuchte, die Lippen zu bewegen, gab aber auf und nickte deshalb so heftig, dass ihm der Hut in die Stirn rutschte.

»Tagesgericht!«, brüllte Gunnarstranda der jungen Serviererin zu, die vor der Küchentür saß und rauchte.

Das Tagesgericht bestand aus Rouladen, Erbsenpüree, drei gekochten Kartoffeln mit Dill und einer einfach wunderbaren Soße. Er trat zur Seite, ließ seinen Tischnachbarn davonwackeln und langte zu. Er genoss jeden Bissen und lächelte die Serviererin an, die ein Mineralwasser brachte, weil sie wusste, dass er das immer trank. Er hätte ihr gern ein Kompliment über die Soße gemacht, brachte es aber nicht fertig. Stattdessen bat er auf höchst überschwängliche Weise um eine Schachtel Teddy.

Von seinem Platz aus hatte er einen guten Überblick über das Touristendeck, wo Davestuen noch immer in den Börsennotierungen blätterte. Gunnarstranda sah, wie sein Kollege die rechte Hand hob, um ein Gähnen zu verstecken, wie er dann rasch den Kopf schüttelte und Atem holte, ehe er sich mit trägem, in sich gekehrtem Blick umschaute. Er wirkte anonym und grau, solange er saß. Sein heller, dünner Haarschopf hing ihm in das knochige Gesicht. Er trug ein zu enges Jackett, dazu einen knallgelben Schlips, der sein Bestes tat, ihn zu erwürgen.

Gunnarstranda konnte endlich den Blick des Mannes erhaschen und ihm ein Zeichen geben. Reier fuhr auf und winkte eifrig zurück. Er erhob sich, ohne den Tisch umzukippen, erntete aber, als er sich zu seiner vollen Höhe erhob, einen verstörten Blick seines zahnlosen Nachbarn.

»Was Neues an der Börse?«, fragte Gunnarstranda mit vollem Mund und hielt seinen Teller fest, der fast hinuntergefallen wäre, als Reiers Knie beim Hinsetzen den Tisch anhoben.

»Nicht das Geringste«, rief der und ließ den Tisch wieder zu Boden sinken, als er seine Beine ausstreckte. »Nicht das Geringste!«

Reiers Präsenz war manchmal ziemlich schwierig zu ertragen. Gunnarstranda senkte den Blick. »Ich habe eine Computerfirma, die den Steuerzahler mit sieben Klagen zugleich zur Ader lässt«, teilte er mit. »Vor allem panische Schadenersatzansprüche, Hilferufe leerer Geldbeutel.«

Davestuen nickte, faltete seine Pranken auf dem Tisch.

»Der Direktor ist ein zweifelhafter Bursche«, fuhr Gunnarstranda fort, während ihm der Duft nach Mottenkugeln aus Reiers Jacke in die Nase stieg. »Er ist in nur wenigen Jahren gleich mehrfach in Konkurs gegangen.« Er zog einen Prospekt hervor. »Für seinen jetzigen Laden will er sich frisches Kapital durch Investoren sichern.«

Davestuen nahm die Broschüre, blätterte und hielt beim Bild von Finanzplaner Bregård inne. »Ist das dein zweifelhafter Bursche?«

»Nein, nein«, sagte Gunnarstranda schnell. »*Der* wird in den Broschüren überhaupt nicht erwähnt. Und ich frage mich langsam, ob das nicht sehr schlau von ihm ist.«

Er schlürfte den Kaffee, den ihm die Kellnerin unaufgefordert vorsetzte, lächelte sie an, und sie erwiderte sein Lächeln. Nicht nur höflich, sie zwinkerte ihm sogar zu. Das gefiel ihm. Er fischte eine Zigarette aus der Teddypackung und bot Reier eine an.

»Nein danke«, antwortete der und hob abwehrend eine Hand.

Gunnarstranda starrte ihn verblüfft an. »Du? Du hast aufgehört zu rauchen?«

Reier Davestuen nickte ernst.

»Wann denn?«

»Gestern.«

Gunnarstranda machte eine respektvolle Verbeugung und zündete seine Zigarette an.

»Ich kenne den Typ hier«, fuhr Davestuen gelassen fort und zeigte mit einem dicken gelben Finger auf Bregårds Bild. »Øyvind Bregård. Er war mal ein echter Schläger. Hat immer noch dicke Muckis, was?«

Gunnarstranda nickte langsam.

»Der war mindestens einmal wegen Körperverletzung verurteilt.«

Gunnarstranda blies abwartend Rauch aus.

Davestuen runzelte die Stirn und versuchte, sich zu erinnern.

»Er hatte in einem Inkassobetrieb gearbeitet, das war eine ziemlich unseriöse Gesellschaft. Vor ein paar Jahren haben wir sie hochgenommen, aber ich kann mich nicht an den Namen erinnern.«

»Wie ist das Urteil ausgefallen?«

»Er hat jedenfalls gesessen. Ich glaube, weil er einen Pakistani mit einem Laden in der Nobelgegend zum Krüppel geschlagen hat. Ich weiß nicht mehr, wie der hieß oder wo das passiert ist, aber das können wir ja feststellen.«

Gunnarstranda sagte:

»Was er jetzt macht, hat mit Computern zu tun. Aber ich

glaube, das ist auch von zweifelhafter Seriosität.« Davestuen nickte.

»Der Typ ist Finanzberater.«

Davestuen lächelte mit spitzen Zähnen. »Total unseriös«, versicherte er, im Unterkiefer blitzte eine vergoldete Brücke.

»Ich ermittle im Mordfall einer Frau, die dort gearbeitet hat«, erzählte Gunnarstranda weiter. »Ich weiß nicht, ob der Laden was damit zu tun hat. Aber irgendwas ist da faul.«

Davestuen spuckte in seine Hand und glättete mit der Handfläche seinen Pony. »Da kann ich nicht viel machen …«

»Du kannst dich informieren und herausfinden, was diese Leute eigentlich treiben. Wie ist es möglich, dass sie einen Schuldeneintreiber als Finanzplaner eingestellt haben?«

Gunnarstranda deutete auf Bregårds Bild. Reier betrachtete das Schnurrbart-Gesicht, griff nach der Broschüre und sah sie sich genauer an. »Gut«, sagte er dann. »Aber vorerst nur per Telefon.«

Gunnarstranda erhob sich. In dieser Welt tragen sich große Dinge zu, dachte er. Europa, der Zerfall des Ostblocks, und jetzt hat Reier Davestuen verdammt noch eins mit dem Rauchen aufgehört. Er ging zum Telefon, das an der Wand hing. Es war Zeit, Frølich zu finden und zu Software Partners zu fahren, dachte er zufrieden.

24

Ehe der Chef ihn auf dem Handy anrief, war Frank Frølich in Sonja Hagers Liste der Geschäftspartner von Software Partners vertieft. Die Aussichten auf einen gelungenen Fischzug waren minimal. Das Problem war, dass die beteiligten Firmen so unterschiedlich wirkten. Einige waren größere Firmen, andere kleine Betriebe, solche undefinierbaren Besenkammern in einem großen Mietshauskomplex, andere wiederum einfach Schreibwarenhandlungen. Hier musste er aussieben.

Mit einer guten Portion Geduld gewappnet, setzte er sich mit Brydes Firmenverzeichnis und den gelben Seiten der Post hin und fing systematisch an, die Firmennamen zu Gruppen zu sortieren: Eine Gruppe mit Käufern von Computersystemen, eine mit möglichen Teilhabern für die Firma, eine Gruppe mit beidem.

Nach zweieinhalb Stunden Arbeit zog er seine Stiefel und seinen grünen Anorak an und machte sich an die Feldforschung. Gleich beim ersten Wurf biss einer an.

Der Eingang lag in einer Seitenstraße der Rådhusgata. Die Gegend war ein Vakuum. Auf der Rådhusgata bewegten sich Autos und Menschen, und niemand warf auch nur einen Blick hier herein, wo es ruhig und still war, wie direkt hinter der Hafenmole. Es gab nur einen einzigen Laden. Diesen.

Der Laden konnte für Kunden nicht sehr interessant sein, das Schaufenster war nichtssagend und verstaubt, fiel nur durch eine schlaffe Markise auf, die wehte und schwach im Takt der Schwertransporter auf der Rådhusgata knackte. Die Sonne hatte fast alle Farbe aus den Plakaten gebleicht. Briefordner, elektrische Schreibmaschinen und klotzige Rechner waren ausgestellt.

Er ging hinein. Eine Glocke klingelte, das war ja die reinste Konditorei. Allerdings fehlte der Duft von frisch gebackenem Kuchen. Und hinter dem Tresen stand auch keine rot gekleidete Bäckersfrau. Es war ganz einfach leer. Er sah sich um. Niemand. Keine Menschenseele zu entdecken. Die Luft war trocken. Ein dröhnender Kopierer und ein schwaches Rauschen von draußen waren die einzigen Geräusche, die den Raum erfüllten. Er machte noch einmal die Tür auf und zu. Die Glocke bimmelte ungeduldig.

Etwas bewegte sich.

Plötzlich war er da, ein ziemlich in die Jahre gekommener Mann, mit geradem Rücken, eher klein und ein bisschen fett, und einer Perücke schwarz wie ein Malerpinsel. Aus seinen Ohren lugten kleine graue Haarstoppeln.

»Tach!« Der Mann lächelte entgegenkommend und streckte die Hand aus.

Frølich zeigte seinen Dienstausweis.

Die frohe Miene des Mannes verschwand, aber er bot Frølich höflich einen Platz hinter einem Raumteiler an, wo er sich ein kleines Büro eingerichtet hatte, das von Zeitungen und angefangenen Kreuzworträtseln nur so überquoll.

Frølich reichte ihm wortlos Reidun Rosendals Passbild.

Der andere tastete auf dem Tisch herum, bis er zwischen all dem Papier seine Brille gefunden hatte. Das schwarze Plastikgestell hatte dicke Gläser. Als er sie schließlich auf der Nase hatte, nickte er der Frau auf dem Bild überschwänglich zu.

»Sie ist tot«, sagte Frølich, um es hinter sich zu bringen. »Ermordet, und ich ermittle in dem Mordfall.«

Diese Mitteilung machte Eindruck. Der Mann biss sich auf die Lippe. »Tot?«

»War sie oft hier?«

Der Mann brauchte seine Zeit, um sich zu fassen. »Einige Male, zuletzt in der vergangenen Woche«, fing er an und tastete verwirrt mit den Händen auf dem Tisch herum. »Nein, nein, nein«, seufzte er mit schmerzerfülltem Blick. Der Polizist ließ sich im Sessel zurücksinken und wartete.

»Sie hat die Teilhaberschaft arrangiert.«

»Die Teilhaberschaft?«

»Ich bin jetzt Teilhaber bei Software Partners.«

Er runzelte plötzlich die Stirn. Eine Art Reaktion auf die Neugier des Polizisten.

»Uns interessiert alles, was mit Reidun Rosendals letzten Wochen zu tun hat«, erklärte der beruhigend. »Wirklich alles. Wir möchten nicht länger im Dunkeln tappen.«

Der Mann blickte ihn über den Brillenrand hinweg an.

Frank Frølich nickte jovial. Aber gleichzeitig fragte er sich, wie dieser Mann mit Tackern aus den 60er Jahren im Schaufenster Teilhaber einer Yuppiefirma in Oslos feinstem Viertel sein konnte.

Der Mann sagte: »Mir gehört dieses Haus.«

Er überlegte, als ob es sich um eine lange Geschichte handelte.

»Das Geschäft hat in den letzten Jahren nur rote Zahlen geschrieben ... Ich habe von den Mieten im übrigen Haus gelebt. Und so hätte ich auch weitergemacht, wenn nicht diese Sache mit meinem wichtigsten Mieter passiert wäre.«

Der Mann nannte den Namen einer technischen Zeitschrift. Franken dachte an die verstaubten Reihen von blinden Fenstern im ersten Stock. Von den Mieteinnahmen konnte dieser Mann bestimmt nicht fett werden.

»Sie haben gekündigt, und ohne sie wäre ich in Konkurs gegangen.«

Die Augen unter der Perücke waren betrübt. »Alles ist jetzt schwierig, der Mietenspiegel ist ganz unten, und in den letzten Jahren sind viel zu viele Bürogebäude errichtet worden. Es ist unmöglich, neue Mieter zu finden, und die Aussichten auf Einkommenssteigerungen sind eher trübe.«

Er sah sich zerstreut um, dann aber erhellte sich seine Miene plötzlich.

»Wenn mir Frau Rosendal nicht dieses Angebot gemacht hätte, dann hätte ich mir keinen Rat mehr gewusst.«

»Was war das für ein Angebot?«

»Ich bin Repräsentant für eine neue Warenserie geworden. Ich habe mich in die Firma eingekauft und bin jetzt Verkaufspartner.«

Noch ein Partner für Software Partners. Die Logik ihres Namens.

»Auf welche Weise sind Sie Teilhaber geworden?«

»Ich kaufe einen Anteil an der Firma und bin damit automatisch berechtigt, ihre Produkte zu verkaufen.«

»Eine Art Franchising?«

»Nein. Teilhaberschaft.«

»Aber ist die Konkurrenz in der Computerbranche nicht knallhart?«

»Sicher.«

Ein Lächeln schlich sich in die Mundwinkel des Mannes. Es glitzerte in seinen Augen, als er sagte:

»Aber jetzt lancieren Software Partners einen Typ Software, für den sie das Monopol in Norwegen haben!«

Als ob davon die Konkurrenz kleiner würde, dachte Frølich.

»Also haben Sie Aktien von Software Partners gekauft?«

Wieder huschte ein Schatten der Unsicherheit über das Gesicht des Mannes.

»Aktien? Ja, wahrscheinlich …«

»Haben Sie sie nicht bekommen?«

Er lächelte entschuldigend. »Das ist wohl ein technischer Dreh, um der Bürokratie zu entgehen. A-Aktien und B-Aktien oder so.«

Er schien nicht ganz zufrieden mit seiner Antwort. Unruhig bewegte er sich in seinem Sessel.

»Darf man fragen, wie viel Sie die Teilhaberschaft gekostet hat?«

Abweisendes Stirnrunzeln über der Brille.

»Ich kann den logischen Zusammenhang mit der Ermittlung nicht erkennen.«

Zeit, ihn ein bisschen mit Schweigen zu quälen, dachte Franken. Er erwiderte den Blick des Mannes und ließ sein Schweigen im Raum hängen.

»Zweihundertfünfzigtausend Kronen.«

»Ganz schön mutig!«

Frølichs Verblüffung war echt. Zweihundertfünfzigtausend waren viel, jedenfalls für diesen Mann.

Dem Burschen gefielen der Ton, die Verblüffung. »Kalkuliertes Risiko«, prahlte er. »Man ist nie zu alt, ein Risiko einzugehen.«

Er machte eine Pause und sandte einen nachdenklichen Blick zur Decke. »Aber es ist im Grunde auch gar kein Risiko. Dieses neue Computerprogramm wird dafür sorgen, dass die Leute den Rechteinhabern die Türen einrennen. Software Partners hat das Monopol in Norwegen. Ich schlage zwei Fliegen mit einer Klappe, erziele bei der Muttergesellschaft einen Gewinn und verdiene auch hier im Laden.«

Frank Frølich streckte die Beine aus.

Er kannte diese Argumente. Finanzplaner Bregård hatte sie auch in der Broschüre genannt. Hochglanzprospekt.

Der Mann war Pfeifenraucher. Seine Pfeife, einst sicher rot

und blank, war eine Bruyèrepfeife. Jetzt war ihr Glanz verblasst. Das Mundstück war zerbissen, an der Spitze patinagrün. Der Mann füllte sie mit Tabak aus einer Dose auf dem Tisch. Rød Orlich. »Man ist nie« ... paff, paff ... »zu alt« ... paff, paff ... »ein Risiko einzugehen« ... paff paff.

Blauer Dunst stieg zur Decke. Es war ein angenehmer Geruch, er warf das Streichholz in den Aschenbecher und nahm ein neues.

»Ich hatte die Wahl«, paff, »mir entweder eine Leibrente zu kaufen ... oder«, paff, »verstehen Sie, ich denke ja an mein Alter, ah, Tabak ist das Beste, was ich mir gönne ... oder in ein Risikoprojekt zu investieren und meine Ersparnisse dafür zu verwenden. Ich habe mich für Letzteres entschieden. Habe alles da reingesteckt.«

Selbstzufrieden hielt er die Pfeife zwischen den Zähnen. Daumen in der Westentasche. Seine Weste spannte über seinem runden Bauch. Die Perücke hatte eine Hitlerfrisur.

»Das ist ja heute gerade das Problem! Die Wirtschaft braucht risikowillige Investoren. Solide Firmen wie Software Partners haben Probleme, wenn sie sich an die üblichen Kreditinstitute wenden.«

Er hatte seine Pfeife vergessen und fuchtelte damit herum. »Können Sie mir sagen, wieso ich hätte zögern sollen? Warum hätte ich die Gelegenheit nicht beim Schopfe greifen sollen, als sie mir angeboten wurde? Frau Rosendal hat mir persönlich einen Zinssatz ausgerechnet, von dem bei der heutigen Marktlage niemand zu träumen wagen würde.«

»Frau Rosendal?«

Der Mann nickte. »Jawohl! Frau Rosendal persönlich!«

Frølich stöhnte innerlich auf. Software Partners: eine Kirmesfrau in flachen Schuhen, ein Muskelprotz und eine Snobfrau aus dem Villenviertel. Dazu Reidun mit dem engen Rock und ihrer Erfahrung von der Post. Diese Leute sollten diesem Herrn hier Geschäfte ermöglichen, von denen niemand zu träumen wagte? Da stimmte doch was nicht.

»Können da auch noch andere einsteigen?«

Der Mann hatte die Pfeife wieder in den Mund gesteckt und machte eine geschäftsmäßige, sachliche Miene. »Die Firma hat die Zahl der möglichen Teilhaber begrenzt, und der Mindesteinsatz beträgt hunderttausend Kronen.«

Er dachte nach. Paffte. Zur Verwunderung des Polizisten brachte er die Pfeife schon beim ersten Zug wieder in Gang. Dieser Geruch!

»Ich muss schon sagen, ich bin froh, dass ich früh genug zugeschlagen habe.«

»Sie sind also davon überzeugt?«

Das Mundstück der Pfeife hinterließ einen hellbraunen Tropfen auf Reidun Rosendals Bild. »Wenn Sie ihr begegnet wären, dann wüssten Sie, dass das ein seriöses Geschäft ist.« Wieder setzte er seine verträumte Miene auf. »Sie war nicht von dieser Welt.«

»Nicht von dieser Welt?«

Frølich wischte das Foto mit seinem Pulloverärmel ab. Der Fleck verschwand nicht und machte das Gesicht der Frau undeutlich.

»Ja, wie soll ich sagen, nicht nur groß und schön, sondern, ach, sehen Sie sich doch um.«

»Ja?«

»Ich habe es Ihnen angesehen, als Sie hier reingekommen sind. Sie haben es sofort gesehen! Konkurs. Sehen Sie sich um! Mit was für einem Umsatz kann ich denn protzen? Mit nichts. Jeden Sommer meldet sich das Finanzamt bei mir, weil sie mir meine Bilanzen nicht glauben wollen. Was glauben Sie, was ich von dieser Frau kaufen konnte, die treu mit ihren Prospekten kam und hier ihre wertvolle Zeit verbrachte? Nichts! Aber sie kam. Immer und immer wieder! Diese Frau war nicht von dieser Welt!«

Frølich spürte, dass er hier die Antwort schuldig bleiben musste.

Es war Zeit einzupacken.

Zum Glück! Sein Europieper meldete sich zu Wort.

25

»Hier also«, sagte Frank Frølich.

Gunnarstranda blieb stehen und musterte die Fassade. »Oslo West«, dachte er. Murmelte: »Dieser Schuppen ist höchstens fünf Jahre alt.«

»Und nicht voll belegt«, fügte Frølich hinzu. Er deutete auf eine Reihe von toten Fenstern in einem Gebäudeflügel.

»Also kostet die Miete einen Batzen«, meinte Gunnarstranda und ging als Erster hinein.

Kristin Sommerstedt nickte mit ausdruckslosem Gesicht. »Niemand oben«, teilte sie mit.

»Aber Bregård ist wahrscheinlich im Fitnessraum«, fügte sie rasch hinzu, als sie Gunnarstrandas Blick auffing. »Das hat er jedenfalls gesagt, als er vor einer halben Stunde hier vorbeikam.«

Der Kriminalhauptkommissar schaute entrüstet auf die Uhr. Die zeigte halb eins. Der Fitnessraum lag im Keller. Hier unten wurde man von dem Luxus verschont, mit dem der Rest des Gebäudes gesättigt zu sein schien. Die Wände im Flur waren nicht gestrichen, und der Betonboden war nach dem Verputzen unbehandelt geblieben. Sie mussten durch einige Stahltüren, die hinter ihnen zuknallten, dass es zwischen den nackten Wänden hohl widerhallte. Von irgendwo hörten sie, wie jemand mit Gewichten trainierte.

Gunnarstranda stieg als Erster über die hohe Schwelle. Bregård lag auf einer Trainingsbank und stemmte mit zähen Bewegungen eine Stange mit einer ansehnlichen Menge Blei über seiner Brust nach oben. Er machte keine Anstalten, seine

Serie zu unterbrechen. Der Mann schnaufte wie ein Nilpferd. Sein Gesicht war rot und schweißnass, und sein Mund unter dem beeindruckenden Schnurrbart schwoll jedes Mal an, wenn er Luft zum nächsten Stemmen einsog.

Endlich. Mit lautem Krachen ließ der Mann die Stange in die Halterung fallen und setzte sich auf der Bank auf. Die Adern in seinen Schläfen reduzierten sich wieder auf Normalgröße. Seine Brustmuskeln zeichneten sich unter dem Trainingshemd deutlich ab.

»Das war schwer«, erklang Frølichs Stimme. »Nett, Sie wiederzusehen, übrigens.«

Gunnarstranda suchte nach einer Sitzgelegenheit.

Bregård schnaufte und ignorierte Frølichs Bemerkung. Gunnarstranda blickte zu ihnen hinüber. Zwei riesige Kerle. Bregård interessierte sich vor allem für seine Handflächen.

Der Raum war spärlich eingerichtet. Der Kriminalhauptkommissar kletterte auf den Sattel eines riesigen Trimmfahrrads. Lächelte, trat zweimal in die Pedale und legte dann die Arme auf den Lenker.

»Es ist bestimmt nicht leicht, die finanziellen Geschicke von Software Partners zu lenken«, behauptete er ruhig.

Bregård erhob sich und reckte die Arme nach hinten.

»Beim Handelsregister sind Sie unbekannt«, fuhr Gunnarstranda fort. Bregård stützte die rechte Hand gegen die Wand und dehnte in weiten Bewegungen seine Oberarme. Erst den rechten, dann den linken Arm. Nur sein Atem war in dem kleinen Trainingsraum zu hören.

Frølich, der ein paar Hanteln zum Spielen gefunden hatte, pfiff eine Melodie.

Der Sportler bückte sich nach einem weißen Handtuch, das auf dem Boden lag. »Brønnøysund ist immer so spät dran«, keuchte er ins Handtuch.

»Aber Brønnøysund hat auch letztes Jahr nichts von Ihnen gehört.«

Bregård drehte sich zu Gunnarstranda um und trocknete seinen Nacken ab. Der Polizist lächelte. Frølich pfiff.

Der Finanzplaner hob ein wenig die Stimme. »Wir haben letztes Jahr angefangen.« Trocknete sich weiter ab. »Wir schicken jetzt also die Bilanz des ersten Jahres.«

»Sie haben sie also noch nicht abgeschickt.«

»Nein!«

»Aber dann können Sie dem Handelsregister doch nicht vorwerfen, dass es spät dran ist.«

Bregård war jetzt genervt. »Ich werfe denen überhaupt nichts vor.«

»Aber ich hatte Sie gerade so verstanden, dass die Bilanz schon abgeschickt und Brønnøysund zu spät dran sei.«

Gunnarstranda trat dreimal hastig in die Pedale, hielt inne und wartete auf eine Antwort.

Bregård setzte sich mit einem starren Grinsen.

»Na gut!«, sagte er und breitete die Hände aus. »Kommen Sie mit rauf! In dieser Firma gibt es keine Geheimnisse, unsere Bilanz ist ganz öffentlich.«

»Alle Bilanzen sind öffentlich«, korrigierte Gunnarstranda ihn.

»Warum ist oben niemand?«

Bregård schaute den pfeifenden Frølich entnervt an, ehe er, ohne zu antworten, Gunnarstranda einen weiteren missmutigen Blick zuwarf. Der stieg vom Rad und kam auf Bregård zu und blieb vor ihm stehen. »Wieso können Sie hier mitten in der Arbeitszeit rumliegen?«

Bregård lächelte resigniert, was ihn eine gewisse Anstrengung kostete.

»Warum will Software Partners die Miete nicht bezahlen?«

Das Lächeln sollte erfolglos in ein nachsichtiges Grinsen verwandelt werden. »Nicht bezahlen«, äffte er mit einer Grimasse nach. »Wenn Sie dazu Fragen haben, müssen Sie mit meinem Chef sprechen.«

»Sind nicht Sie für die Finanzen der Firma verantwortlich?«

»Doch!«

Wieder funkelten Bregårds Augen, und plötzlich waren auch die Adern an seinen Schläfen wieder deutlich zu sehen.

»Jetzt reden Sie schon!«

Der Mund des Mannes war verzerrt und verärgert. »Hören Sie jetzt endlich auf!«, schrie er den noch immer pfeifenden Frølich an.

Sofort verstummte der.

Es wurde sehr still.

Bregård packte das Handtuch, das ihm über die Schulter hing, und trocknete sich wütend den Nacken ab.

»Da haben Sie sich schon abgetrocknet«, teilte Frølich mit. Bregård fuhr herum. Aber Gunnarstranda schob sich dazwischen. »Wieso ist Ihr Chef nie zu erreichen?«

»Weiß ich doch nicht!«

Seine Stimme hatte jetzt einen metallischen Klang. Sein Gesicht war röter als vorhin.

»Er ist nie da, wenn wir herkommen!«

»In dieser Branche überlebt man nicht, wenn man acht Stunden lang im Büro auf dem Hintern sitzt.«

»Aber irgendwer muss doch im Büro sein! Wenn Sie überleben wollen! Wo steckt Engelsviken?«

»Ich hab gesagt, dass ich das nicht weiß, klar?« Bregårds Stimme brach vor Zorn. Seine Hände um das Handtuch wurden weiß.

»Die Hände haben Sie auch schon abgetrocknet!«

Frølich lehnte sich lächelnd gegen die Wand. Aber Gunnarstranda ließ Bregård keine Zeit zum Antworten. »Warum gibt es in diesem Laden niemanden, der irgendeine Frage beantworten kann«, fuhr er den anderen an. »Warum verstecken Sie sich hinter Ihrem Chef?«

»Ich hab mich nicht versteckt, verdammte Axt!«

»Dann sagen Sie mir einfach, warum Sie die Miete nicht zahlen.«

Einen Moment lang glaubte Gunnarstranda, Bregård wolle ihn erwürgen. Zeit für ein Lächeln, fand der Polizist.

Bregård starrte verwirrt seine Hände an.

Gunnarstranda trat noch einen Schritt näher. »Ihr einziger Erfolg in der Finanzbranche«, flüsterte er, »ist, dass Sie fast einen Mann umgebracht hätten, der seine Schulden nicht bezahlen konnte.« Bregård sah ärgerlich aus.

»Weshalb sitzen dann ausgerechnet Sie als Finanzplaner in einer Firma, die das halbe Königreich erobern will?«

»Ich habe das alles abgebüßt«, sagte Bregård mit hohler Stimme.

»Das bezweifle ich nicht.«

»Ich habe bezahlt!«

»Sicher.«

Gunnarstranda gab Frølich ein Zeichen und machte sich bereit zum Gehen, dann drehte er sich noch ein letztes Mal zu dem Mann mit dem Schnurrbart um. »Aber von Finanzplanung wissen Sie so wenig wie ich über englische Fuchsjagd.«

Er lächelte noch einmal. »Rein gar nichts.«

Danach wandte er Bregård den Rücken zu und zog Frølich mit sich nach draußen.

»Wie geht es Svennebye in der Ausnüchterungszelle?«, fragte der, als sie wieder ins Auto stiegen.

»Der schläft wahrscheinlich«, murmelte der Kriminalhauptkommissar und zuckte zusammen, als sein Europieper sich meldete. Er versuchte ihn abzustellen und griff nach dem Handy. »Wir reden später mit ihm«, sagte er leise und legte die Hand über die Sprechmuschel, dann beugte er sich vor, um die Meldung anzuhören.

»Und?«

Gunnarstranda überlegte, ob er es sofort sagen sollte, beschloss dann, noch abzuwarten, und griff stattdessen zu einer Zigarette. »Fahr nach Torshov«, rief er und hörte selbst, wie die Aufregung seine Stimme färbte.

26

Die beiden Fahnder mussten sich zur Treppe durchdrängen. Es war ein eng gewundenes Treppenhaus. Ein uniformierter Polizist stand mit auf dem Rücken verschränkten Händen auf dem Treppenabsatz im zweiten Stock. Er versuchte, unbeeindruckt zu wirken, aber das gelang ihm nicht besonders gut. Sein Adamsapfel über dem blauen Kragen bewegte sich rasch und nervös. Zu seinen Füßen lag ein Körper unter einer steifen Plastikplane, die sichtlich nicht zum ersten Mal benutzt wurde. Sie war löchrig und leicht verschmutzt. Ein Scheinwerfer produzierte starke Schatten und betonte brutal jedes Detail. Die Blutspuren an den Wänden wurden im weißen Licht fast schwarz.

Gunnarstranda sah zu dem Uniformierten hoch. »Wer hat ihn gefunden?«, fragte er.

Der Kollege hielt noch immer beide Hände im Rücken verschränkt und starrte ins Leere. Sein blasses, schmales Gesicht sah unter der Dienstmütze außergewöhnlich klein aus. Er gab eine Antwort, die in den Geräuschen der Menschen auf der Treppe unterging. »Wer hat ihn gefunden?«

»Elise Engebregtsen, Rentnerin, erster Stock.«

Diesmal hatte er tief Luft geholt. Seine Stimme donnerte und hallte zwischen den Wänden wider. Alle hielten inne, fuhren herum und starrten ihn an. Sein Adamsapfel steigerte sein Tempo um ein Beträchtliches, und er schaute mit kleinen, nervösen Vogelblicken nach rechts.

»Die Mordwaffe?«

»Scharfer Gegenstand. Am Tatort nicht aufzufinden.«

Der Fotograf, der sich weiter unten auf der Treppe festgekeilt hatte, kicherte. Gunnarstranda runzelte irritiert die Stirn und wandte sich der Leiche zu. Er seufzte und nickte vor sich hin. Er blickte die Treppe hoch. Blut an der Wand und auf den Treppenstufen, fein versprüht, hier und da auch ein breiter Streifen, wo es stärker geflossen war.

Er bückte sich, riss einen Plastikhandschuh von einer Rolle, die hochkant auf einer Treppenstufe stand, stieg über eine Blutlache hinweg und hob die Plane, um genauer hinzusehen. Das war nicht leicht. Er musste seinen Mantel anheben, um ihn nicht zu beschmutzen, und gleichzeitig die blutverschmierte Plane hochhalten.

Er fluchte und zog den Mantel schließlich aus. »Halt mal«, sagte er zu dem Uniformierten, der nicht zu Boden blickte. Gunnarstranda schlug die Plane ganz beiseite.

Sigurd Klavestads Gesicht war weißer denn je. Hohl und glasig starrte er ins Leere. Seine Augen sehen aus wie Murmeln, dachte Gunnarstranda, als er dem Blick begegnete. Er konnte den Zinnsoldaten hinter sich laut schlucken hören, während er ein unangenehmes Gefühl im Magen verspürte, als er den sauberen tiefen Schnitt entdeckte, der das Opfer fast enthauptet hatte. Langsam ließ er den Kopf wieder in seine alte Stellung sinken.

Einen Moment lang starrte er den Leichnam nachdenklich an. Die Füße waren nackt. Die Arme waren nackt. Der Tote war nachlässig und nur dürftig bekleidet. Sein langer Pferdeschwanz war steif und blutverklebt.

Er wandte sich wieder an den nervösen Kollegen und nahm ihm den Mantel ab.

»Du kannst ruhig gehen«, sagte er leise. »Sag den Jungs, sie sollen die Namen von allen besorgen, die sich im Haus aufhalten oder seit gestern Nachmittag hier gewesen sind.«

Gunnarstranda blieb stehen. Er versuchte, die nicht mehr

vorhandene Atmosphäre zu spüren. Rasch ging er zum Scheinwerfer hinüber und löschte ihn. Die fleißigen Kollegen hielten in ihrer Arbeit inne. Langsam gewöhnten sich die Augen an das neue Licht. Graugelbes Licht einer nackten Glühbirne an der Treppenhauswand.

Hier war er gestürzt. In seiner Angst.

Gunnarstranda schloss die Augen. Öffnete sie wieder. Der andere hatte sich nicht bewegt. Starrte ihn nur an. Langsam zog er den Plastikhandschuh aus. Ließ ihn auf den Boden fallen und schob sich die Rolle unter den Arm.

Beide Hände in den Manteltaschen holte er tief Atem, ehe er sich zu Frølich umwandte, sich an ihm vorbeiquetschte und ging.

Im ersten Stock begegneten sie Bernt Kampenhaug, dem Einsatzleiter. Eigentlich war er ein ganz sympathischer Akkordeonspieler, dieser Bernt. Er bediente den ganzen November und Dezember dreimal die Woche auf Weihnachtsfeiern die Quetsche und sammelte Oldtimer. Er besaß drei alte Polizeiwagen. Ein sympathischer Mann, solange er nicht im Dienst war oder man es vermied, mit ihm über Politik zu diskutieren. Bernt war ein Mann mit festen Ansichten, er war für strengere Uniformvorschriften und Bewaffnung. Jetzt hatte er sich die Sonnenbrille ins Haar geschoben, sah aus wie ein Tourist, kaute Kaugummi und schien mit dem Sitz seines Overalls zufrieden zu sein. Ein Funkgerät mit kurzer Antenne knisterte in seiner Hand. Er hatte sich zur Feier des Tages eine Waffe besorgt, die seinen Hintern noch breiter machte, als er ohnehin schon war. Gunnarstranda merkte, wie ihn Bernts Anblick nervte.

Kampenhaug klemmte sich das Funkgerät unter den Arm und begleitete sie, eine Hand in den Gürtel gehakt, aus dem Haus. Draußen in der Sonne schob er sich die Sonnenbrille wieder auf die Nase, rückte sie mit einem Finger gerade, ließ das Funkgerät schnarren und versuchte, für die Pressefotografen hinter der Absperrung in Positur zu gehen.

Ein Journalist rief Gunnarstranda etwas zu, was der überhörte.

»Eine alte Dame aus dem ersten Stock hat die Leiche gefunden«, sagte Kampenhaug wichtig und deutete mit dem Daumen auf ihre Fenster. »Sie wirkt ziemlich verwirrt.«

Er verschwand, um einen Journalisten hinter die Absperrung zurückzujagen. Kam breitbeinig zurückstolziert, die Sonne im Gesicht.

»Die Alte hat was davon gefaselt, dass es den Falschen erwischt hat, weil der Richtige nicht da sein konnte. Verkalkt, wenn du mich fragst! Er hat übrigens einen Stock über ihr gewohnt. Die Tür ist offen!«

»Gut«, sagte der Kriminalhauptkommissar.

Der Zinnsoldatkollege kletterte über das Absperrband.

»Bist du nicht Polizist?«, brüllte Kampenhaug im Kasernenhofton. »Also wisch dir die Kotze weg, ehe du mit Leuten sprichst!«

27

Gunnarstranda stellte fest, dass Sigurd Klavestads Wohnung ihm nicht mehr sagte, als er ohnehin schon über ihn gewusst hatte. Zwei Zimmer, Küche, Duschbad mit Tür zum Flur. Im Flur hingen ein paar Zerrspiegel. In dem einen sah die Nase wie eine Kohlrübe aus, und im anderen verzog sich das Gesicht zu einer Acht und ließ es aussehen wie eine Karikatur.

Es herrschte Chaos. Comics, Schuhe und allerlei Klamotten, Jacken und T-Shirts lagen auf dem Boden verstreut. Die Idee von Schrankfächern war diesem Menschen wenig vertraut gewesen, dachte Gunnarstranda. Die Möglichkeit, Sachen wegzuräumen. Er überließ den Zerrspiegel seinem aufgeweckten Kollegen und betrachtete die beiden Poster an der Wand. Eines war die Kopie eines französischen Plakates aus dem neunzehnten Jahrhundert. Eine Cancan-Tänzerin in wehenden Röcken gemalt. Das andere zeigte eine kurzsichtige Marilyn Monroe von oben. Mit glänzenden geöffneten Lippen schmiegte sie sich an ein Stück Stoff.

Er ging ins Badezimmer und blieb gleich hinter der Tür stehen. Das weiße Waschbecken war rot gesprenkelt. Der Boden war nass. Wortlos ging er zurück ins Wohnzimmer.

Er zog neue Plastikhandschuhe von der Rolle in seiner Tasche an. Öffnete ein Fenster, rief Kampenhaug etwas zu.

Es gefiel ihm nicht, dass Klavestad tot war. Er ging in sich und fand heraus, dass ihn eigentlich nicht Klavestads Abgang ins Jenseits ärgerte, sondern diese neue Perspektive. Etwas nagte in seinem Hinterkopf. Ein bohrender Zweifel. Die Angst, seine Vermutungen ändern zu müssen.

Bisher hatten sie zwei Schlüsselwörter. Messer und Nacht. Das wiederum gefiel ihm. Aber der Schnitt gefiel ihm nicht. Ein Hieb gegen den Hals. Das gefiel ihm überhaupt nicht. Es war ein verdammter Mist, dass Klavestad umgebracht worden war.

Der Mord würde schlafende Hunde wecken, all die gebildeten Jacketträger, die stets das Bedürfnis hatten, laut auszusprechen, was alle anderen dachten. Es bestand die Gefahr, dass es Scherereien geben würde, Forderungen nach Auskünften und der einen oder anderen Pressekonferenz. Formalismus. Das ärgerte ihn. Aber es hatte auch eine positive Seite. Er merkte, dass er langsam wütend wurde. Ein gutes Zeichen, dachte er und drehte sich um. Blieb stehen und betrachtete den Ofen. Ein leicht verstaubter, gefliester Eckofen mit Marmorspitze und vernickeltem Handgriff, wie man sie früher hatte.

Einer plötzlichen Eingebung folgend, hockte er sich hin. Er strich vorsichtig mit der Hand über das Gusseisen. Noch einmal ohne Plastikhandschuh. Hm. Möglicherweise.

Vorsichtig, vorsichtig öffnete er die Ofentür. »Frølich«, rief er leise.

Sein Partner kam aus dem Flur. »Wahrscheinlich hat er geschlafen«, sagte Frølich. »Die Leselampe war an, und das Bett war nicht gemacht.«

»Sieh mal«, sagte Gunnarstranda leise.

Frølich bückte sich und betrachtete die qualmenden Aschereste.

»Er hat wohl geheizt«, bemerkte er gleichgültig. »Der nicht«, sagte Gunnarstranda nachdenklich. »Der nicht. Und das ist kein Holz. Das schwelt. Das ist Stoff. Kleider, wenn davon überhaupt noch etwas übrig ist!«

28

Elise Engebregtsen erwartete sie und hatte die Tür schon geöffnet, als sie den Fahrstuhl verließen. Sie war dick. Außergewöhnlich dick. Und ihr ergrautes Lächeln entblößte alte dritte Zähne.

»Tag«, sagte sie. »Ich weiß nix. Könnt also gleich wieder gehen. Ich weiß nix.«

Frank Frølich lächelte höflich und deutete eine Verbeugung an. Er sah sie sich an. Sie trug eine karierte Schürze, hatte dicke Oberarme und einen grandiosen Hintern. Ihre Fesseln quollen über die Pantoffeln. Sie war vielleicht fünfundsechzig. Sie klapperte mit dem Gebiss. Klickgeräusche, hervorgebracht von einer nervösen Zunge. Was für ein Biss! Wie eine Forelle, dachte er fasziniert. Gunnarstranda hustete.

»Na, kommt rein. Aber wie gesagt. Ich weiß nix!«

Sie ging vor ihnen her in die Wohnung, breit wie ein Sumo-Ringer. Ihr Atem ging schwer und rhythmisch. Sie war eine Ringerin, eine echte Ringerin. Die Zähne klapperten.

»Jaja«, stöhnte sie. Setzte sich schwer. »Soso, ja.« Sie griff nach einer geblümten Thermoskanne. Schenkte Kaffee ein.

»So, ja, so!«

Die kleinen Tassen waren mit Rosenmuster verziert. »Zucker?«

Frølich schüttelte den Kopf.

Es roch scharf und irgendwie herb. Als ob Moos an den Wänden sein müsste. Großmuttergeruch. Kleine, runde Bilder hingen an der Wand, die Tapete war hellblau mit neutralen, weißen Blumen. Handarbeiten. Stickerei und Strickzeug. Ein Foto von der Hausherrin persönlich hing an der Wand gegenüber. Ein Baby auf jedem Arm und ein glückliches Prothesenlächeln.

»Ich hab ja schon gesagt, ich weiß nix.«

Zähneklappern.

Gunnarstranda trank seinen Kaffee.

»Wann haben Sie ihn gefunden?«

»Eben, heut Morgen.«

»Um wie viel Uhr?«

»Halb neun. Nach der Andacht im Radio.«

Gunnarstranda nickte langsam.

»Jaja«, schnaufte sie. »So, ja, so.«

»Das war sicher schlimm«, sagte der Kriminalhauptkommissar teilnahmsvoll.

»Ich hab schon dem Mann mit der Pfitzole Bescheid gesagt. Ich weiß nix.«

Pfitzole? Frølich hustete.

Gunnarstranda nickte. »Er hat gesagt, Sie hätten Sigurd Klavestad heute Nacht weggehen sehen.«

Sie holte Atem. Kratzte sich an den Unterarmen. »Stimmt, ja. Der is weggegangen, o ja!«

»Wann denn?«

»Heut Nacht um vier.«

»Heute Nacht, haben Sie sich die Uhrzeit so genau gemerkt?«

Energisches Kopfschütteln. »Ich war wach. Schlaf so schlecht, deshalb war ich auf und hab ihn die Treppe runterlaufen hören.«

»Er ist die Treppe hinuntergelaufen?«

»Ja, das war am Anfang.«

»Er ist erst die Treppe hinuntergelaufen und dann wieder hochgegangen?«

Elise Engebregtsen holte Luft, nickte.

»Woher wissen Sie, dass er das war?«

Schulterzucken. »Das glaub ich eben.«

»Aber sicher wissen Sie es nicht?«

»Ich hab doch schon gesagt, dass ich nix weiß.«

»Aber trotzdem haben Sie ja geglaubt, er sei die Treppe hinuntergelaufen!«

»Ja, der macht immer so ’nen Krach.«

»Es war also nicht das erste Mal?«

Erneutes Nicken.

»Er ist wieder runtergegangen, nachdem er hochgelaufen war?«

Nicken.

»Ist er da auch gelaufen?«

»Nein, ich konnte ihn erst hören, als er aus dem Haus war.«

»Beim zweiten Mal ist er also leise gegangen?«

Nicken.

»Wie viel später war das wohl?«

»Zehn Minuten, Viertelstunde vielleicht.«

»Und haben Sie gesehen, dass er das Haus verlassen hat.«

»Ja.«

»Wie denn? Haben Sie sein Gesicht gesehen?«

»Ich hab gesehen, dass er das war.«

»Aber sein Gesicht haben Sie nicht erkannt?«

»Seinen Körper hab ich gesehen.«

»Es hätte also auch jemand anders sein können?«

»Er war es!«

Jetzt wurde sie wütend. Ihr Mund verzog sich zu einem Strich, und eine scharfe Furche tauchte zwischen den Augen auf, die in dem zusammengezogenen Gesicht fast verschwanden. Gunnarstranda nickte und trank seinen Kaffee.

»Was wollten Sie draußen?«

»Müll runterbringen.«

»Was ist passiert?«

»Ich hab die Tür nich aufgekriegt.«

»Sie haben die Tür nicht aufgekriegt?«

»Ja.«

Gunnarstranda wartete geduldig.

»Nur'n kleinen Spalt.«

Sie schauderte. Kratzte sich wieder an den Unterarmen.

»Ein Stück.«

Jetzt war sie sehr nervös. Ihr Blick flackerte.

Gunnarstranda wartete.

»Da hab ich diese weiße Hand gesehn!«

»Die Hand, ja …«

Gunnarstranda nickte und ließ sie nicht aus den Augen, und es war, als ob er die Worte einem kleinen Kind entlockte.

»Und aufm Boden …«

»Auf dem Boden, ja.«

»Da war Blut …«

»Blut, ja, die Hand und Blut …«

»Und dann hab ich's durch'n Spalt gesehen!«

»Die Leiche auf dem Boden. Mm. Mm.«

Gunnarstranda lehnte sich zurück. »Hat er den Weg versperrt, ich meine, sein Körper hat also die Tür versperrt?«

Sie nickte.

»Wenn Sie jetzt die Augen schließen«, sagte Gunnarstranda.

Gehorsam schloss sie die Augen.

»Und Sie versuchen sich Klavestad vorzustellen, als er heute Nacht weggegangen ist.«

Sie nickte.

»Sehen Sie sein Gesicht vor sich?«

»Nein.«

»Aber seinen Körper?«

»Ja.«

Gunnarstranda erhob sich und starrte aus dem Fenster.

Die Stadt lag grau und öde unter ihm. »Ist er die Straße hinuntergegangen?«

»Ja, runter.«

»Halten Sie die Augen weiter geschlossen, Frau Engebregtsen. Sie sehen ihn die Straße hinuntergehen. Sie sehen seinen Körper im Licht der Straßenlaternen. Er trug eine schwarze, lange Jacke, nicht wahr?«

»Ja, die schwarze Jacke, ja.«

»Die Haare, trägt er sie als Pferdeschwanz oder nicht?«

»Weiß nich.«

»Wieso nicht?«

»Ich seh's nich.«

»Dreht er sich um?«

»Nein. Ich geh vom Fenster zum Bett.«

Sie saß wie vorher da, jetzt mit offenen Augen.

Gunnarstranda starrte sie ernst an. »Sind Sie sicher, dass das Klavestad war?«

»Ja, hab ich gesagt«, sagte sie gereizt.

»Aber den Pferdeschwanz haben Sie nicht gesehen?«

»Nein, ich glaub, er hatte keinen.«

Der Kriminalhauptkommissar nickte. »Kapuze«, murmelte er. »Haben Sie Ihren Nachbarn oft ohne Pferdeschwanz gesehen?«

Schulterzucken.

»Wissen Sie, Frau Engebregtsen, ich habe ihn noch nie ohne Pferdeschwanz gesehen. Wie ist es bei Ihnen?«, fragte Gunnarstranda ernst.

Erneutes Schulterzucken.

»Frau Engebregtsen?«

Schulterzucken. Sie kratzte sich, an den Armen waren schon Striemen zu sehen.

»So, ja, so.«

Gunnarstranda seufzte. Drehte die Kaffeetasse in der Hand. Seufzte noch einmal.

»Tausend Dank für die Hilfe, Frau Engebregtsen.«

Sie gab keine Antwort, fuhr sich nur weiterhin nervös über die Unterarme und klapperte mit dem Gebiss.

Gunnarstranda erhob sich, nickte Frølich zu. »Nachher kommen noch Kollegen, um Ihre Aussage aufzunehmen. Hoffentlich macht es Ihnen nichts aus, denen dasselbe zu erzählen wie uns.«

Sie gab keine Antwort.

Die beiden Polizisten drehten sich um und verließen sie. Als Letztes hörten sie das Klappern ihres Gebisses.

29

»Der Krach, den sie gehört hat, muss Sigurd Klavestads Sturz gewesen sein«, sagte Gunnarstranda später im Auto zu Frank Frølich. Der nickte, fixierte aber weiter die Straße.

»Der Mörder muss wieder nach oben gegangen sein«, fuhr der Kriminalhauptkommissar fort. »Er hat sich im Badezimmer das Blut abgewaschen. Er muss ins Wohnzimmer gegangen sein, um seine blutverschmierte Oberbekleidung zu verbrennen, um Beweise zu vernichten, und danach hat er Sigurds Kleider angezogen und das Haus verlassen.«

»Sie hat also den Mörder verschwinden sehen und nicht Sigurd?«

»Vermutlich.«

»Aber wie hat er sein Opfer ins Treppenhaus gelockt?«

»Er muss ihn geweckt haben. Bei der Kleinen wurde doch auch kurz vorher angerufen. Vermutlich hat der Mörder angerufen und sich angemeldet. Ich bezweifle jedenfalls, dass er stundenlang an der Tür geklingelt hat. Das wäre zu riskant gewesen. Aber nach dem Anruf hat er geläutet. Klavestad hat aufgemacht, schön. Aber es ist schwer zu sagen, was dann passiert ist.«

»Der Mörder kann sich im Treppenhaus versteckt haben.«

»Oder es war jemand, vor dem Klavestad sich nicht zu fürchten brauchte«, schlug Gunnarstranda vor.

»Eine Hinrichtung.«

»Jaja.«

Der Kriminalhauptkommissar fuchtelte gereizt mit der Hand. »Aber warum auf der Treppe?«

Gunnarstranda starrte nachdenklich aus dem Fenster. »Das weist auf eine gewisse Nervosität hin. Es wäre doch viel sicherer gewesen, in die Wohnung zu gehen.«

Frølich war nicht überzeugt. »Wer so vorgeht, kann nicht nervös gewesen sein.«

»Genau das war er«, widersprach Gunnarstranda ruhig. »Der Kerl hatte eine Scheißangst. Dass der Mord überhaupt passiert ist, deutet darauf hin, dass der Mörder das Gefühl hat, es brennt. Das Ganze riecht nach Panik!«

Franken schwieg.

»Vorläufig«, sagte Gunnarstranda plötzlich, »möchte ich wissen, was unser Spanner heute Nacht getrieben hat. Also fährst du da jetzt hin.«

30

An diesem Tag war in Johansens Treppenhaus mehr los. Ein kräftiger, angenehmer Curryduft strömte ihnen entgegen, worauf Frank Frølichs Magen leise und klagend knurrte, aber der Lärm von Spiel und Lachen aus einer Wohnung mit offener Tür übertönte das.

Die Geräusche wurden schwächer, als sie weiter nach oben gingen. Ganz oben waren die Kinder kaum noch zu hören, und der Geruch von altem Treppenhaus überlagerte den Essensduft von unten.

Der Alte ließ sie herein, setzte sich in seinen abgewetzten Sessel, zeigte aufs Sofa und zündete sich mit einem Zippo seine Zigarette an. Frølich räumte einigen Abfall beiseite, um sich Platz zu schaffen. Er griff zu Block und Bleistift und gab Gunnarstranda ein Zeichen, als er bereit war.

»Jetzt rede ich«, sagte der Kriminalhauptkommissar am Fenster.

»Und danach sagst du mir, ob du mir zustimmst oder nicht. Klar?«

Johansen schwieg und warf dem kleinen Mann am Fenster nur einen verächtlichen Blick zu. Inhalierte mit rasselndem Atem Zigarettenrauch.

»Reidun Rosendal wurde in ihrer Wohnung ermordet.«

Johansen warf Frølich einen schrägen Blick zu. »Aufgeweckter Typ, dein Chef«, sagte er mit spöttischem Grinsen.

Gunnarstranda überhörte diesen Kommentar und sprach weiter:

»Die Wohnung war nach dem Einbruch ein einziges Chaos.

Aber keine der üblichen Wertsachen wurde gestohlen. Deshalb besteht eine gewisse Wahrscheinlichkeit, dass die Einbruchsspuren uns in die Irre führen sollten. Ein Versuch des Täters, um die Polizei zu verwirren. Wenn das zutrifft, dann muss der Mörder, auch wenn er sie ursprünglich nicht hatte umbringen wollen, etwas von ihr gewollt haben. Und dann lassen sich eventuelle Verdächtige auf den Bereich begrenzen, den wir als Rosendals Netzwerk bezeichnen können. Familie, Freunde, Feinde und Verehrer.« Letzteres brachte er in besonders ironischem Tonfall hervor. »Du«, betonte Gunnarstranda, »du gehörst zu diesem Netzwerk. Und du hast eine Wohnung, aus der du in ihre sehen kannst.«

»Zeuge«, unterbrach Johansen ihn energisch, »ich bin ein Zeuge, und ihr habt festgestellt, dass ich rein gar nichts gesehen habe.«

Er brach in einem Hustenanfall zusammen, zog aber gleich darauf noch ein paar Mal an seiner Kippe. Die Kippe hing feucht und braun zwischen den gelben Fingerspitzen des Mannes. Der hellrote Bluterguss in seinem linken Auge hatte sich farblich so weit geschwächt, dass er nun nur noch das Adernetz im Augenwinkel betonte.

»Wie viele Menschen hast du Sonntagmorgen da unten durchs Tor gehen sehen?«

»Das habe ich dir schon gesagt.«

»Welche anderen Männer hast du bei ihr gesehen?«

Johansen schwieg.

»Wer hat sie in letzter Zeit besucht?«

»Schönes Wetter heute.«

Johansens Tonfall war noch trockener als Gunnarstrandas. Er drückte die Zigarette in einem überquellenden Aschenbecher aus, dann begegnete er, ohne auszuweichen, Gunnarstrandas Blick. Atmete asthmatisch mit halb offenem Mund.

Die Stille wurde bedrückend.

»Hast du Reidun Rosendal jemals angerufen?«

»Nein.«

»Auch letzte Woche nicht?«

»Nein!«

»Und wenn ich behaupte, dass du letzte Woche mit ihr telefoniert hast?« Johansen starrte vor sich hin.

»Du belügst uns, Johansen.«

»Nein!«, bellte der Alte. Er rutschte nervös in seinem Sessel hin und her. »Ich hatte das vergessen.«

»Hast du auch vergessen, dass du hier am Fenster gestanden und dir einen runtergeholt hast?«

Johansen holte Luft.

»Hast du vergessen, was du danach am Telefon gesagt hast?«

Johansen gab keine Antwort.

»Du hast sie bedroht.«

Johansens Schultern zuckten leicht.

»Was hast du zu ihr gesagt, Johansen?«

Seine Schultern verharrten still. Sein Blick war hart. »Das weißt du nicht«, sagte er triumphierend. »Du weißt verdammt noch mal nicht, was ich gesagt habe.«

Der Kriminalhauptkommissar wiederholte mit metallischer Stimme: »Was hast du zu ihr gesagt, Johansen?«

»Das wüsstest du wohl gern!«

Frølich konnte sehen, dass er jetzt ganz da war, aber dann glitt er weg, fiel in Gedanken. Er zeigte ein Grinsen mit einer Reihe schlechter Zähne.

»Ich hab ihr gesagt, wie sie gefickt werden müsste.«

Die beiden anderen starrten ihn an.

»Wie sie in den Arsch gefickt werden müsste!« Er lachte wild und laut, während er sich mit einer Hand auf den Oberschenkel schlug. Sein Lachen ging in Husten über.

Die beiden Polizisten rührten sich nicht.

Der alte Mann musste zu seinem Taschentuch greifen. Bald ging sein Atem wieder schwer und rasselnd, wie üblich. Offenbar hatte er das Gefühl, einen Sieg errungen zu haben. Immer wieder richtete er seine trüben Augen auf den Kriminalhauptkommissar, als erwartete er, dass dieser umfallen würde.

»Ich glaube dir«, sagte Gunnarstranda. »Das hast du ihr gesagt. Aber sie war nicht deiner Meinung!«

Wieder senkte sich Stille über das Zimmer. Johansen röchelte nur noch leise.

»Sie war nicht deiner Meinung«, wiederholte der Polizist, »und deshalb hat sie am Samstag den Vorhang offen gelassen, um dir zu zeigen, wie sie es macht!«

»Das ist nicht wahr!«, flüsterte Johansen leise, ohne den Blick zu heben.

»Sie hat dir wirklich was gezeigt«, fauchte Gunnarstranda. »Sie hat da unten auf dem Rücken gelegen und sich unter dem Jungen gewunden, hat dich aufgegeilt. Sie hat dir einen Stich versetzt, wie sie eine verdammte kleine Käfigratte erstechen würde.«

»Nein!«

Johansen sprang mit zum Schlag erhobener alter, runzliger Faust aus dem Sessel auf. In derselben Sekunde packte Frølich seinen Arm. Der war trocken und zerfurcht und fühlte sich an wie Wellpappe.

»Du lügst!«, schrie Johansen, während Frølich ihn in den Sessel zurückdrückte. Wild starrte er den kleinen kahlen Mann an, der sich mit ausdruckslosen, glitzernden Augen vom Fenster weg auf ihn zubewegte.

»Sie hat dich heiß gemacht«, lachte der Kriminalhauptkommissar. »Sie hat den Teufel in dir rausgelockt, Johansen. Den Teufel, der es nicht vertragen kann, wenn er angemacht wird.

Den Teufel, der geschrien hat, dass die kleine Hure da unten dafür büßen würde! Sie sollte in die Knie gezwungen werden! Sie sollte büßen. Büßen und in der Hölle schmoren! Und deshalb hast du erst Ruhe gegeben, als sie tot auf dem Boden lag!«

Johansen schwieg jetzt. Er hatte die Hände vors Gesicht geschlagen. Der Polizist betrachtete ihn eine Weile und ging wieder ans Fenster zurück.

Frølich blickte auf und begegnete dem Blick seines Chefs. Beide warteten.

Endlich sah der alte Mann wieder auf.

»Was hast du am Mittwoch in Torshov gemacht?«, fragte Gunnarstranda.

»Nachmittagsspaziergang«, antwortete Johansen. Er hatte wieder etwas zu dem kalten Zynismus zurückgefunden, mit dem er ihnen bisher entgegengetreten war.

»Wo warst du vorgestern Nacht?«

»Hier.«

»Hast du dafür einen Zeugen?«

»Nein.«

»Du bist am Mittwoch um halb eins in der Agathe Grøndahls Gate gesehen worden. Warst du da?«

»Du weißt ja schon alles.« Das klang jetzt zahmer.

»Ja oder nein!«, bellte der Polizist.

»Ja.«

»Bist du später noch einmal in der Agathe Grøndahls Gate gewesen, sei es nun Mittwochnachmittag, -abend oder -nacht?«

»Nein.«

Der Alte fischte eine Kippe aus dem Aschenbecher, zündete sie sich mühsam an, aber die Hand zitterte, als er rauchte. Johansen stützte sie mit der anderen Hand, um das Zittern zu unterbinden. Schließlich gab er auf und legte die Kippe weg.

»Alte Verletzung«, versuchte er zu erklären.

»Weißt du, dass Sigurd Klavestad dort gewohnt hat, in dem Haus in der Agathe Grøndahls Gate, vor dem du am Mittwoch gesehen worden bist?«

»Wer zum Teufel ist Sigurd Klavestad?«, fragte der Alte kaum hörbar. Sein Nacken war plötzlich steif geworden.

»Der junge Mann mit dem Pferdeschwanz, dem du den ganzen Weg von hier bis zur Agathe Grøndahls Gate gefolgt bist.«

Jetzt schwieg Johansen. Er starrte zu Boden.

»Er ist umgebracht worden.«

Der Kopf des Alten bewegte sich langsam. Sein Blick hob sich vom Boden.

»Jemand hat ihm heute Nacht die Kehle durchgeschnitten.«

Johansen atmete schwer. »Umgebracht?«

Er saß mit offenem Mund da. Ein Speicheltropfen hatte sich auf seiner Unterlippe gesammelt. Schlafwandlerisch stand er auf. »Er ist also tot?«

Er rieb sich im Gehen den rechten Oberschenkel.

»Hast du das gewusst, Johansen?«

Der Alte setzte schweigend seine Wanderung fort.

»Beantworte meine Frage!«

»Nein!« Johansens Stimme klang zahm. »Das hab ich nicht gewusst.« Er blieb stehen, holte Luft und drückte sein rechtes Bein nach unten. »Arbeitsverletzung. Ab und zu wollen die Nerven nicht.«

Frank Frølich konnte das unkontrollierte Zucken von Hand und Beinen des Alten kaum mit ansehen.

»Nur gehen, etwas tun, hilft«, fuhr der fort.

»Warum bist du ihm gefolgt?«, fragte Gunnarstranda mit freundlicherer Stimme.

Johansen setzte sich. »Er war hier«, seufzte er mit müder Stimme. »Hier unten.«

Der Mann machte eine Kopfbewegung zum Fenster hinüber.

Griff nach dem Tabakpäckchen auf dem Tisch. Er nahm ein wenig Tabak und Blättchen heraus. Aber seine zitternden Finger zerrissen das Papier.

»Hier!« Gunnarstranda bot ihm eine seiner Zigaretten und sein Feuerzeug an.

Johansen rauchte. »Ich bin ihm gefolgt, weil… ich glaube, ich wollte den Kerl umbringen«, er blies Rauch aus. Aber er richtete sich auf, als er Gunnarstrandas Blick begegnete.

»Ich hab nur gesagt, dass ich glaube, dass ich das wollte«, betonte er eilig. »Ich hab ihn in Gedanken umgebracht oder so.«

Er starrte Frølich an und wandte sich dann Gunnarstranda zu.

»Er war hier«, wiederholte er voller Panik. »Unten am Zaun! Hier unten!«

Er stand auf, schleppte sich zum Fenster und blickte hinaus. »Er hat sie erstochen«, behauptete er wütend. »Hat sie aufgeschlitzt!«

Seine Stimme brach, und er musste husten, ehe er weitersprechen konnte. »Ich wollte ihn fertigmachen. Ich bin ihm gefolgt und hab rausgefunden, wo er wohnt!«

»Wen hast du sonst noch da unten in der Wohnung gesehen?«

Schweigen.

»Du beobachtest deine Rose jetzt schon zwei Jahre lang, Johansen. Du hast da unten doch Leute gesehen!«

Nicken.

»Wen?«

Der Alte ging zum Sessel zurück und setzte sich. Seine Hände umklammerten die Armlehnen.

Gunnarstranda folgte ihm. »Wen?«

Keine Antwort.

»Wen?«

Frølich musterte die schweren Tränensäcke des alten Mannes, seine fahle Haut, die runden Schultern und die vielen Schuppen auf den verschossenen Kleidern. Frank Frølich sah einen sehr kleinen, in einem Sessel zusammengesunkenen Mann.

Johansen räusperte sich. »Niemand.«

Er hatte sich beruhigt. »Niemand«, wiederholte er vage mit geschlossenen Augen. »Nur sie.«

Er entglitt ihnen. Murmelte etwas Unverständliches.

Gunnarstranda bewegte sich. »Du musst mit auf die Wache kommen. Wir brauchen deine Fingerabdrücke.«

Johansen senkte den Kopf.

»Und wir durchsuchen deine Wohnung.«

Frølich erhob sich schwerfällig und fing umgehend an, die Schubladen einer alten Kommode herauszuziehen, die sich wacklig an die Wand lehnte. Der Kriminalhauptkommissar beugte sich derweil über den alten Mann. »Du verheimlichst uns etwas, Johansen«, flüsterte er. »Du hältst über so vieles dicht! Aber ich kann dir eins versprechen! Wenn wir in dieser Bude auch nur ein einziges Messer oder irgendetwas finden, das schärfer ist als ein Fischheber, dann kannst du dir die Heimfahrt gleich aus dem Kopf schlagen!«

Frølich wühlte in einer Schublade. Bleistifte, Kugelschreiber und ein Stück Angelschnur. Eine rostige Mutter war das einzige Teil aus Metall. Das wird dauern, dachte er geduldig und hob einen Kronkorken hoch.

31

Gunnarstranda schaute aus dem Fenster dem alten Mann hinterher, der schwerfällig den langen Hang hinunterging. Arvid Johansen. Der Spanner. Eine gebeugte Gestalt in Mantel und Hut mit Krempe. Der Mann drehte sich um und drohte dem Polizeigebäude mit dem Stock. Eine hasserfüllte Geste. Eine Gebärde, die den Kooperationswillen des Mannes zum Ausdruck brachte. Er pflegte schweigenden Widerwillen. Ob das alles ist, was du kannst, fragte sich der Polizist am Fenster. Kann diese drohende Faust Fleisch zerschneiden? Lebendes Menschenfleisch? Davon auszugehen wäre die billige Variante.

Leicht. Aber vermutlich eine schlechte Lösung. Sei froh, dass wir in deiner Bude keine Waffe gefunden haben!

Hinter ihm wurde die Tür geöffnet. Ein Mann kam herein, gefolgt von einem Beamten, der sich umdrehte, hinausging und wortlos die Tür schloss.

Die Umrisse des Neuankömmlings zeichneten sich im Fenster ab. Herr im Himmel! Das Gesicht dieses Mannes war röter als ein Apfel. Gunnarstranda betrachtete abwechselnd das Gesicht im spiegelnden Fensterglas und Johansen, bis der alte Mann hinter der Grønlandkirche verschwunden war. Nun erst drehte er sich um und bat Herrn Svennebye, sich zu setzen, aber der kam der Aufforderung nicht nach. Er blieb unbeholfen vor dem Schreibtisch stehen. Gunnarstranda begriff, dass es diesem Mann in letzter Zeit nicht gut ergangen war. Er hatte ein betrübliches Aussehen. Der offene Mantel entblößte eine fleckige Hose mit offenem Schlitz, in dem sich ein Hemdenzipfel verkeilt hatte. Sein Schlips hing lose wie ein aufgerolltes Springseil um seinen Hals. Der Polizist schnupperte kurz und beschloss, das Fenster zu öffnen.

»Setzen«, wiederholte er, streckte die Hand aus und nickte zu einem Holzstuhl mitten im Zimmer, einen halben Meter vom Schreibtisch entfernt, hinüber.

Der Mann räusperte sich und machte sich an dem großen weißen Verband zu schaffen, den er um die recht Hand trug. Irgendwie gelang es ihm, den Mantel über die Stuhllehne zu hängen. Er setzte sich vorsichtig, und noch immer bewegte sich seine Zungenspitze hastig über die Lippen.

»Name?«

»Egil Svennebye.«

»Beruf?«

»Arbeitslos.«

»Verzeihung?«

»Arbeitslos!«

Der Polizist ließ sich mit nachdenklich gerunzelter Stirn auf seinem eigenen Stuhl nieder. Er öffnete eine Schreibtischschublade und nahm ein Mikrofon heraus. »Alles, was ab jetzt in diesem Raum gesagt wird, wird auf Band aufgenommen«, erklärte er. Das Mikrophon wollte zunächst nicht stehen bleiben und fiel immer wieder um.

Jetzt. Er fing den Blick des anderen auf. Der Mann schielte. Blassblaue Pupillen schwammen in hellgelbem Eiweiß hin und her.

»Sie heißen Egil Svennebye. Ihr letzter registrierter Arbeitsplatz war die Firma Software Partners, wo Sie als Marketingchef angestellt waren, ist das richtig?«

Der Mann nickte.

Der Kriminalhauptkommissar zeigte auf das Mikrofon.

»Ja.«

Der Mann wischte sich mit dem Verband über die Stirn. Hustete.

»Ich will ganz ehrlich zu Ihnen sein«, versprach Gunnarstranda nach einer Pause von einigen Sekunden. »Alkoholmissbrauch in der Öffentlichkeit ist nicht mein Ressort. Ich beschäftige mich mit Mordfällen.«

Die Pupillen schwammen nicht mehr.

»Wieso halten Software Partners Sie noch immer für ihren Angestellten?«

»Sie wissen noch nichts von meiner Kündigung.«

»Also haben Sie gekündigt?«

»Ja.«

»Warum?«

Svennebye senkte den Blick, seufzte. »Ich habe einige Tage lang nachgedacht und bin zu der Erkenntnis gekommen, dass das das einzig Richtige ist.«

Gunnarstranda lehnte sich zurück, stocherte mit der Schuhspitze in der untersten Schreibtischschublade herum und ließ den Fuß dann auf der offenen Schublade ruhen. Seine Hose rutschte an der Wade hoch und entblößte ein Stück kreideweißer Haut mit vielen hellblauen Adern über dem roten Abdruck des Sockenbundes.

Svennebyes Blick klebte an dieser Wade.

»Wie bewerten Sie Software Partners als Arbeitsplatz?«

»Kann ich ein Glas Wasser bekommen?«

Der Polizeibeamte stand auf und trat an das weiße Waschbecken neben der Tür. Er drehte die Wasserhähne auf, die sogleich losheulten. Er ließ das Wasser fließen und fühlte ab und zu die Temperatur. Gunnarstranda betrachtete Svennebyes Profil. Die Stirn des Mannes war schweißnass. Er konnte sich nicht daran erinnern, jemals selbst so verkatert gewesen zu sein. »Ich habe mir erlaubt, mich mit Ihrer Familie in Verbindung zu setzen«, teilte er mit, griff nach einem nicht ganz sauberen Plastikbecher und spülte ihn aus. »Ihre Frau behauptet, Sie fühlten sich dort nicht wohl, bei Software Partners.«

Sein Gegenüber nahm den Becher mit zitternden Fingern entgegen und trank gierig das Wasser.

»Ich habe mich nach einer anderen Stelle umgesehen, ja.«

Er schien außer Atem zu sein.

Gunnarstranda setzte sich und legte beide Arme auf den Tisch.

»Warum?«

»Es hat mir dort nicht gefallen.«

»Warum nicht?«

»Zu klein, zu wenig Verantwortung.«

»Auf solche Antworten lege ich keinen Wert.«

Svennebye schwieg. Wieder sah sein rotes Gesicht unsicher aus.

»Ich will Details. Ihre Frau hat von einer seltsamen Geschäftsreise erzählt, die Sie vor einigen Wochen unternommen haben.«

Der andere lächelte schief. »Seltsam ist das richtige Wort«, murmelte er, fröstelte und legte sich den Mantel über die Schultern. Er verschränkte die Arme. »Wir wollten zu einer Messe für Software nach London. Engelsviken, Bregård ... ich und ...«

»Reidun Rosendal«, vollendete Gunnarstranda mit scharfer Stimme. »Wann?«

»Vor ziemlich genau sieben Wochen.«

»Und nun kommen wir zu einem Punkt, der mich interessiert.« Gunnarstranda überlegte. »Sie, als alter Zechbruder, haben sich in Londons Kneipen staubtrocken gehalten?«

Svennebye nickte ruhig. Der plötzlich unformelle Ton des Polizisten schien zu seiner Entspannung beizutragen.

»Ich habe Probleme damit gehabt, das System zu durchschauen«, antwortete er mit Betonung auf »durchschauen«. »Bei meiner Arbeit, meine ich.«

In seinem Mundwinkel hing ein erstarrtes Lächeln. Er schien zu kämpfen.

»Beschreiben Sie das mal«, forderte Gunnarstranda ihn auf und sah, dass diese Aufforderung ankam. Der Mann nickte. »Alles war total zufällig und ohne Planung. Die ganze Zeit hat irgendwas nicht gestimmt.«

Gunnarstranda spielte schweigend mit einer Zigarette. »Solange man brav Ja und Amen sagt, sind alle die besten Freunde der Welt, aber wenn man Forderungen stellt, bekommt man Ärger. Dann hagelt es sofort Spitzen und Kommentare.«

»Was für Forderungen?«

Svennebye hörte ihn nicht. Er war noch immer mit den Spitzen beschäftigt. »Je mehr ich darüber nachdenke, umso klarer sehe ich das. Da draußen gab es zwei Lager. Die Informierten und die Nichtinformierten. Ich gehörte zu Letzteren.«

Gunnarstranda blickte ihn an.

»Was für Forderungen«, murmelte der Mann zerstreut, wurde dann aber ernst. »Wenn man zum Beispiel Resultate der eigenen Arbeit sehen will.«

Gunnarstranda gefiel das Gespräch allmählich. »Sind Sie deshalb ausgerastet?«

Svennebye schloss die Augen und lehnte sich zurück, so weit, dass die Stuhllehne knackte. Der Polizist ließ ihm Zeit zum Nachdenken. »Reidun und ich haben gleichzeitig angefangen«, fing er ruhig an. »Aus Software Partners wurde langsam etwas, hieß es. Sie suchten Verkaufsvertreter und einen Marketingchef. Ich bin über fünfzig.«

Seine Augen waren jetzt viel lebendiger. Aus der Miene des Mannes sprach Ironie.

»Genaus das richtige Alter für eine vorzeitige Pensionierung.« Gunnarstranda betrachtete ihn. Das rote Gesicht und die Tränensäcke. Mantel und Hose, die jetzt nach Urin und Erbrochenem stanken, obwohl es Qualitätsware war. Er konnte sich diesen Mann in sauberen Kleidern sehr gut auf dem Weg zur Morgenbesprechung seiner Projektgruppe vorstellen. Der Mann erzählte von der Arbeit in seiner Branche. Seine heisere Stimme nannte Schlüsselwörter wie Kreativität und Jugend. Er hatte nie mit diesem Job gerechnet. Aber als er ihn bekam, hatte er sich wie eine Lokomotive gefühlt. »Ich bin über fünfzig«, wiederholte er lächelnd, »ich hatte ein ganzes Heer von jungen Betriebswirten und Volkswirten ausgestochen. Aber gewaltig!«

»Und dann«, fuhr die belegte Stimme fort. »Sagen wir mal so: Die Stellung wirkte wie eine Herausforderung.«

Gunnarstranda erfuhr, dass er den Vertreterapparat und das Vertriebsnetz für den Betrieb hatte entwickeln sollen. Sonja Hager und Brick, ihr Jurist. Svennebye wusste nicht genau, ob der zur Geschäftsführung gehörte, er glaubte es jedenfalls, die ganze Meute der so genannten Informierten hatte beim Bewerbungsgespräch einen guten Eindruck gemacht. Aber seither war nichts mehr passiert. »Können Sie sich das vorstellen«, fragte der Mann auf dem Stuhl, »man tut seine Arbeit, will etwas leisten! Und man bekommt nur Geschwafel zu hören. Keine konkrete Planung. Nur ab und zu abends mal ein Anruf zu Hause.«

Er seufzte. »Dann fährt man hin, ohne die geringste Lust, nur, weil man es für seine Pflicht hält. Und da sitzt Engelsviken halb betrunken mit dem Anwalt und verbreitet Visionen, die verrückter sind als der Turmbau zu Babel.«

Er holte Luft. »Irgendwann muss man sich einfach überlegen, was man wirklich tut, und sich fragen: Springt dabei Geld heraus? Womit vergeude ich hier meine Zeit? Was zum Teufel machen wir hier eigentlich?«

Der Mann ballte die unverletzte Hand zur Faust. »Und man kann nichts dagegen machen! Wagt nicht einmal zu kündigen!«

Svennebye senkte die Stimme. »Ich kam mir vor wie in einer Mausefalle. Als am Montag die Polizei anrief, konnte ich einfach nicht mehr dableiben. Der Durst war zu groß.«

Der Polizist nickte. »Die Reise nach London? War die nicht seriös?«

»Ich bin einfach mitgefahren«, fuhr der Mann im selben Tonfall fort. »Ich hatte meinen Verdacht, verstehen Sie.«

»Was für einen Verdacht?«

»Dass alles schiefgehen würde. Alle waren vollkommen unvorbereitet. Schon vorher uferte jegliche Planung zu Gerede über Kneipen und Bier aus und ...«

Er lächelte, soweit seine trockenen Lippen das zuließen. »Ich bin am ersten Abend mit ausgegangen, habe aber nur eine Cola getrunken und bin dann zurück ins Hotel gegangen.«

Gunnarstranda ließ dem anderen Zeit zum Nachdenken.

»Es war völlig hoffnungslos! Der Direktor hat sich an Reidun rangemacht und kam mit anrüchigen Vorschlägen, während Bregård sich einfach volllaufen ließ und glotzte wie ein verschmähter Liebhaber in einem amerikanischen B-Movie.«

Svennebye strich sich mit dem Verband über die Stirn. »Am nächsten Morgen habe ich allein gefrühstückt. Habe im Foyer zwei Stunden auf die anderen gewartet. Wir wollten doch zur Messe. Keiner ließ sich sehen. Verstehen Sie? Niemand. Ich habe sie gesucht. Und dann fand ich Reidun und den Direktor, die knutschend im Whirlpool saßen, ohne sich um irgendwas zu scheren, schon gar nicht um mich, als ich da mit meiner Aktentasche stand und auf die Uhr zeigte.«

Wieder fuhr er sich über die Stirn. »Ich beschloss, einfach auf alle zu pfeifen, was ging es mich an, wo sie ihre Nächte verbrachten. Aber ich war ziemlich verwirrt darüber, dass der

Direktor auf die Geschäfte pfiff. Also habe ich bei Bregård angeklopft.«

Wieder lächelte Svennebye schief. »Øyvind war gerade aufgewacht. Unrasiert und mit Brummschädel de luxe. Den interessierte nur, wo die anderen waren. Als ich ihm sagte, wo ich sie gesehen hatte, ist er fast ausgeflippt.«

Svennebye lächelte mit seinen trockenen Lippen. »Der Kerl ist in Unterhosen losgestürzt. Am Ende des Flurs sind wir auf das Liebespaar gestoßen, das uns Arm in Arm entgegenkam. Bregård sagte nichts. Haute Engelsviken einfach eine rein, und der kippte um. Der Mann war total außer sich. Øyvind, meine ich. Er hat Reidun als Hure bezeichnet.«

Svennebye unterbrach sich.

Gunnarstranda zündete seine Zigarette an und zupfte sich einen Tabakkrümel von der Lippe. Inhalierte und stieß eine blaue Rauchwolke aus. Svennebye starrte die Zigarette an, die zwischen den Fingern des Polizeibeamten wippte. Gunnarstranda fischte eine Packung Teddy ohne Filter aus der Tasche, schüttelte eine zerdrückte Zigarette heraus und bot sie dem Mann an, der dankend annahm.

Svennebye rauchte gierig. Er stand auf, ging ans Waschbecken und spuckte aus, trank noch einen Schluck Wasser und setzte sich wieder.

»Sie haben noch nicht alles erzählt«, erinnerte ihn Gunnarstranda. »Was ist aus Engelsviken geworden?«

»Der hat sich wieder aufgerappelt. Sie sind aufeinander losgegangen. Das war eine üble Kiste. Engelsviken ist ziemlich fett und nicht gerade in Topform. Und Bregård haben Sie sicher gesehen? Er ist Gewichtheber. Nach zwei Sekunden lag Engelsviken wieder flach.«

Svennebye lächelte schwach. »Eine Putzfrau ist in wilder Panik davongestürzt, mit dem Staubsauger im Schlepptau. Kurz darauf kamen zwei Sicherheitsleute mit Knüppeln unter der Jacke. Schwere Typen, die ein verkorkstes Englisch sprachen, das wir alle nicht kapierten. Es waren Schotten oder Iren oder so. Ich habe versucht, alle zu beruhigen. Hat vielleicht auch geklappt, diese Sicherheitsheinis haben jedenfalls Engelsviken auf sein Bett gelegt. Die arme Reidun fand das alles so schrecklich, dass sie auf ihr Zimmer geflohen ist. Bregård ist wieder ins Bett, und ich bin allein auf die Messe gegangen.«

»Engelsviken ist doch verheiratet?«

»Mm.«

»Sie arbeitet auch in der Firma. Sonja Hager. Wie ist das gelaufen?«

»Sonja war nicht mit in London.«

»Aber danach, was war mit Reidun und dem Direktor?«

Svennebye zuckte mit den Schultern. »Das geht mich nichts an. Aber ich begreife wirklich nicht, was die Kleine sich dabei gedacht hat. Sich auf einer Spritztour zu amüsieren ist das eine. Nachher damit weiterzumachen ist ein anderer Fall. Kennen Sie Engelsviken?«

»Leider nein.«

»Da haben Sie nicht viel versäumt.«

Er breitete die Arme aus. »Na ja, das ist vielleicht schlecht ausgedrückt. Ich mag ihn einfach nicht. Aber das ist meine Privatangelegenheit. Er ist in Ordnung. Wirklich in Ordnung. Deshalb ist er ja auch gefährlich. Sieht nicht besonders aus.«

Er legte den Kopf schräg. »Ein Mann mit Torschlusspanik. Seidenanzug, Sportwagen und Stielaugen, wenn seine Frau nicht herschaut. Aber er hat Ausstrahlung. Energie, gewaltige Energie. Er beeindruckt die Leute und dominiert mit seiner Art jede Runde. Ich fand es also nicht weiter verwunderlich, dass er Reidun für eine Nacht rumgekriegt hat. Sie ließ nichts anbrennen und amüsierte sich gern.«

Er drückte seine Zigarette aus. Beugte sich vor und griff nach der Zigarettenpackung, die Gunnarstranda über den Tisch geschoben hatte. Zündete sich noch eine an. Zog einige Male mit nachdenklich gerunzelter Stirn daran.

»Aber ich begreife nicht, warum sie weitergemacht hat.«

»Die beiden hatten ein Verhältnis?«

»Mm. Eine Weile.«

Der Mann auf dem Stuhl schloss die Augen. »Nach dieser Reise wurde es ziemlich ungemütlich. So ist mir das vorgekommen. Ich hatte sie in London gesehen und beobachtete danach Dinge, die den anderen vielleicht nicht auffielen.«

»Sonja Hager wusste nichts?«

»Nein.« Er zögerte. »Vielleicht doch. Ich weiß es nicht.«

Er lächelte wieder schwach. Eine Wunde auf der Oberlippe riss auf. »Wenn sie es gewusst hat …«

»Ja?«

»Dann hat sie es sicher nicht leicht gehabt. Ich meine, sie haben doch zusammen gearbeitet.«

Gunnarstranda starrte nachdenklich vor sich hin. »Wie lange hatten sie dieses Verhältnis?«

»Weiß nicht.«

»Wie können Sie dann so sicher sein, dass Schluss war?«

Svennebye leckte über seine schmerzende Lippe. »Vor vierzehn Tagen wurde bei uns im Büro eingebrochen.«

Er beugte sich vor und stützte sein Kinn auf die Hand.

Gunnarstranda horchte auf. Bei dem Wort Einbruch hatte irgendwo eine Glocke geläutet. Svennebye beschrieb das Chaos. Ausgeleerte Schubladen überall. Der Mann erzählte, dass nur bei Software Partners eingebrochen worden war. Svennebye war an diesem Morgen als Erster ins Büro gekommen. Er hatte alles entdeckt und sofort Engelsviken angerufen.

Svennebye hatte dem Direktor berichtet, was passiert war,

und gesagt, er werde die Polizei rufen. Worauf Engelsviken ziemlich hektisch geworden war. Er hatte ihn fast ausgeschimpft. Schließlich wurde Svennebye strikt verboten, irgendetwas zu unternehmen, bis Engelsviken im Büro war. Als er endlich kam, mussten Svennebye und Reidun Rosendal alles aufräumen. Und danach wurde allen Angestellten verboten, den Einbruch je wieder zu erwähnen.

Svennebye drückte seine Zigarette aus und lehnte sich zurück. »Seit fast einem halben Jahr gehen sie wegen jeder Bagatelle vor Gericht! Aber bei diesem Einbruch … Sie wollten das nicht mal in Erwägung ziehen!«

Er bewegte ruckartig den Kopf. »Das habe ich vorhin mit den beiden Lagern gemeint. Reidun, Lisa Stenersen und ich sind aus irgendeinem Geheimnis herausgehalten worden. Aus irgendetwas, das mit diesem Einbruch zu tun hatte.«

Der Mann seufzte. »Es kam zu Streitereien, und die entwickelten sich zu einem richtigen Drama zwischen den beiden. Reidun und Engelsviken.« Er seufzte verzweifelt. »Stellen Sie sich den Direktor vor, der die Kleine in den Hintern kneift und sie in sein Büro ziehen will, und niemand soll sehen, was da passiert. Total hoffnungslos.«

Wieder leckte Svennebye sich die Lippen. »Sie hat dem Guten ziemlich deutlich gesagt, wo er seine Finger lassen sollte.«

»Das war also nicht nur ein Streit zwischen zwei Turteltäubchen?«

»Ganz im Gegenteil! Reidun hatte es satt, für den Chef die Beine breit zu machen, daran habe ich keine Zweifel. Sie war ganz einfach stocksauer. Seine merkwürdige Reaktion auf den Einbruch hat eine Lawine ausgelöst!«

»Wie hat er sich verhalten?«

»Zuerst war es ziemlich peinlich. Aber später … ich glaube, er hätte die Affäre am liebsten fortgesetzt.«

»Sie meinen, er hing immer noch an Reidun?«

»Ja.«

»Und das war offensichtlich?«

»Wenigstens für mich.«

»Für andere?«

»Weiß nicht.«

»Was wurde bei dem Einbruch gestohlen?«

»Nichts.«

Svennebye schnaubte gereizt. »Aber darum geht es doch nicht! Es geht ums Prinzip! Ein Einbruch ist eben ein Einbruch!«

Gunnarstranda hob beschwichtigend die Hand. »Wieso sind Sie so sicher, dass nichts gestohlen wurde?«

»Wir haben lange darüber nachgedacht.«

»Was haben Sie getan?«

»Ja, zuerst haben wir nachgesehen. Ich hatte zum Beispiel ein paar Hunderter in einer Teetasse auf meinem Schreibtisch. Die waren nicht angerührt worden. Reidun ist alles andere durchgegangen. Alle waren überzeugt davon, dass nichts gestohlen worden war.«

»Aber wer hat darüber gesprochen? Alle? Oder nur die Nichtinformierten?«

Svennebye starrte den Polizeibeamten an und sog an seiner Unterlippe. Die Stille legte sich schwer über den Raum. Gunnarstranda ließ ihm Zeit zum Nachdenken. Er stand auf, ging ans Fenster und sah sich den Verkehr auf der Kreuzung an.

»Ja«, hörte er die heisere Stimme hinter sich. »Nur wir. Reidun, Lisa und ich haben darüber gesprochen.«

»War das Archiv geöffnet worden?«

»Ja. Alles war aufgebrochen worden und lag auf dem Boden. Und Sonja ist total ausgerastet. Sie hatte wohl vor irgendetwas Angst.«

»Sie wissen also nicht, ob etwas aus dem Archiv gestohlen worden ist?«

»Nein.«

Gunnarstranda setzte sich wieder. »Warum war das Archiv immer abgeschlossen?«, fragte er.

»Fragen Sie mich nicht. Ich hatte keinen Zugang zum Archiv. Das war Sonja Hagers Sache. Wenn ich Material brauchte, musste ich sie rechtzeitig darum bitten. Diese Korinthenkackerin!«

Er seufzte und dachte einen Augenblick nach. »Nein«, fuhr er fort. »Sonja ist in Ordnung. Aber sie sollte ihrem Mann öfter mal eins auf die Finger geben. Vielleicht ist das der Kern der Sache. Sie tanzt da ja nur rum und drischt leere Phrasen. Ich habe das alles wirklich satt.«

»Wahrscheinlich sollte sie uns leidtun«, fügte er hinzu, ohne große Milde in der Stimme. »Der Mann zieht fast jedes Wochenende durch die Stadt. Und sie sitzt zu Hause und thront wie eine Königin in ihrer Villa mit Hausmädchen.«

»Personal?«

»Sicher. So eine kleine Nuss aus Thailand oder von den Philippinen, die Sonja beim Putzen, Aufräumen und Kochen hilft.«

Ein leises Kichern verzog die wunden Lippen. »Die Frau ist doch lächerlich!«

Gunnarstranda sah, wie sein Gegenüber eine Reihe kleiner Rauchringe in die Luft blies.

Lächerlich, dachte er nachdenklich und fragte: »Wie meinen Sie das? Dass sie lächerlich wirkt?«

Wieder kicherte Svennebye. »Also, wenn Sie mich so fragen, dann muss ich schon sagen, dass sie mir immer schon lächerlich vorgekommen ist. Pathetisch. Blöd. Ich weiß nicht, warum.«

Gunnarstranda wechselte das Thema. »Wie ging es denn nach Ihrer Tour mit Bregård weiter?«

Svennebye zuckte mit den Schultern. »Ich glaube, er hat sich ruhig verhalten. Er hatte sich ja ausgetobt. Ab und zu hat er Reidun angeschmachtet, wenn sie ihre Beine zeigte.« Er gluckste. »Und das kam nicht selten vor.«

»Bregård ist ein ziemlicher Hitzkopf, was?«

Der andere überlegte. »Kann ich eigentlich nicht behaupten. Er ist in Ordnung, interessiert sich vor allem für Jagd und Sport. Ich hab nur dieses eine Mal gesehen, dass er durchgedreht ist, und da war er doch verkatert.«

»Ich habe gehört, dass er ein Schrotgewehr mit sich herumfährt.«

»Stimmt.«

»Warum macht er das?«

»Nach Feierabend geht er manchmal in den Wald und schießt Ringeltauben und Krähen. Er hofft wahrscheinlich auf einen Auerhahn oder einen Hasen.«

»Was sagen Sie dazu?«

Svennebye zögerte. »Das ist doch nichts Besonderes. Viele mögen die Jagd und solche Outdooraktivitäten.«

»Aber dieses Gewehr steckt doch die ganze Zeit im Skiträger auf dem Autodach.«

Der andere nickte.

»Ist der abgeschlossen?«

»Keine Ahnung. Das hab ich mir wirklich noch nie überlegt. Bregård ist eben so. Er hat ein Schrotgewehr auf dem Autodach. Er gibt dauernd mit seinen Naturerlebnissen an.«

Gunnarstranda lehnte sich in seinem Stuhl zurück und sah, wie der andere schweigend den Kopf senkte, der Mann kämpfte mit einem Problem. Als er endlich den Kopf hob, war sein Blick hart und unversöhnlich. »Was ich jetzt sage, sollte Sie interessieren, wo Sie sich doch um Gesetz und Ordnung kümmern«, proklamierte er. »Als wir aus London zurückkamen, wurde mir aufgetragen, einen Katalog über ein Produkt zu machen, von dem ich keine Ahnung habe.«

Er legte eine viel sagende Pause ein und fügte hinzu: »Die anderen haben in London tagelang gefeiert.«

Der Mann klopfte sich mit einem weißen Zeigefinger gegen die Brust. »Ich bin auf die Messe gegangen. Die anderen nicht. Und dennoch hat Engelsviken nachher behauptet, einen Vertrag mit nach Hause gebracht zu haben.« Der Zeigefinger klopfte schneller. »Ich bin der Marketingchef! Ich bin angeblich für den Verkauf verantwortlich. Und Engelsviken verlangte, ich sollte sein Konzept in einer Broschüre anbieten, die im ganzen Land verteilt werden sollte. Aber er wollte mir verdammt noch mal nicht erzählen, worum es sich handelte. Er hat mich mit Computerkram zugetextet, von dem ich nicht mal ansatzweise etwas verstanden habe. Deshalb konnte ich die Waren in den Katalogen auch nicht richtig verkaufen. Ich habe nur eine Menge sinnloses Zeug geschrieben.«

Er lehnte seinen Oberkörper wieder über den Tisch und lächelte boshaft: »Seit sieben Wochen verkaufen Reidun Rosendal, Engelsviken und Bregård etwas, von dem niemand weiß, was es überhaupt ist.«

»Was bedeutet das genau?«, fragte Gunnarstranda scharf.

Wieder lächelte Svennebye.

»Genau, was ich sage.«

»Aber es haben schon Leute angebissen!«

»Kann sein. Das weiß ich nicht. Aber haben Sie je irgendwo ein Warenzeichen entdeckt?«

»Nein«, musste Gunnarstranda nachdenklich zugeben. Er ließ sich im Sessel zurücksinken. Inhalierte. »Ich habe viele schöne Worte gelesen.«

»Diese schönen Worte habe ich geschrieben.«

Gunnar musterte ihn, ging aber nicht weiter darauf ein.

»Ab sofort hat Software Partners keinen Marketingchef mehr. Seit Reiduns Tod haben sie im Grunde auch keinen Verkaufsapparat mehr«, fuhr Svennebye fort. »Aber deshalb hören sie doch nicht mit dem Verkauf auf. Des Kaisers neue Kleider, verstehen Sie?«

Sie schwiegen eine Weile. Dann schaltete Gunnarstranda das Tonbandgerät aus. »Jetzt brauche ich nur noch Ihre Unterschrift«, sagte er nachdenklich und stand auf. »Es dauert nicht mehr lange.«

32

Es war früh am Morgen. Gunnarstranda war um halb sieben aufgestanden. Rasch und in der üblichen Reihenfolge hatte er seinen Haferbrei gegessen, seine zwei Glas Magermilch getrunken und sich eine halbe Kanne Kaffee zu Gemüte geführt. Jetzt war er per Taxi unterwegs nach Kampen. Der Taxifahrer redete wie ein Wasserfall, Sie hakten sämtliche Themen ab. Von den Olympischen Spielen in Lillehammer bis zur Regierung und den EG-Gegnern im Parlament.

Auch egal. Gunnarstranda schaute einfach aus dem Fenster und war mit seinen Gedanken woanders.

Der Kriminalhauptkommissar bat den Fahrer, vor der Kirche von Kampen zu halten. Er wollte die letzten Meter zu Fuß gehen. Es war immer noch früh. Gunnarstranda mochte die schläfrige Ruhe, die über Kampens Holzhäusern ruhte. Er ging gerne dort spazieren und genoss die Idylle aus farbenfrohen Holzhäusern, Bretterzäunen und kleinen Gärten. Kampen war wie ein Blumenstrauß, sogar im April, wo das Gras noch nicht grün geworden war.

Bald hatte er sein Ziel erreicht. Er schlich sich durchs Tor. Der Skoda war nirgends zu sehen. Aber im Hof roch es stark nach Lack. Zischende und kreischende Geräusche kamen aus der Garage, er ging um die Garage herum und öffnete die kleine Hintertür, deren Hängeschloss offen war.

Es war unmöglich, hier etwas klar zu sehen. In einem grauen Nebel von Lack und Lösungsmitteln waren die Umrisse eines hellblauen Kastenwagens zu sehen. Im Nebel bewegte sich etwas. Bald kam ein schwarzes, ölbeflecktes Gesicht zum Vorschein. Gunder. Der Mann lächelte »Kommen Sie rein!«, schrie er.

Gunnarstranda wich automatisch zurück. Stieg über die einen halben Meter hohe Schwelle hinaus in die frische Luft.

»Sie können hier doch nicht ohne Maske arbeiten«, keuchte er. Der Mann lächelte weiterhin freundlich. Seine Augen waren groß und weiß. Vier flache Furchen zierten Gunders Stirn.

»Jetzt ist da doch die reinste Gebirgsluft«, meinte er. »Sie hätten mal vor einer Stunde hier sein sollen, da war der Nebel zum Schneiden dick.«

Sie standen auf dem Hof, vor der Garage mit ihren schiefen Wänden und dem Wellblechdach, das herunterzufallen drohte.

Gunnarstranda hielt wortlos sein Feuerzeug hin. Der Mechaniker hatte sich eine fingernagelgroße Kippe zwischen die Lippen geschoben und schaffte es gekonnt, sie anzuzünden, ohne sich zu verbrennen. Gemeinsam durchquerten sie den Hof und das dunkle Tor. Gunder ging voran. Die abgenutzten schwarzen Holzschuhe des Mannes klapperten rasch über den Asphalt. Sie gingen um die Ecke herum und auf den weißen Skoda zu, der am Straßenrand stand.

»Ich habe die Verteilerkappe ausgetauscht, die war kaputt. Und ich habe Stifte, Keilriemen, Stecker und zwei Kabel erneuert.«

Beim Reden klebte die Kippe auf der Unterlippe des Mannes.

»Der Wagen ist doch erst drei Jahre alt!«, sagte Gunnarstranda resigniert.

Der Mechaniker im gefleckten Overall sah ihn nachsichtig an. »Drei Jahre?«

Er nickte zum Skoda hinüber. »Das Alter dieser Kiste können Sie in Jahrhunderten berechnen.«

Gunnarstranda sah ihn finster an. »Und sie ist jetzt in Ordnung?«

»Jetzt ist sie in Ordnung.«

»Was schulde ich Ihnen?«

»Quittung?«

Gunnarstranda runzelte die Stirn und sah das Ölgesicht an, dem jetzt fünf Haare in der Stirn klebten. Dahinter ratterte es.

»Es ist nur wegen der Mehrwertsteuer.«

»Jetzt sagen Sie einfach, was Sie haben wollen!«, rief Gunnarstranda genervt.

Gunder musterte seine Hände. »Wär ja doch keine tolle Quittung geworden«, seufzte er. »Sechshundert.«

Gunnarstranda zuckte mit den Schultern und griff in seine Tasche. Er zog sechs Hunderter aus seiner Brieftasche.

Gunder lächelte freundlich. »Er hat ein bisschen Rost angesetzt«, sagte er und stopfte das Geld in seine Overalltasche. »Um die Türgriffe.«

Gunnarstranda gab keine Antwort, sondern nahm stumm den Schlüssel entgegen.

»Ich mach auch Rostschäden«, versicherte der Mechaniker.

Der Kriminalhauptkommissar drehte sich um und ging zu seinem Auto.

»Sie brauchen bloß anzurufen!«, rief Gunder, dann bog er um die Ecke. Brüllend sprang das Auto an. Gunnarstranda lächelte zufrieden, steuerte den Wagen vom Straßenrand weg und fuhr ein paar Meter, dann hielt er an und stieg aus. Der Motor schnurrte wie eine Katze. Er öffnete die Motorhaube. Richtig, neue Kabel. Neue Verteilerkappe. Er war zufrieden, richtete sich auf und ließ die Motorhaube zufallen. In seinen Taschen suchte er nach einer Kippe. Fand eine, auch das Feuerzeug, und sah auf. Er erstarrte. Ein schmutziges Fenster mit weißen Buchstaben. So ein Zufall! ANWALT BRICK, stand da in weißen Buchstaben auf dem Glas. Ein Stück Mauer und dann wieder ANWALT.

Er schaltete den Motor aus. Er überquerte die Straße und ging durch das Tor. Der Hinterhof war schön. Wintergrüne Tuja wuchsen in einem gepflegten Blumenbeet. In der Ecke stand ein Gartentisch. Das Namensschild war aus Messing. Richtig. Mit Säure in Metall eingeätzt: Brick, Rechtsanwalt. Hier hauste also Engelsvikens Geschäftsführer.

Der Polizist blieb nachdenklich stehen. Endlich fasste er einen Entschluss, machte kehrt und ging langsam zurück zum Auto.

33

Es war Freitagvormittag. Das Auto lief wieder. Aber auch an diesem Wochenende würde er wohl nicht zu seiner Hütte fahren können. Vielleicht auch am nächsten nicht. Und vielleicht nicht einmal am übernächsten. Er wollte nicht daran denken. Irgendwo weit im Osten, über Schweden, lag eine graue Wolkendecke. Später am Tag würde es regnen, das hatte gestern der Wetterbericht verheißen. Auf dem Tisch lag die Aussage von Marketingchef Svennebye. Von dem Mann, der nicht wusste, was sein Arbeitgeber zu verkaufen hatte. Dem Mann, der nicht begriff, wieso seine Firma überhaupt etwas verkaufen konnte. Weil seine Vorgesetzten keine Geschäfte gemacht hatten, als es angesagt gewesen wäre.

Gunnarstranda rauchte. Asche rieselte auf einen Hochglanzkatalog dieser Firma, wo ein ehemaliger Schuldeneintreiber alle, die auf ihn setzen mochten, mit großem Gewinn lockte. Die, die auf Software Partners setzten und deshalb in klingender Münze dafür bezahlen wollten. Für wen war das Geld? Für eine Gruppe unbekannter Aktionäre? Oder für Terje Engelsviken? Für den Konkursbaron mit dem hungrigen Geldbeutel und dem zweifelhaften Ruf?

Gunnarstranda hatte viele Fragen, die er dem Anwalt mit dem hübschen Messingschild in Kampen gern gestellt hätte. Aber er war noch nicht so weit. Und wahrscheinlich war er auch nicht der richtige Fragensteller. Diese Fragen überließ er wohl besser anderen.

Gunnarstranda blies die Asche von Bregårds Gesicht, drückte die Zigarette im Aschenbecher aus, griff zum Telefon und wählte.

»Davestuen«, sagte eine kauende Stimme.

»Gunnarstranda.«

»Aha«, die Stimme kaute weiter. Gunnarstranda ärgerte sich darüber, räusperte sich. »Software Partners.«

»Hab ich mir schon gedacht.«

Davestuen kaute noch immer. Langsames, schmatzendes Kauen, wie ein Kind, das im Matsch spielte.

»Hast du was herausgefunden?«

»Na ja ...«

Gunnarstranda klemmte sich den Hörer unters Kinn, um sich eine neue Zigarette zu suchen. »Ihr frühstückt vielleicht gerade«, fragte er mit gemessener Höflichkeit.

»Nein, nein«, schmatzte Reier. »Ich behandle meine Entzugserscheinungen. Wir haben einen ziemlich dicken Ordner über diesen Engelsviken«, schmatzte er ungerührt.

Gunnarstranda nickte. Wunderte sich über die Entzugserscheinungen, vertiefte das Thema nicht weiter.

»Eingestellte Verfahren«, schlabberte der andere. »Gläubiger, die ihn wegen Betrugs verklagt haben. Sie glauben, er habe bei einigen Firmen, deren Geschäftsführer er war, an der Konkursmasse herumgetrickst.«

Gunnarstranda grunzte.

»Was isst du da?«

»Nikotin.«

Die Falte in Gunnarstrandas Stirn wurde immer tiefer. Er hoffte, der Mann würde bald aufhören, aber Davestuen schmatzte weiter. »Engelsviken hat vor dem Konkurs aufgeräumt, verstehst du? Alles aus Mangel an Beweisen eingestellt. Jedes Mal endete alles in Streitereien über das Datum. Engelsviken konnte belegen, dass die Waren fristgerecht verkauft worden waren. Das stinkt nach Gemauschel, wenn du meine Meinung hören willst.«

Gunnarstranda grunzte noch einmal. Hatte endlich die gesuchte Zigarette gefunden.

»Aber dieser Fall liegt anders: Jetzt will seine Firma, diesmal heißt sie Software Partners, das Aktienkapital vergrößern.«

Davestuen schwieg. Gunnarstranda konnte hören, wie sich die Pranken am Hörer zu schaffen machten.

»Aber, verstehst du, ihr Anwalt, dieser Brick, hat sich einen neuen Trick ausgedacht, um Kapital reinzuholen. Und das ist eigentlich ein bisschen kompliziert.«

»Wieso kannst du Nikotin essen?«

»Kaugummi. Ist eigentlich ziemlich hart und schmeckt überhaupt nicht gut.« Davestuen gluckste. »Moderner Kautabak. Erinnerst du dich noch? Früher fuhren die alten Männer mit dem Fahrrad durch den Markvei, in der Hintertasche eine Flasche Wodka und am Kinn zwei schleimige Tabaksstreifen.«

Gunnarstranda nickte. »Ja«, murmelte er verwirrt und ließ seinen Blick auf der Suche nach dem Feuerzeug über den Tisch wandern.

Davestuen räusperte sich: »Jetzt machen sie stattdessen Kaugummi, das soll angeblich das Nikotinbedürfnis stillen, du weißt schon, wir denken ja an die Umwelt.«

»Na ja …«

»Umweltschutz!«

»Ja, ja, jetzt geht es aber um die Finanzierungstricks von Engelsviken und Co.!«

»Stimmt, statt Geld zu leihen, sucht sich Software Partners kleine Betriebe in der Branche als Teilhaber, sie erweitern das Aktienkapital, und an sich wäre das ja in Ordnung. Nur passiert das auf eine etwas seltsame Weise.«

»Ach?«

Gunnarstranda registrierte die eingetretene Stille.

»Jedenfalls stinkt dieser Finanzierungsplan. Software Partners besorgt sich Eigenkapital auf andere Weise, als das Gesetz es erlaubt. Die Aktien wurden zum Mindesteinsatz von ungefähr hunderttausend bar verkauft. Allerdings erlangten die neuen Teilhaber keinen normalen Einfluss auf den Betrieb, da ihre Aktien ihnen als B-Aktien nur begrenzte Rechte verschafften. Das Einzige, was ihnen zukam, waren die Zinsen und eine Art Recht auf den Verkauf der Firmenprodukte.«

Gunnarstranda hörte geduldig zu. Ihm war die Materie vertraut. Dieser Ladenbesitzer in der Rådhusgata, mit dem Frølich gesprochen hatte, hatte von einem solchen Mindesteinsatz gesprochen. Er hatte es auch für einen Vorteil gehalten, die Waren verkaufen zu dürfen. Gunnarstranda zündete seine Zigarette an.

»Das ist eine juristische Grauzone«, fuhr sein Kollege fort. »Im Gesetz sind nicht alle Elemente dieses Verfahrens erwähnt. Dieser Anwalt Brick behauptet deshalb, dass die Bestimmungen im Wertpapiergesetz, die vielleicht damit kollidieren könnten, in diesem Fall nicht gelten.«

Davestuen machte eine längere Pause, räusperte sich noch einmal und nieste.

»Andererseits kann hier von viel Geld die Rede sein, wo der Mindesteinsatz doch hunderttausend beträgt. Nur zehn neue Partner ergeben eine Million netto. Überleg dir mal, was da fünfzig neue Partner oder vielleicht sogar hundert bedeuten!« Er hustete lauter. »Und ich finde, für uns ist diese finanzielle Seite das Interessanteste.«

»Ach?«

»Das Geld geht nämlich nicht an Software Partners, sondern an eine Finanzierungsgesellschaft namens Partner Finance.«

»Und was stört dich daran?«, fragte Gunnarstranda.

»Das Problem ist, dass niemand genau weiß, wem Partner Finance eigentlich gehört. Also weiß auch niemand, was aus dem eingezahlten Geld wird. Noch netter wirkt die Sache, wenn sich dann herausstellt, dass diese Gesellschaft auf Guernsey sitzt, in einem so genannten Steuerparadies.«

Ein leichter Geruch von versengtem Papier mischte sich in Gunnarstrandas Nase mit dem von Tabak. »Aber das ist doch sicher nicht verboten«, sagte er.

»Eigentlich nicht«, erwiderte Davestuen. »Es geht darum, dass Partner Finance in der Finanzbranche gänzlich unbekannt ist. Und das ist, gelinde gesagt, erstaunlich. Das löst sämtliche Alarmsirenen aus. Das riecht verdammt nach Betrug, Mann. Aber um wirklich herauszufinden, ob es zu Ungesetzlichkeiten kommt, muss ermittelt werden.«

Gunnarstranda biss sich auf die Wange.

»Vorläufig ist es so, dass irgendwer das Firmenkapital erweitert«, fuhr Reier fort. »Die neuen Teilhaber dürfen ein neues Produkt verkaufen, und alles sieht geschniegelt und gestriegelt aus.«

Gunnarstranda ließ Davestuen weiterreden. »Diese neuen Vertriebspartner«, setzte er an, um die Aufmerksamkeit des anderen zu erregen.

Davestuen gab keine Antwort. Nicht einmal Kaugeräusche waren zu hören.

»Bist du noch da?«

»Aber sicher.«

»Ich wüsste nur gern«, fuhr Gunnarstranda fort, »was diese neuen Vertreter verkaufen sollen.«

»Wie meinst du das?«

»Na ja, sie bezahlen also ihr Geld, über hunderttausend in bar, um etwas verkaufen zu dürfen, nicht wahr? Aber was sollen sie denn verkaufen?«

»Das habe ich noch nicht herausfinden können.«

»Und ist das nicht seltsam?«

»Tja …«

»Es geht darum«, fiel Gunnarstranda ihm ärgerlich ins Wort, »dass der Marketingchef von Software Partners auch nicht weiß, was sie zu verkaufen haben.«

»Ach?«

»Ich schwör's dir! Er heißt Svennebye. Er hat die Broschüren gemacht, diesen ganzen Papiermüll, mit dem wir und diese Spekulanten überschüttet worden sind. Aber er hat nicht die geringste Ahnung, was da verkauft wird. Er weiß natürlich, dass es um Computer geht. Aber warum ein Vertrag mit Software Partners für die Leute in der Branche so attraktiv sein soll, kapiert er selbst nicht. Ganz einfach, weil er stark bezweifelt, dass Software Partners etwas Neues und Spannendes anzubieten haben könnte.«

»Was sagst du da?«

»Ja.« Gunnarstranda lächelte. »Du hast richtig gehört. Außerdem kann ich dir sagen, dass dieser Marketingchef zur Kündigung entschlossen ist. Er meint, dass Engelsviken & Co. mit irgendwelchen Tricks arbeiten. Er will das Schiff verlassen, solange es überhaupt noch schwimmt.« Er zog an seiner Zigarette und blies eine Wolke vor sich hin. Er ließ diese Information bei dem anderen in Ruhe ankommen.

»Hm«, sagte Davestuen nach einer Weile.

»Das gibt dir zu denken, was?«

Davestuen räusperte sich leise. »Wenn Software Partners kein Geld hat«, fasste Davestuen zusammen, »und wenn gleichzeitig Geld vom Markt her in die Firma fließt, dann verschwindet das Geld irgendwo.«

»Genau.«

»Und wenn das Geld einfach verschwindet«, schloss Davestuen, »dann liegt ein Verbrechen vor.«

Gunnarstranda nickte zufrieden. Es gefiel ihm, dass die Stimme im Hörer sich jetzt etwas schärfer anhörte.

»Da Software Partners den öffentlichen Registern nicht die vorgeschriebenen Bilanzen geschickt hat«, fuhr Reier fort, »lässt sich nichts auf die übliche Weise überprüfen.«

Gunnarstranda schwieg. Er rauchte ruhig und ließ den anderen das Tempo bestimmen. »Das bedeutet, dass die Zeit jetzt reif für ein bisschen Action ist.«

Gunnarstranda schwieg immer noch.

»Ja«, sagte Davestuen abschließend. »Aber wir müssen uns erst mal mit deinem Marketingchef unterhalten, Svennebye, oder wie heißt er?«

»Mm.«

»Weißt du übrigens, was das Blödeste an der Sache ist, wenn man mit dem Rauchen aufhört?«

»Nein«, antwortete Gunnarstranda gleichgültig.

»Man vermisst die Möglichkeit, sich eine anzustecken, wenn das Telefon klingelt. Ein Kaugummi ist irgendwie nicht dasselbe.«

»Das glaub ich gern«, erwiderte Gunnarstranda höflich.

»Du rauchst wohl noch immer, Gunnarstranda!«

Gunnarstranda lächelte leicht über Davestuens Tonfall.

»Ganz recht«, antwortete er freundlich und verabschiedete sich. Er trommelte mit den Fingern auf dem Tisch, ehe er seine Zigarette mit kurzen, leichten Bewegungen im übervollen Aschenbecher ausdrückte. »Ganz recht«, wiederholte er leise.

34

In diesem Moment steckte Frølich seinen großen Kopf zur Tür herein. Gunnarstranda erlaubte sich eine selbstzufriedene Miene, dann richtete er sich auf und schaute auf die Uhr.

»Was ist denn mit dir los?«

»Davestuen hat herausgefunden, warum die bei Software Partners ihr Archiv abschließen«, erwiderte Gunnarstranda munter und stellte das Tonbandgerät auf den Tisch. »Aber das ist etwas anderes.« Er spulte ein bisschen vor und zurück und führte das Gespräch mit Marketingchef Svennebye vor.

Sie lauschten schweigend. Gunnarstranda stützte den Kopf in die rechte Hand. Ab und zu erlag er der Versuchung, mit einem versengten Papierstück zu spielen. Frølich saß zurückgelehnt auf dem Sofa, hatte die Hände hinter dem Kopf verschränkt und starrte an die Decke.

»Dreiecksgeschichte«, sagte Frølich, als Gunnarstranda den Rekorder ausschaltete.

»Vieleck«, korrigierte Gunnarstranda. »Vom einen zum anderen. Zuerst ist unsere Kleine bei Bregård, dann etwas länger beim Direktor, ein bisschen hier, ein bisschen da und am Ende ein bisschen bei Sigurd Klavestad. Bevor sie ermordet wurde und Klavestad sozusagen den Kopf verlor.«

Der Kriminalhauptkommissar unterbrach seine Überlegungen und kam dem anderen zuvor: »Ja. Genau das. Und mittendrin sitzt dieses alte Schwein und bringt alles durcheinander. Denn wie zum Henker kommt Johansen ins Bild?«

»Vielleicht gar nicht«, schlug Frølich vor.

Gunnarstranda holte Luft. Johansen verschweigt uns irgendwas, dachte er. »Weißt du, woran der mich erinnert?«

»Nein.«

»An einen kleinen Bengel, der etwas Verbotenes angestellt hat. Der freut sich doch wie wild darüber, uns hinters Licht zu führen. In einem Punkt. In einem einzigen, verdammt kleinen Punkt. Und deshalb fühlt er sich mächtig.«

Sie schwiegen eine Weile, dann räusperte Frølich sich.

»Dieser Einbruch da draußen bei Software Partners ...«

»Ja.«

»Bei dem angeblich nichts gestohlen wurde.«

»Genau.«

»Auch bei Reidun wurde offenbar nichts gestohlen.«

»Richtig.«

»Ist das ein Zufall?«

»Ich glaube nicht.«

Gunnnarstranda ließ seine Finger ungeduldig über die Tischkante galoppieren. »Wir haben jetzt viele gute Gründe, um Software Partners unter die Lupe zu nehmen«, sagte er.

Frølich nickte.

»Aber wir müssen uns auch diese Bar genauer ansehen, Scarlet. Ich finde, du könntest da mal vorbeischauen.«

»In Ordnung«, brummte Frølich. »Aber was machen wir jetzt?«

Gunnarstranda nahm den Hörer und wählte. »Terje Engelsviken«, sagte er in den Hörer. »Na gut«, sagte er dann, als die Stimme seinem Wunsch nicht nachkam.

»Mal was anderes«, murmelte er sauer und legte auf.

»Wie üblich nicht im Haus?«

»Er sitzt in einer Besprechung. Ob er die wohl bei sich zu Hause abhält?«, überlegte er laut.

Franken nickte. »Durchaus möglich.«

»Aber dann sollten wir doch dabei sein, um mit ihm reden zu können.«

»Wäre nett, ja, schade, dass er uns nicht eingeladen hat.«

Gunnarstranda lächelte und erhob sich. »Wenn uns niemand einlädt, müssen wir das eben selber machen.«

35

Terje Engelsviken und Sonja Hager wohnten im Hoffsjef Løvenskiolds Vei.

Gunnarstranda saß still auf dem Beifahrersitz und blickte aus dem Fenster. Er betrachtete die nackten Birkenzweige, die schmutzig grauen Erdflecken zwischen den gelben Resten des Laubes vom letzten Jahr am Straßenrand. Zu Anfang ist der Frühling immer schmutzig grau.

Endlich erklomm der Wagen die mühsame Steigung nach Ullernåsen. Auch hier nackte Bäume mit nackten Zweigen. Solche Nobelviertel machen sich ohne Farbe auf Rasen und Bäumen nicht gut. Gunnarstranda betrachtete uninteressiert die Residenzen, die im Schatten hoher, laubloser Bäume thronten, schwarze Rinde vor schwarzem Himmel.

Engelsvikens Haus lag nicht ganz oben. Aber es lag auch nicht ganz unten. Es sah nach allem anderen aus als nach Sparsamkeit. Frank Frølich hielt vor einem der drei Garagentore. Gunnarstranda betrachtete das Haus. Es war schokoladenbraun mit weißen Fensterrahmen, Walmdach, gedeckt mit blau glasierten Dachpfannen, die in der Sonne funkelten. In den großen Glastüren spiegelte sich die Aussicht nach Süden und Westen. Ein prachtvoller Steingarten vor der weißen Kellermauer verzierte die Felskuppen und führte auf Straßenhöhe zu einer Rasenfläche.

Auf dem noch leicht wintergelben Rasen unterhalb des Hauses standen hohe Sträucher zwischen wenigen Obstbäumen. Sie schufen auf dem Grundstück eine Landschaft. Er erkannte die roten Zweige der Kornelkirsche und die charakteristische hornige Rinde der Forsythien, deren Blüten weiche Knospen bildeten, aber noch nicht aufgesprungen waren. Hier und da war ein kleiner Weg zwischen den Bäumen zu sehen.

Die haben ja nicht schlecht zu tun, dachte er. Eine parkähnliche Anlage, von Fachleuten gepflegt, nicht von einer vornehmen Dame mit Spaten.

Das schwarze schmiedeeiserne Tor kreischte hinter ihnen, als sie den Kiesweg zum Haus hochstapften.

Der Eingangsbereich war relativ langweilig und passte nicht zur Straßenfassade. Eine schnöde, kahle Treppe aus Metall führte zu einer schlichten braunen Teakholztür. Gunnarstranda drückte auf einen Klingelknopf, der sich im Maul eines bronzenen Löwenkopfes befand. Sie konnten kein Klingelgeräusch hören. Entweder war das gar keine Klingel, oder das Haus war ungewöhnlich gut isoliert. Niemand machte auf, und er schellte noch einmal.

Eine Menge Wasser ging den Fluss hinunter.

Endlich. Langsam öffnete eine lächelnde Frau mit klaren orientalischen Zügen die Tür. »Guten Tag«, sagte sie fragend mit belegter Stimme.

Sie war wie eine Kellnerin gekleidet, in schwarzem, kurzem Rock und Bluse, dazu eine weiße Schürze. Die Frau lächelte unsicher. Ihre Haare waren im Nacken zu einem Knoten aufgesteckt. Einige Locken hatten sich daraus befreit und hingen locker über ihren Ohren herunter.

Gunnarstranda überließ Frølich die Konversation. Dessen Blick war auf die Brust der Frau gerichtet. Seine Stimme fragte nach Engelsviken. Sie bekamen keine Antwort. »Engelsviken«, wiederholte Frølich gereizt.

Die Frau starrte sie beide verwirrt an. Dann schlug sie die Tür zu.

Gunnarstranda ließ seinen Blick von der geschlossenen Tür

zu Frølich wandern, der die Hand zum Löwenkopf hob und wieder auf den Knopf drückte.

Die Zeit verging.

Endlich wurde die Tür wieder geöffnet. Es war dieselbe Frau, aber jetzt mit einem anderen Gesichtsausdruck. Sie hatte Angst in den Augen.

»Nobody home!«, stotterte sie. »Nobody!«

Und wieder wurde die Tür zugeknallt.

»Ist dir das aufgefallen?«, fragte Frølich.

»Was denn?«

»Sie hatte die Bluse neu geknöpft.«

Gunnarstranda begriff nicht.

»Beim ersten Mal war ihre Bluse falsch geknöpft.«

»Ich dachte, du hättest ihr auf die Titten geglotzt.«

»Gerade war sie das nicht mehr.«

»Es geht uns ja wohl wirklich nichts an, wie die Haushälterin angezogen ist.«

Frølich drehte sich um und ging die Treppe hinunter.

»Kommt ganz darauf an, ob sie allein ist oder nicht.«

Unten auf der Straße wartete ein grauer Mercedes, der blinkte und in die Garage wollte, wo der Wagen der Polizisten den Weg versperrte. Ein silberfarbener Mercedes der oberen Preisklasse. Ein wütendes Hupen, gefolgt von Lichtsignalen verriet die Ungeduld der Fahrerin.

Die Tür wurde geöffnet. Eine elegante dunkelhaarige Frau setzte einen Fuß aus dem Wagen, beugte sich aus dem Auto und starrte Gunnarstranda an. Ihr Gesicht war zur Hälfte von ihrer runden, verspiegelten Sonnenbrille verdeckt. Einige ihrer halblangen Haarsträhnen gerieten ihr in den Mund. Es sah attraktiv aus, als sie sie fortstrich. Der Kriminalhauptkommissar wusste, wer sie war. Mit ausgestreckter Hand ging er auf sie zu und stellte sich vor. »Sonja Hager, nehme ich an«, rief er jovial.

»Sie versperren den Weg!«

Ihr Tonfall war abweisend. Gunnarstranda gab Frølich einen Wink. Der setzte zurück. »Wir haben da einige Fragen«, sagte der Polizist noch immer freundlich. »Aber stellen Sie doch erst mal den Wagen ab.«

Die Frau stieg wieder ins Auto. Sekunden darauf öffnete sich das mittlere Garagentor. Der Automotor machte gewaltigen Lärm auf den wenigen Metern bis zur Lücke zwischen einem niedrigen Sportwagen und einem einfacheren Japaner.

Gunnarstranda wartete an seinem dunklen Dienstwagen und öffnete ihr lächelnd die Tür zum Rücksitz.

»Wollen Sie nicht lieber mit hochkommen?«, fragte sie rasch und schaute zum Haus hinüber. Gunnarstranda folgte ihrem Blick. Eine Gestalt war hinter dem großen Fenster zu erkennen. Es schien sich um einen Mann zu handeln. Auf jeden Fall war die Person größer als das Dienstmädchen.

Gunnarstranda zog es vor, Sonja Hager in die Augen zu sehen. Als er einen Moment später wieder zum Fenster hinaufblickte, war die Gestalt nicht mehr zu sehen.

»Da kommen wir gerade her.« Er lächelte freundlich. »Leider war niemand zu Hause.«

Das »leider« betonte er ganz besonders. »Steigen Sie ein!«

Er machte hinter ihr die Tür zu, hob seinen Mantel hoch und stieg auf der anderen Seite ein.

»Ihr kennt euch ja schon«, Gunnarstranda nickte zum Hinterkopf hinter dem Steuer hinüber. »Frank Frølich.« Die Frau grüßte nicht. Sie umklammerte ihre Handtasche und starrte abweisend vor sich hin.

»Er hat Sie neulich gefragt, ob Sie jemanden wüssten, zu dem Reidun Rosendal ein besonders enges Verhältnis hatte.«

»Wir haben sie alle ein wenig gekannt«, antwortete sie kühl.

»Sie kennen keine Männer, mit denen sie näher bekannt war?«

»Øyvind«, sagte sie kurz im selben abweisenden Tonfall. »Das heißt, ich wusste es nicht, ich habe es durch Ihren Kollegen erfahren.«

»Aber außer Bregård niemanden?«

»Nein.«

»Sie waren doch ihre Vertraute.«

»Nicht, dass ich wüsste.«

»Uns ist das so berichtet worden.«

»Sie sollten nicht alles glauben, was dahergeredet wird.«

»Reidun war eine hübsche Frau, nicht wahr?«

»Ja, sicher.«

»Und da hat niemand mal die Finger ausgestreckt oder ihr an den Po gelangt?«

»Ich verstehe nicht, was Sie meinen.«

Gunnarstranda packte ihren Arm. »Ein halbes Jahr am selben Arbeitsplatz, und Ihnen fällt keiner ein, der scharf auf sie war?«

Sie starrte die Hand des Polizeibeamten an. Gunnarstranda ließ ihren Arm nicht los. »Frisches Lammfleisch ... ohne Wirkung auf die Jungs?«

»Wollen wir nicht lieber offen reden?«, fragte sie eiskalt.

Gunnarstranda nickte ernst.

»Dann möchte ich Folgendes klarstellen: Ich weiß nicht, wie oft Reidun die Beine breit gemacht hat. Ich weiß auch nicht, für wen. Und ich möchte das auch nicht wissen, solche Angelegenheiten interessieren mich nicht im Geringsten.«

Die Tür knallte heftig. Die beiden starrten hinter ihr her, als sie zum Haus hochmarschierte. Das fiel ihr nicht leicht. Hohe Absätze sind unpraktisch auf Kieswegen. Vor allem wenn es bergauf geht.

»Die hat Temperament«, murmelte Frølich.

Gunnarstranda grunzte.

»Was machen wir jetzt?«

Gunnarstranda schwieg. »Ich weiß nicht«, sagte er schließlich.

Frølich stieß einen Pfiff aus. »Sieh mal da rechts!«

Gunnarstranda entdeckte eine männliche Gestalt, die zusammen mit einer Frau hinter einem hohen Fenster stand und sie beobachtete. Die Frau trug Sonja Hagers elegantes Kostüm. Den Mann, einen Herrn in Grau, hatten sie vor ein paar Minuten schon einmal gesehen.

»Das wussten wir ja eigentlich schon«, stellte der Mann am Lenkrad fest, »dass er zu Hause ist.«

Gunnarstranda überlegte. »Bisher kann ich nur ein einziges Muster erkennen«, sagte er dann. »Und zwar, dass die beiden da oben in Geld schwimmen, obwohl alles darauf hindeutet, dass sie das eigentlich nicht dürften.«

»Schwimmen«, murmelte er nach einer Weile. »Baden.«

Er lächelte. »Badegäste, die Wasser treten und wissen, dass eine Feuerqualle in der Nähe ist. Sie kann rechts sein, sie kann links sein oder genau unter ihnen. Sie wissen nicht, wo. Aber sie wittern die Gefahr und strampeln mit den Beinen. Schnell, schnell!«

Frølich ließ den Wagen an.

Gunnarstranda lehnte sich zurück und schaute auf die Uhr. Schon nach vier. Es würde wieder spät werden, bis er die tägliche Routine absolviert hatte. »Wir werden ja sehen«, sagte er, »ob diese Panik uns weiterhilft. Warum wohl dieser Snob einfach nicht mit uns reden will?«

»Nehmen wir an, dass Software Partners wirklich ein Betrugsunternehmen ist«, sagte Frølich. »Stell dir vor, Bregård und Engelsviken haben sich nach unserem Gespräch mit Bregård im Fitnessraum unterhalten. Stell dir außerdem vor, Davestuen aus dem Wirtschaftsdezernat ruft diesen Brick an.«

Gunnarstranda hörte seinem Kollegen zu und dachte nach.

»Dann ist es ja kein Wunder, dass Engelsviken einen weiten Bogen um uns macht«, fügte Frølich hinzu.

»Tja«, meinte der nur halb überzeugte Gunnarstranda. »Dieser Betrug muss aber aushalten können, dass die Bullen ein bisschen daran herumkratzen. Engelsviken hat da doch Erfahrung …« Er zögerte. »Vielleicht wird ihnen einfach der Boden unter den Füßen zu heiß.«

Er spürte, wie sich seine Lippen zu einem Lächeln verzogen. Wenn das nicht der Rauch von dem Feuer ist, um das wir uns die ganze Zeit herumtasten, dachte er und schlug die Beine übereinander.

36

Frank Frølich machte es dösig, Schlange zu stehen. Es war wie in der Straßenbahn. Man stellt die Maschinerie auf einen archivierten Gedanken ein, geht in sich, blickt geduldig hinaus in die Welt und wartet darauf, dass alles vorüber ist.

Nicht Eva-Britt. Die genoss es, betrachtete die Schlange als gesellschaftliches Ereignis und war schon in ein Gespräch mit zwei glatten Yuppies vertieft. Die beiden waren schon ziemlich in Fahrt. Laute Männer, die das dringende Bedürfnis hatten, alle Welt über ihr Befinden zu informieren.

Eva-Britt lachte über ihre Kalauer, bekam einen Schluck vom mitgebrachten Bier und wurde nach allen Regeln der Kunst umworben. Und die ganze Zeit umklammerte sie seinen Arm, als ob sie Angst hatte, in irgendetwas hineinzugeraten.

Frank Frølich hörte nur mit halbem Ohr zu und sah geduldig vor sich hin. Das Glas Rotwein in seinem Bauch dämpfte das Gerede der Angeber auf ein erträgliches Maß. Er konzentrierte sich lieber auf die Tür, die sich immer wieder öffnete und schloss, allerdings ohne dass sich die Schlange deshalb bewegt hätte. Manche Kunden schienen beliebter zu sein als andere. Er sah sich das frisch eingetroffene Paar an, das diese Theorie zu belegen schien. Eine Frau in Nuttentracht schwang sich mit den Beinen zuerst vom Rücksitz eines Taxis, ergriff den ausgestreckten Arm ihres Kavaliers. Beide zwängten sich seitwärts durch die Menge, die Frau mit keusch gesenktem Blick, als ob sie oben ohne über einen Badestrand ginge. Beide kämpften sich mühselig durch die Glastüren, wo ein solider Rausschmeißer mit tätowiertem Handrücken sich ihrer annahm.

Als Frank Frølich und Eva-Britt endlich im Lokal ankamen, hatten sie eine Dreiviertelstunde gewartet. Ihre beiden Verehrer verließen sie zugunsten zweier leicht bekleideter Damen, die von einem Tisch bei der Tanzfläche winkten und gestikulierten. Sie fanden einen Platz an der Wand, weit weg von der Bar, aber mit gutem Blick auf Eingang und Tanzfläche. Der Tisch war von leeren Gläsern und schmutzigen Tellern bedeckt.

Es war ziemlich schwierig, miteinander zu reden. Die Musik war sehr laut. Frølich sah sich um und überließ Eva-Britt die Speisekarte. Das Lokal war halbdunkel, die Tanzfläche geräumig. Viele ansehnliche Menschen, die auf dem Center Court sicher Rückhand und Vorhand unterscheiden konnten.

Eva-Britt fragte, was er trinken wolle.

»Tja, mal sehen«, er lächelte verwirrt. »Irgendetwas für weniger als tausend Kronen die Flasche.«

Endlich wurde ihr Tisch von einer Frau abgeräumt, die ihren Blick zunächst ignorierte. Sie registrierte offenbar nicht, dass neue Gäste gekommen waren. Dennoch brachte sie das Bestellte schneller als erwartet.

Zögernd nahm Frølich sein Glas entgegen und spielte mit dem Gedanken, sich zu beschweren. In seinem Glas waren garantiert nicht mehr als vierhundert Milliliter Bier. Ob du mich vielleicht mal ansiehst, wenn du mein Glas ins Gesicht kriegst, überlegte er und lächelte freundlich zu ihrer Nase hoch. In diesem Moment tat sich etwas am Tisch der beiden Yuppies. Sie sprangen auf und tanzten, als ob sie bei einem Endspiel den Sieg errungen hätten. Die Mädchen winkten und riefen. Es schien eine Art Zeremonie zu sein. Die Gesellschaft hieß einen Gast willkommen. Frølich lehnte sich an die Wand und trank von seinem Bier. Der Neuankömmling hatte etwas Besonderes. Vielleicht wegen des glitzernden Anzugs. Er war ein aufgedunsener Mann in den mittleren Jahren. Sein grauer Anzug glitzerte bei jeder Bewegung.

Frølich ließ den Mann nicht aus den Augen. Er hatte ein blässliches Gesicht, das Lächeln erstarrt. Seine Stimme war stark, gut hörbar. Die Kellnerin war schon mit dem Champagner zur Stelle. Frølich beobachtete, wie der Mann die jungen Leute begrüßte. Er schien hier gut bekannt. Sehr gut. Sogar die Bedienung mit dem abweisenden Blick umarmte ihn.

Frank Frølich war sich seiner Sache sicher.

Der Yuppietisch war jetzt sehr munter. Der Neuankömmling lenkte die Aufmerksamkeit aller auf sich und gestikulierte wild beim Reden. Er fegte ein Glas vom Tisch, ohne es überhaupt zu bemerken, offensichtlich war er ziemlich betrunken. Alle bogen sich vor Lachen.

Der Arsch scheint ja richtig lustig zu sein, dachte Frølich und füßelte unter dem Tisch mit Eva-Britt. Sie aß Spaghetti mit Soße, schaute auf, zwinkerte und saugte die Nudeln in den Mund. Ihre Lippen waren wirklich sexy. Sie senkte den Blick, streifte unter dem Tisch den Schuh ab und legte ihm den Fuß in den Schoß. Er blickte in sein Glas. Leer. Er winkte der Bedienung, die noch immer so tat, als ob dieser Tisch unbesetzt sei.

»Noch ein Bier!«

Sie war schon in die andere Richtung unterwegs.

»Du!«

Er zupfte sie am Arm.

Sie blieb stehen, drehte sich fast um.

»Der Typ da drüben, ist das Terje Engelsviken?«

Sie drehte sich ganz um. Sah ihn etwas interessierter an und nickte.

»Hab ich's mir doch gedacht«, lächelte er. »Ich war mir nicht ganz sicher.«

Eva-Britt drehte sich um.

»Der Kerl, der jetzt die Jacke auszieht«, erklärte Frølich.

Beide beobachteten, wie Engelsviken sich mit seiner Jacke

abmühte, wie er unsicher rückwärts taumelte und noch ein weiteres Glas umwarf. Das war witzig. Die ganze Gesellschaft heulte vor Lachen. Engelsviken lachte am lautesten. Er hob die leere Flasche und brüllte durchs ganze Lokal. Die Bedienung, die jetzt hinter dem Tresen stand, nickte. »So bestellen die großen Jungs ihre Getränke«, sagte Frølich.

»Hat er jemanden umgebracht?«

Eva-Britt hatte der Gesellschaft wieder den Rücken gekehrt und spielte mit ihrer Gabel.

»Ich weiß nicht.«

Er musterte Engelsviken, der zwischen den Tischen entlangtorkelte und den Leuten unterwegs auf die Schulter schlug. Er blieb stehen und redete mit einem Mann, richtete sich auf, legte den Kopf in den Nacken und lachte. Dann torkelte er weiter, um die Ecke zur Herrentoilette.

Vorsichtig entfernte Frølich den Fuß, der noch immer auf seinem Oberschenkel ruhte. »Muss kurz aufs Klo«, murmelte er und folgte Engelsviken.

Die Toilette war groß und hell. Der Boden war weiß gefliest, und in der parfümierten Luft hing ein schwacher Geruch nach Erbrochenem.

Der Mann im Seidenanzug stand vor dem einen Spiegel und kämmte sich. Seine Knie waren leicht gebeugt, und er gab sich große Mühe, um seine Frisur in Ordnung zu bringen. Frank Frølich ging zum Pissoir. Er dachte an Reidun Rosendal und ihren hübschen Mund. Der Mann am Waschbecken war verschwitzt und ein wenig übergewichtig, nicht gerade gut aussehend, aber jovial. Er hatte sichtlich viele Freunde, konnte Witze erzählen und laut lachen. Ein Mann, der in Gesellschaft dominierte. Wie jetzt. Er grölte eine Melodie: »I'm just a gigolo«, plärrte er. »Just a gigolo.«

Vollkommen falsch.

Jemand betätigte eine Klospülung, schloss die Tür auf, ging zum Waschbecken, um sich kurz die Hände nass zu machen, und verschwand.

Sie waren allein.

Frølich wurde fertig. Er trat neben Engelsviken, der endlich mit dem Schwung seiner Haare zufrieden war, den Kamm in die Hosentasche schob und im Spiegel seinen Blick erwiderte.

»Engelsviken?«

Der Mann nickte und wandte sich um. In seinem aufgedunsenen Gesicht hingen noch immer die Reste eines verkrampften Lächelns.

»Frank Frølich.«

Franken streckte die Hand aus. »Ich ermittle im Mordfall Reidun Rosendal.«

37

Es war spätnachts. Es war bereits Samstag, offiziell dienstfrei. Er hätte schon vor Stunden schlafen gehen sollen, hatte es immer wieder verschoben. Er würde ohnehin nicht schlafen können. Er hatte den Kopf zu voll.

Gunnarstranda saß am Wohnzimmertisch und blätterte halbherzig in einem Handbuch über Botanik. Manchmal brachte ihn dieses Thema auf andere Gedanken. Deshalb hatte er den ganzen Abend über immer wieder mal hineingeschaut. Er hatte da dieses Problem mit der Minze. Der letztjährige Quälgeist im Garten der Hütte. Es konnte sich um Ackerminze oder Katzenminze handeln. Um welche Art es sich genau handelte, war eigentlich nicht so wichtig. Aber es ärgerte ihn, dass er es nicht herausfinden konnte.

Das Problem war, dass die Minze eine selten schöne Clematis Sibirica bedrohte, die er und Edel gepflanzt hatten und die er bis jetzt durchgebracht hatte.

Die Clematis war inzwischen über zehn Jahre alt. Die Samen hatten sie im Sommer vor elf Jahren gesammelt, damals fuhren sie noch den alten Volkswagen. Sie waren zum Botanisieren nach Jotunheimen gereist und hatten in Fåberg eine Pause eingelegt, wo sie die Stelle, wo die Clematis wuchs, fanden. Die weißen Glocken waren schon längst verblüht, aber die schönen Dolden von Samenbündeln lagen unübersehbar auf dem Boden. Er blätterte weiter im Handbuch, strich mit dem Handrücken über die Seiten und ließ seinen Blick vom getrockneten Exemplar in seinem Herbarium hinunter zu den sorgfältigen Zeichnungen im Buch wandern. Doch trotz der wunderbaren Pinselführung war die Aufgabe ohne frisches Material nicht zu lösen. Gelangweilt nippte er an einer halb leeren Flasche Leichtbier.

Dieser verdammte Messerstecher! Ein gefühlskalter Mistkerl, den sie nicht finden konnten, weil seine Verbrechen ihm nicht anzusehen waren. Nur im Film laufen die Mörder wie aus dem Irrenhaus entflohen durch die Gegend. Er drehte die Flasche zwischen den Fingern, seufzte und fischte eine trockene und eingeschrumpfte Zigarette aus dem Aschenbecher, steckte sie aber nicht an. Er griff nach der Fernbedienung seines Fernsehers und schaltete ihn ein. In der gegenüberliegenden Ecke des Zimmers flackerte blaues Licht auf, und ein Mann mit schlechter Haut, hohlen Wangen und Sonnenbrille spazierte ins Zimmer einer nackten Frau mit weißem Engelsgesicht. Die Szene war zum Heulen dumm. Der schwache Punkt. Reidun Rosendal war ganz still gewesen. Es war und blieb ein Rätsel, auf das ihm auch dieser Film keine Antwort liefern konnte. Er stand auf und sah auf die Uhr. Es war schon nach zwei Uhr. Er musste jetzt wirklich ins Bett.

Nachdenklich schaute er ins Leere, während der Mann mit der Sonnenbrille der Frau im Fernseher laute Schreie entlockte.

Er gähnte. Drehte sich um. Mensch, die schrie ja vielleicht! Er schaltete den Fernseher ab, stützte den Ischiasnerv mit der rechten Hand und reckte sich. Gunnarstranda trat ans Fenster und schaute hinaus.

Gewalt. Natürlich kann Gewalt im Wesen eines Mannes Spuren hinterlassen. Nur sind die nicht sofort zu sehen. Jedenfalls konnte er sie nicht so schnell ausfindig machen. Aber es war schon vorgekommen. Auf der Anklagebank. Lange, blasse Bürofinger und ein Blick. Zwei schmale Schlitze hinter dicken Brillengläsern. Und endlich hatte er gewusst, was sie angestarrt hatte, die Frau, die von diesen weißen Fingern erwürgt worden war.

Zwei Fenster im Haus gegenüber leuchteten warm und gelb aus der Dunkelheit. Der Mann dort drüben kam ans Fenster. Heute trug er ein Netzunterhemd und lockere Hosenträger. Er blies Zigarettenrauch in die Nacht, während er mit seiner Frau redete, die hinter ihm aufgetaucht war. Gleich wird sie wieder weinen, dachte Gunnarstranda, als er sie entdeckte. Ihr schwarzer, enger Büstenhalter quetschte ihre Haut zu dicken Wülsten.

Zwei Zimmer, Küche, Bad können für eine Ehe sehr eng werden. Gunnarstranda wusste nicht, wie oft sie ihren Mann schon verflucht hatte, wenn er zu seinen Freitagabenden loszog. Routine. Der Mann hatte schon seit Jahren eine andere. Jetzt trat sie neben ihren rauchenden Mann und streichelte seinen Rücken. Was wohl das Schlimmste ist?, philosophierte Gunnarstranda. Der Gedanke, dass er sie betrügt, oder der, dass alle anderen es wissen? Immerhin hält sie aus, dachte er grinsend. Noch hat sie ihn nicht umgebracht.

Er spürte, wie sein Grinsen erstarrte, als er sich vom Fenster abwandte und mit steifen Bewegungen an seinem Schlips zog.

Noch einmal wandte er sich um und beobachtete, wie der untreue Ehemann die Arme um seine füllige Gattin legte. Noch hatte sie ihn nicht umgebracht. Gunnarstranda lächelte böse. Ihn nicht. Warum in aller Welt sollte sie ihn umbringen?

Der Schlips fiel über die Stuhllehne und rutschte auf den Sitz.

Natürlich würde sie ihm niemals etwas antun!

Gunnarstranda beobachtete, wie drüben das Licht erlosch. Er versuchte, Ordnung in seine Gedanken zu bringen, als ein Taxi mit gelbem Licht auf dem Dach durch den Regen rauschte, unterwegs zu einem der Nachtklubs in der Innenstadt, die jetzt noch geöffnet waren.

Er knöpfte sein Hemd auf und war gerade bis zur Hälfte gekommen, als das Telefon klingelte. Er schnappte nach Luft, nahm aber nicht sofort ab. Stattdessen knöpfte er sein Hemd wieder zu. Sie würden es eine Zeit lang klingeln lassen. Das machten sie immer, wenn nachts etwas Wichtiges passiert war.

38

Das Erste, was Frank Frølich spürte, waren die Nachwirkungen von Gunders Fusel irgendwo in seinem Kopf. Danach hörte er von ferne, wie in einem bösen Traum, das Telefon. Er bewegte den Kopf und bekam lauter Haare in die Nase. Schließlich hob er die Hand und strich ihre Haare beiseite. Er war fast wach, drehte sich aber schwer auf die Seite. Das Telefon dröhnte, aber Eva-Britt schlief noch immer tief. Ihr Kopf bestand nur aus blonden Haaren, und die Brustwarzen leuchteten im Dunkeln wie zwei dunkelblaue Wegweiser. Er tastete nach dem Telefon. Reckte sich. Erwischte den Hörer, nahm ihn ab und legte wieder auf.

Endlich Stille. Ein schwacher Luftzug strömte durch das gekippte Fenster. Ihr Parfüm ließ die Luft ein bisschen süß erscheinen. Zum Glück hatte er nur ein Glas Schwarzgebrannten getrunken. Der Teufel sollte Gunder holen! Der Mechaniker drängte Eva-Britt immer wieder sein Gebräu auf. Normalerweise schüttete sie es ins Klo. Gestern hatte sie das allerdings nicht getan, und er war dumm genug gewesen, später zu Haus davon zu trinken.

Er merkte, wie Eva-Britt sich auf die Seite drehte. Ihr Hintern schien ihm herzförmig entgegen. Er streichelte ihre Hüfte. Sie bewegte sich schwerfällig und seufzte von weither. Vorsichtig zog er die Decke über sie beide und drehte sich herum, um weiterzuschlafen.

Wieder klingelte das Telefon.

Er riss die Augen auf und starrte in die Dunkelheit. Blickte durch den Spalt zwischen den Matratzen auf den zerbrochenen

Lattenrost. Er musste sich hinknien, um den Hörer zu erwischen. Es knisterte. Der Chef war am Apparat. Gunnarstrandas Stimme tönte energisch an sein Ohr. Frølich senkte die Hand mit dem Hörer »Ist dir bewusst, dass es mitten in der Nacht ist?«, fragte er gepresst.

»Ja«, knisterte das Telefon. »Zieh dich an.«

Frølich stolperte über das Bett. Es war ungewohnt, die Matratze auf dem Boden zu haben. Das tat weh! Er rollte sich auf den Boden. Scheißtelefon. Jetzt arbeiten zu müssen! Warum zum Henker hatte er den Stecker nicht rausgezogen?

Er hockte auf allen vieren auf dem Boden. Er hatte weniger Lust zu arbeiten als ein staatlicher Vermittler bei der Tarifverhandlung. Sein Gehirn hockte noch hinter dem Sofa wie eine Schildkröte. Ihm grauste vor dem Aufstehen, aber es ging. Ihm wurde schwindlig. Dem Himmel sei Dank, keine Übelkeit. Er hatte den Geschmack von Bier, Knoblauch und süßem Weizenbrot im Mund.

Frølich schwankte ins Badezimmer und spritzte sich Wasser ins Gesicht. Sein Kopf schien unter einem Bretterstapel verborgen zu liegen. Er putzte sich die Zähne. Hielt sich danach die Hand vor den Mund, roch zur Probe an seinem Atem, ohne gleich in Ohnmacht zu fallen. Er zog sich an, stapfte in die Küche und schrieb Eva-Britt eine Nachricht auf eine Ecke vom Brotpapier. Er riss die Ecke ab und zögerte kurz vor der Schlafzimmertür.

Das Bettgestell rahmte die Matratze und Eva-Britt ein.

Sie lag ohne Decke auf der Seite und hatte ihm ihr Gesicht zugekehrt, wie in einer Schachtel. Ihr glatter Bauch, ihre runden Beine und dieser dünne Streifen von Haaren, die sich zum Bauch hin kräuselten. Und ich kann nicht mal Überstunden berechnen, verdammte Pest, dachte er bitter. Faltete seinen Zettel in der Mitte zusammen und stellte ihn wie ein Zelt auf den

Schreibtisch vor das Telefon. Dann schloss er leise die Tür hinter sich.

Auf der Treppe wurde ihm wieder schwindlig. Draußen regnete es. Er zögerte einen Moment, dann stieg er ins Auto. Ein Blick auf die Uhr: Viertel vor drei. Er verspürte einen Anflug von schlechtem Gewissen und pfiff darauf. In seiner Jackentasche fand er einen Kaugummi und wickelte ihn aus. Es schmeckte wie ein Stück Pappe.

Sein Wagen sauste über den Ringvei. Die Scheibenwischer bewegten sich rhythmisch über das Fenster, und die Ampel bei Sinsen spiegelte sich leer und gewaltig im glänzenden nassen Asphalt. Eine scharfe Frauenstimme redete im Radio vor sich hin. Schließlich verstummte sie und machte Platz für »When the Night Comes« von Joe Cocker, und er bekam bei dem Gitarrensolo nach dem obligatorischen Gebrüll eine Gänsehaut. Die Ampeln blinkten gelb in der leeren Hans Nielsen Hauges Gate. Eine blonde Frau drückte sich in einer Telefonzelle an der Ecke Sandakerveien an einen Mann. Das musste kalt sein. Mitten im April. Die blinkenden Lichter wirkten in der Dunkelheit düster, fast orange. Frølich hielt auf dem Taxistand am Advokat Dehlis Plass. Stieg aus, blieb stehen und schnappte im Nieselregen frische Luft. Der Bordstein glänzte vor Feuchtigkeit, und das Licht des Juweliers ließ alles funkeln. Frølich merkte, dass seine Kiefer schmerzten, und spuckte den Kaugummi in eine günstig bereitstehende Mülltonne. Oben in der Bergensgata kam ihm eine Gestalt entgegen. Es war Gunnarstranda. Ohne Regenschirm, nur in seinem hellen Mantel. Der graue Stoff färbte sich an seinen Schultern dunkler.

»Du musst fahren«, begrüßte Frølich ihn und setzte sich auf den Beifahrersitz.

Gunnarstranda hielt vor einer roten Ampel an der Arendals Gata. Frank Frølich gähnte ungeniert und laut. Gunnarstranda warf einen gereizten Blick nach rechts. »Warst du gestern Abend nicht dienstlich unterwegs?«

»Da kann ich ja wohl nicht vier oder fünf Stunden über einem Kaffee sitzen!«

»Es gibt noch ein Mittelding. Du stinkst wie eine ganze Kneipe!«

»Deshalb musst du ja auch fahren.«

»Hast du etwas herausfinden können?«

Frølich nickte ruhig. »Du hast Grün.«

Der andere ließ den Motor aufheulen, und das Auto setzte sich mit einem Känguruhüpfer in Bewegung.

»Ich habe Engelsviken getroffen.«

Stumm fuhr Gunnarstranda weiter.

»In Seidenanzug und italienischen Schuhen. Ziemlich betrunken. Wir sind uns an der Pissrinne begegnet.«

»Hast du mit ihm gesprochen?«

»Kurz. Er hat damit angegeben, dass er sie gevögelt hat.«

»Wen?«

»Reidun. Und mehr hat er eigentlich nicht gesagt.«

»Sonst nichts?«

»Er hat rumgebrüllt. Gefragt, wieso zum Teufel ihn die Bullen bis aufs Klo verfolgen.« Frølich seufzte. »Er war schon ziemlich breit, als er gekommen ist. Dann hat er sich zu ein paar jüngeren Bonzen gesetzt, die er offenbar schon kannte. Zwei Jungs und zwei Mädchen, die vollkommen ausgeflippt sind, als er in der Tür aufgetaucht ist. Der Alte hat Champagner springen lassen.«

Frølich gähnte erneut und fuhr dann fort: »Engelsviken hat die Mädchen eine nach der anderen auf die Tanzfläche gezerrt und tatsächlich versucht, der einen vor allen Leuten die Finger in die Unterhose zu stopfen.«

Gunnarstranda nickte vor sich hin, verlangsamte und blickte

nach rechts, ehe er eine gelb blinkende Ampel überfuhr. Die Scheibenwischer strichen leicht über die Windschutzscheibe. Er drückte auf den Zigarettenanzünder. Frank Frølich fuhr fort:

»Das war gleich nach unserem Gespräch auf dem Klo. Aber die Frau wollte nicht und hat ziemlich Krach geschlagen. Die hat ihm so nachdrücklich eine gescheuert, dass es im ganzen Laden zu hören war.«

Der Zigarettenanzünder sprang mit leisem Klicken heraus, und Frølich kurbelte das Fenster herunter, als Gunnarstranda sich eine Zigarette ansteckte. »Und Engelsviken hat sofort zu mir herübergeschaut«, erzählte Frølich weiter. »Es war ziemlich peinlich. Die Frauen haben sich verzogen, und Engelsviken stand ganz allein auf der Tanzfläche, total blau. Plötzlich fing er an, sich selber Ohrfeigen zu verpassen. Bestimmt zehn- oder zwölfmal, und zwar nicht zu zimperlich. Ziemlich verrückte Kiste! Am Schluss hatte er echt Nasenbluten. Aber er hat es nicht mal bemerkt. Er sah ganz schön scheußlich aus, das Blut floss ihm aus der Nase in den Mund, und seine Zähne waren auch ganz rot. Danach hat er die Champagnerflasche geleert, ist auf den Tisch gesprungen und hat angefangen zu heulen.«

Gunnarstranda rauchte mit einem trockenen Lächeln um die Lippen.

»Und dann hatte Eva-Britt keine Lust mehr.«

»Eva-Britt?«

»Meine Freundin. Sie dachte, der ganze Unsinn müsse mit mir zu tun haben, und das gefiel ihr nicht. Also sind wir gegangen. Und das ist noch gar nicht lange her.«

»Und hatte der Unsinn etwas mit dir zu tun?«

»Er hat mir immer mal wieder einen Blick zugeworfen.« Frølich grinste und unterdrückte ein erneutes Gähnen.

»Euer Gespräch auf dem Klo …«

»Ja?«

Gunnarstranda schnippte in einem Fensterspalt die Asche von seiner Zigarette. »War das das Gerede von einem Besoffenen?«

»Er war nicht verwirrt, wenn du das meinst. Anfangs kam er mir sogar ganz umgänglich vor. Ich bin ihm aufs Klo gefolgt, um Kontakt aufzunehmen. Dann habe ich ihm erzählt, wer ich bin und dass ich seine Frau auch schon kennen gelernt habe.«

Frølich gähnte jetzt doch. »Er war ziemlich nervös und hat mich nicht mal ausreden lassen. Hat Reidun als Matratze bezeichnet. Ziemlich ekelhaft. Danach hat er sich zum Pinkeln hingestellt und plötzlich geschrien: ›Was zum Teufel wird denn hier für Whisky verkauft? Meine Pisse stinkt ja nach Bier!‹«

Frølich zog seine Jacke gerade.

»So auf die Tour«, stöhnte er und fuhr fort: »Dann hat er sich ein bisschen beruhigt und so ganz wie nebenbei zu mir gesagt: ›Ja, ich bin über sie rübergerutscht, das wolltest du doch wissen, oder?‹ Ich habe keine Antwort gegeben, und er hat mir ein Liedchen gesungen. Just a gigolo, oder so. ›Weißt du, woran ich mich am besten erinnere?‹, hat er mich gefragt. ›Ja, als sie gekommen ist, hat sie gezwitschert wie ein kleiner Kanarienvogel.‹ Ich: ›Was du nicht sagst.‹ Das hat ihm irgendwie nicht gepasst. Er wurde stinksauer und hat mich angebrüllt: ›Warum zum Teufel verfolgst du mich bis aufs Klo, du Scheißbulle, bist du schwul?‹ Und dann war er verschwunden.«

Gunnarstranda biss sich auf die Unterlippe. »Und dann ist dieser Auftritt auf der Tanzfläche passiert?«

»Ja, gleich danach. Er ist vom Klo direkt zu dem Tisch mit den Yuppies gegangen, hat die beiden Frauen auf die Tanzfläche gezerrt und losgelegt.«

»Und er brauchte nicht Schlange zu stehen, um reinzukommen?«

»Nein. Das Scarlet hat einen Club für die Stammgäste, und er ist Mitglied.«

»Gab es gestern irgendwas zu feiern?«

»Keine Ahnung.«

Gunnarstranda fuhr an den Straßenrand und hielt an. »Du musst noch mal ins Scarlet.«

»Das hatte ich ohnehin vor.«

»Aber tagsüber, wenn sie nicht geöffnet haben.«

Frølich lächelte stumm, dann blickte er sich um und erkannte, wo sie waren. »Was suchen wir hier?«

»Bei Reidun Rosendal ist noch einmal eingebrochen worden«, antwortete sein Chef und öffnete die Autotür.

»Heute Nacht?«

Gunnarstranda nickte. »Und dein Maso, Herr Engelsviken, hat sich offenbar ein hervorragendes Alibi besorgt«, fügte er mit trockener Stimme hinzu.

39

Das Tor stand offen. Das Schloss war total zertrümmert. Gunnarstranda musterte die Überreste, ließ seine Finger über das Metall streichen. Hörte Frølich hinter sich. Der süße Geruch von altem Alkohol quälte seine Nase.

»Der Typ muss doch mindestens ein Brecheisen verwendet haben«, meinte Frølich.

Sie gingen weiter durch den dunklen Torweg. Die Haustür schien überhaupt nicht beschädigt worden zu sein. Merkwürdig, wunderte Gunnarstranda sich und blieb stehen.

»Sie kann offen gestanden haben«, schlug Frølich vor. »Er hat das Tor aufgebrochen, aber die Haustür stand vielleicht noch offen.«

»Hm.«

Gunnarstranda drehte sich um und ging durch den Torweg zurück. Er riss das Tor so weit auf, dass es gegen die Mauer schlug.

»Hm«, wiederholte er und betastete die Mauer. Da war ein Sprung in der Wand.

Frølich reagierte. Er ging rasch zurück zum Auto und kehrte mit einer Taschenlampe zurück. Er beleuchtete das Mauerwerk, wo der Verputz beschädigt war, und öffnete das Tor abermals. Der Griff stieß gegen die Kerbe in der Mauer.

»Die Kerbe ist nicht durch langen Verschleiß entstanden«, stellte Frølich fest. »Dann wäre höchstens etwas Verputz abgeblättert. Das hier stammt von einem Schlag.«

Gunnarstranda stimmte zu. »Meinst du, jemand hat das Schloss zerschlagen und die Wand als Unterlage benutzt?«

»Sieht so aus.«

Er hörte Frølichs Stimme:

»Unsere Jungs müssen sich das mal ansehen.«

Gunnarstranda nickte, öffnete die Tür und ging voran die Treppe hinauf. Die Wohnungstür war mit einem Brecheisen aufgebrochen worden. Der ganze Türrahmen war in Mitleidenschaft gezogen, und weiße Holzspäne leuchteten aus dem Türrahmen.

Die Wohnung war kaum wiederzuerkennen. Auch beim ersten Mal waren überall Bücher und Unterlagen verstreut gewesen, aber jetzt sah es deutlich schlimmer aus. Die Matratze war aufgeschlitzt worden und lehnte hochkant an der Wand, der Inhalt verteilte sich über den Boden. Decke und Kissen hatten dasselbe Schicksal erlitten. Der Boden war mit braunen und weißen Federn übersät. Alle Schranktüren standen offen, der Schrankinhalt lag auf dem Boden verstreut.

Irgendwer hatte systematisch jeden Gegenstand in der kleinen Wohnung untersucht. Gunnarstranda verspürte das Bedürfnis zu fluchen. »Das war aber gründlich«, murmelte er, ging zum Fenster und schob die Vorhänge zur Seite. Die Häuser lagen in der Finsternis. Fast jedenfalls. Schräg oben auf der anderen Straßenseite brannte in zwei Fenstern Licht.

Frølich strich sich über die Stirn.

»Ich glaube, wir sollten uns mal wieder mit Arvid Johansen unterhalten«, sagte Gunnarstranda leise und ließ den Vorhang fallen.

Sie stiegen die Treppe hinunter. Draußen regnete es jetzt stärker. Ein Bach floss durch den Rinnstein.

Gunnarstranda klappte seinen Mantelkragen hoch und rannte über die Straße. Mit großen Schritten lief er die Treppe hinauf, dicht gefolgt von Frølich. Er klingelte an Johansens Tür.

Niemand öffnete.

Frølich presste sein Ohr an die altmodische Doppeltür. »Drinnen ist es still«, flüsterte er. »Vielleicht hat er uns gesehen.«

Wieder klingelte Gunnarstranda und hämmerte mit der Faust gegen die Tür. Nichts passierte. Noch einmal. Drei harte, lange Schläge hallten auf der stillen Treppe wider. Keine Reaktion.

Frank Frølich hob das rechte Bein und trat die Tür ein. Der Riegel, der sie am Boden gesichert hatte, zerbrach wie ein Stück Kreide. Beide Türen öffneten sich krachend.

Im ersten Moment verharrten sie beide regungslos.

Das Licht in der Wohnung kam durch eine Tür im Flur. Das Badezimmer. In allen anderen Zimmern war es dunkel.

Gunnarstranda ging vor und knipste im Wohnzimmer das Licht an. Der Sessel war leer. Das Sofa war leer. Das Badezimmer war leer. Johansens Wohnung war leer.

Sie begannen, die Wohnung oberflächlich zu untersuchen. Öffneten aufs Geratewohl Schubladen, die bis zum Rand mit denselben Lumpen gefüllt waren, auf die sie schon beim letzten Mal gestoßen waren. Auf dem Küchentisch standen ein halbes Brot und eine halb leere Dose Leberwurst, die schon eine dunkle, harte Kruste hatte. Eine verschmutzte Kaffeekanne war zur Hälfte mit schwarzem Kaffee gefüllt. Im Kühlschrank stand ein Karton Kefir mit überschrittenem Verfallsdatum. Zwei Bierflaschen standen neben einer halb leeren Flasche Lebertran in der Tür. Im obersten Fach lag ein Stück gepökeltes, in Plastik eingeschweißtes Bauchfleisch zusammen mit einer Tüte Kartoffeln. Siglinde, dachte Gunnarstranda, als er den rötlichen Ton der Kartoffelschale sah, die noch nicht verschrumpelt war. Auf dem Kühlschrank lagen ein paar Rezepte und etliche unbezahlte Rechnungen neben einer nicht eingelösten Anweisung der Sozialhilfe, die bewies, dass Johansen nicht gerade üppig lebte.

Mitten auf dem Küchentisch lag Johansens Brieftasche. Sie war dick, braun und schrecklich abgenutzt. Gunnarstranda hob sie hoch, wog sie in der Hand. Öffnete sie. In einem Fach lag ein steifer Personalausweis. Darauf war ein Bild von Johansen in Hemd und Schlips zu erkennen. Die Tränensäcke unter seinen Augen fielen weniger auf als in Wirklichkeit.

Der Kriminalhauptkommissar warf nur einen kurzen Blick auf das Bild, dann nahm er das heraus, was die Brieftasche so dick gemacht hatte. Einen Papierstapel, steif wie ein Brikett. Das Papier war blau-weiß mit roten und lila Schattierungen. Ein Stapel Tausender mit Bauchbinde.

»Entweder ist er unterwegs und stiftet Unfrieden«, sagte Frølich vom Sofa, »oder ihm ist etwas passiert.«

»Ich befürchte Letzteres«, antwortete Gunnarstranda. Zog eine durchsichtige Plastiktüte aus der Tasche. »Wir müssen vorsichtig sein.«

Er steckte die Geldscheine in die Tüte. »Unten in Reiduns Wohnung finden wir sicher keinen einzigen Fingerabdruck.«

»Das war am Donnerstag noch nicht hier!« Frølich deutete auf die Geldscheine. Er war aufgestanden und musterte den Inhalt der Tüte.

»Die Brieftasche auch nicht«, antwortete Gunnarstranda und strich sich nachdenklich über die Lippen. »Also kann auch Geld hier gewesen sein. Wenn er es in der Tasche hatte.«

40

Frølich und Gunnarstranda waren zurück im Revier. Es war noch früh am Morgen, und dieser Flügel des Hauses war noch wie ausgestorben. Sie waren die Einzigen auf dem Flur. Frank Frølich lehnte sich schwer gegen die Wand und sah zu, wie Gunnarstranda in den Taschen wühlte und seine Schlüssel suchte. Schließlich mochte er nicht länger warten und schloss selber auf. Er ließ sich auf einen Drehstuhl fallen, schwang herum und griff nach zwei Tassen auf der Fensterbank. Er unterdrückte ein Gähnen.

»Ich wüsste ja verdammt gern, was dieser Dieb eigentlich sucht«, überlegte Gunnarstranda auf dem Sofa, während Frølich sich um den Kaffee kümmerte.

»Wir haben hier ein Muster«, erklärte der Kriminalhauptkommissar unzufrieden. »Irgendwer hat vor drei Wochen bei Software Partners eingebrochen und alles auf den Kopf gestellt, aber offenbar nichts gestohlen. Irgendwer hat in der Mordnacht Reidun Rosendals Wohnung durchwühlt. Keine leicht absetzbare Ware wurde gestohlen. Irgendwer hat ihre Wohnung heute Nacht dann noch einmal systematisch durchkämmt. Ich wette neunundneunzig zu eins, dass das derselbe Einbrecher war.«

»Mmm«, stimmte Frølich träge zu und setzte einen Fuß auf den Boden. Er drehte sich um und betrachtete sich im Fenster. Konnte sehen, wie sich zwischen Nase und Stirn eine kleine Falte bildete. »Eigentlich kommt mir dieser Einbruch ganz merkwürdig vor«, sagte er unvermittelt und konnte ein Gähnen einfach nicht mehr verhindern. »Ich kann keine Verbindung zum Mord sehen. Ich begreife nicht, warum jemand erst bei

Software Partners einbricht und dann bei Reidun. Und ich kapiere verdammt noch mal nicht, wieso sie deshalb sterben musste.«

»Sie ist nicht bei dem Einbruch gestorben«, erwiderte der Kriminalhauptkommissar zerstreut, die Gedanken hinter einem Schleier aus Trägheit verborgen.

Es wurde still. Die Kaffeemaschine hustete und spuckte. Gunnarstranda stand auf, hob ungeduldig den Deckel, starrte in die braune Flüssigkeit, die noch nicht durch den Filter gesickert war.

Der kann garantiert nicht warten, dachte Frølich. Und richtig. Gunnarstranda brauchte umgehend eine Tasse. Er fluchte laut, als der Kaffee überschwappte und ihm die Finger verbrannte. Er wischte sich kurz die Hand am Mantel ab und nahm einen Schluck Kaffee. Setzte sich. Blies in den Kaffee und trank noch einmal. Sein kleiner Kopf verschwand fast hinter dem Becher. Nur sein kahler Schädel mit den dünnen Haarsträhnen und den verknorpelten Ohren ragte darüber hinweg.

Er blickte auf, jetzt mit klarem Blick. Stellte die Tasse geräuschvoll auf den Tisch. »Nehmen wir uns eins nach dem anderen vor«, schlug er vor. »Niemand ist in der Mordnacht durch ihr Fenster eingestiegen. Das steht fest. Und Sigurd Klavestad war bereit zu schwören, dass er gehört hatte, wie sie ihre Tür abschloss, als er ging. Aber Mia Bjerke fand die Tür später offen vor. Die Tür hat kein Schnappschloss. Sie muss von außen mit dem Schlüssel oder von innen mit dem Drehriegel geschlossen werden. Also, wie ist dieser Dieb in der Mordnacht in ihre Wohnung gekommen?«

»Sie hat ihn reingelassen.«

»Oder er hatte einen Schlüssel.«

Franken protestierte. »Reidun hätte doch niemals ihren Schlüssel verliehen.«

»Nicht?«, fragte der andere mit gerunzelter Stirn. »Warum denn nicht?«

»Das weiß ich einfach.«

Frølich beugte sich vor. »Sie ist nicht der Typ dafür«, argumentierte er ruhig. »Ich sehe eine Frau vor mir, die Abstand zu den Leuten hält, eine Frau, die macht, was sie will. Vor allem war es ihr wichtig, Kontrolle zu haben. Sich ihre Zeit selber einzuteilen.«

Er setzte sich wieder auf. »Wir haben ja gerade gesehen, dass der Mörder einbrechen musste. Warum sollte er denn heute keinen Schlüssel gehabt haben, wohl aber in der Mordnacht?«

Gunnarstranda nickte langsam.

»Niemand hatte in der Mordnacht einen Schlüssel«, erklärte Franken energisch.

Gunnarstrandas Augen blitzten auf. »Nehmen wir an, du hast Recht«, sagte er eifrig. »Niemand hatte einen Schlüssel und konnte sie überraschen. Wir wissen, dass sie hinter Sigurd Klavestad abgeschlossen hat. Sie hatten nur wenige Stunden geschlafen, als Sigurd sie verlassen hat. Sie ging ans Fenster und hat die Vorhänge vorgezogen, das hat Johansen gesehen.

Danach ist sie wieder ins Bett gegangen. Sigurd hat Kristin Sommerstedt erzählt, dass ihr Telefon geklingelt hat, als er gerade gehen wollte. Es war ein anonymer Anruf. Niemand hat sich zu erkennen gegeben. Angenommen, das war der Mörder.«

Gunnarstranda legte eine Pause ein, stand auf und blickte auf die Stadt, die langsam den grauen Farbton der Dämmerung annahm.

»Sigurd Klavestad konnte zuerst den Hof nicht verlassen«, fuhr er fort. »Der Junge brauchte Zeit, um rauszuklettern, das hat Johansen bestätigt. Reidun Rosendal ist zurück ins Bett gegangen und ist vielleicht eingeschlafen. Wir wissen jedenfalls, dass einige Zeit vergangen ist. Johansen meint, eine Viertelstunde. Sigurd hat behauptet, höchstens zehn Minuten.«

Frølich schaute automatisch auf die Uhr. Halb sechs. Er dachte an Eva-Britt, die zu Hause im Bett lag. Wenn er endlich hier fertig war, würde sie sicher schon nach Hause zu Julie gegangen sein und war vermutlich stocksauer auf ihn. Also musste er sie später anrufen und einen Vormittagsspaziergang oder irgendetwas verabreden, um sie zu besänftigen.

»Schließlich konnte Sigurd über diesen verdammten Zaun auf die Straße klettern«, erklang vom Fenster her Gunnarstrandas Stimme.

»Mm.«

Gunnarstranda nickte und sah wieder seinen Kollegen an. »Ich glaube, der Alte hat den Mörder auch gesehen«, folgerte er. »Johansen wollte ja auch nicht zugeben, dass er die Leute gesehen hatte, die mit dem Taxi gekommen sind, als Sigurd Klavestad im Hof war. Die beiden Hippies, die aufgeschlossen hatten. Deshalb hat er so verdammt herablassend reagiert, als wir da waren. Er hat uns an der Nase rumgeführt, weil er wusste, was wir wissen wollten, und nicht damit rausgerückt ist. Er war sicher sehr zufrieden mit sich selber. Weil er Klavestad gefolgt war, wusste er, wer Klavestad war und wo er wohnte.«

Gunnarstranda lächelte kalt. »Diese Information hat er gegen einen Haufen Tausender eingetauscht. Er hatte den Mörder gesehen und wusste, wer er war. Du hast ja selber gesehen, wie er sich aufgeregt hat, als er von dem Mord an Sigurd Klavestad gehört hat. Wenn Johansen dem Mörder Klavestads Namen und Adresse verkauft hat, dann ist es ja kein Wunder, dass er zu viel gekriegt hat, als wir ihm auf die Pelle gerückt sind.«

»Hm«, sagte Franken nachdenklich. »Wie hat Johansen denn nach dem Mord den Mörder gefunden?«

Gunnarstranda zuckte mit den Schultern. War plötzlich unsicher. »Schwer zu sagen«, meinte er und schüttelte die Unsicherheit ab. »Wir wissen, dass er Reidun schon über ein Jahr bespannt hatte. Er muss fast alle gesehen haben, die in diesem Jahr bei ihr zu Besuch waren. Darin liegt eine Möglichkeit. Er hat den Mörder ganz einfach wiedererkannt und wusste, wer er war.«

Frølich gefiel es nicht, dass Gunnarstranda unsicher war. »Dünnes Eis«, behauptete er. »Es muss noch eine bessere Erklärung geben.«

»Kann schon sein. Aber wir bleiben erst mal dabei.«

Der Kriminalhauptkommissar drehte sich wieder zum Fenster. »Wir wissen, dass Sigurd Klavestad dem Mörder vor dem Tor begegnet ist. Deshalb liegt der Junge jetzt auf Schwenkes Tisch. Er ist diesem Menschen begegnet, der Reidun umgebracht hat.«

Frank Frølich schloss die Augen. Öffnete sie wieder und griff zur Tasche auf dem Tisch. Er nahm die Tüte mit den Tausendern heraus. Hielt sie ins Licht und ließ sie vor seinem Gesicht hin und her baumeln.

»Hätte der alte Dussel denn so was Dummes versucht?«

Gunnarstranda sah ihn an. »Hast du einen besseren Vorschlag?«

Franken räusperte sich. »Der Jogger. Dieser aufgeblasene Kerl im Stockwerk drüber. Wir könnten uns den noch mal vornehmen und feststellen, ob er wirklich so wenig gesehen hat, wie er behauptet.«

Gunnarstranda rümpfte die Nase. »Bjerke«, murmelte er nachdenklich und nickte. »Dafür, dass er gejoggt ist, hat er jedenfalls ungewöhnlich wenig gesehen.«

Er lächelte schwach. »Es wird spannend sein zu hören, was er zu dem Einbruch heute Nacht zu sagen hat.« Das Lächeln wuchs zu einem breiten Grinsen. »Gute Idee, Frølich.«

Er griff zum Telefon. »Sollten vielleicht zwei von unseren Jungs einen kleinen Ausflug zu Bjerke machen und ihm seinen Morgenlauf verderben?« Gunnarstranda nahm den Hörer ab und sprach die nötigen Anweisungen ins Telefon. Er ließ sich mit der Kaffeetasse in der Hand im Sessel zurücksinken. »So viel dazu«, verkündete er leise. Hob die Tasse an den Mund, setzte sie aber rasch wieder ab. Sein Mund verzog sich nach der Begegnung mit dem kalten Kaffee. Er steckte sich lieber eine Zigarette an und blies eine blaue Rauchwolke ins Zimmer.

An diesen Geruch werde ich mich den Rest meines Lebens erinnern, dachte Franken und schloss die Augen. Zigaretten, Kaffee und das Aqua Velva Rasierwasser des Chefs. Der Geruch von Nacht in diesem Raum.

»Hier ist ja noch einiges unklar«, fuhr Gunnarstranda fort. »Die Person, die Klavestad getroffen und Johansen beobachtet hat, kam in den Hof. Das Tor stand offen. Die Freaks aus dem obersten Stock mit der halb toten Cannabispflanze auf der Fensterbank hatten aufgeschlossen. Der Mörder ging die Treppe hoch und klingelte bei Reidun.« Gunnarstranda legte eine Pause ein. Frølich holte Luft und fuhr an seiner Stelle fort:

»Reidun dachte, Sigurd sei zurückgekommen.«

»Wahrscheinlich«, Gunnarstranda nickte. »Sie stand auf, ging an die Tür ...«

Er verstummte.

Beide schwiegen. Frølich stand auf, ging mit der Kanne ans Waschbecken und ließ neues Kaffeewasser einlaufen. Gunnarstranda stützte die Ellbogen auf den Tisch. Er starrte vor sich hin und paffte an seiner Zigarette, ohne sie aus dem Mund zu nehmen.

Zum zweiten Mal lauschten sie dem Blubbern der Kaffeemaschine. »Von hier ab müssen wir verdammt vorsichtig sein«, murmelte Gunnarstranda.

»Wir wissen, dass das Messer aus der Wohnung stammte«, erklärte Frølich.

Gunnarstranda nickte.

»Der Mörder hatte also keine Waffe bei sich.«

Gunnarstranda nickte langsam. »Das ist wichtig«, sagte er. »Keine Waffe.«

Er drückte seine Zigarette aus, ballte beide Hände zu Fäusten und stützte seinen Kopf darauf. »Sie hat die Tür einen Spaltbreit geöffnet«, sagte er leise. »Weil sie nichts anhatte. Sie dachte, Sigurd käme zurück, aber jemand anderes stand vor ihr.«

»Den sie kannte«, sagte Frank Frølich. »Und er war unbewaffnet.«

»Ja.« Gunnarstranda nickte. »Sie kannte ihn. Der Mord war nicht geplant. Er wurde im Affekt begangen. Der Mörder ist explodiert. Aber wie gut kannte sie ihn? Angenommen, du hättest dort gestanden, was dann?«

»Dann hätte sie gefragt, was zum Teufel ich hier wollte.«

»Und dann hättest du gesagt, du wolltest mit ihr reden.«

»Dann sprich, hätte sie gesagt.«

»Lass mich rein, hättest du gesagt.«

»Und sie hätte mir gesagt, ich sollte mich verpissen. Aber wenn ich sie gekannt hätte, hätte sie mir wahrscheinlich die Tür vor der Nase zugeschlagen und mich im Flur warten lassen, während sie sich etwas anzog.«

»Das hätte passieren können«, erklärte Gunnarstranda und drückte seine Zigarette aus. Er senkte den Kopf. »So hätte es geschehen sein können«, wiederholte er leise. »Nur hat sie einen offenen lockeren Bademantel ohne Gürtel angezogen, sonst nichts.«

Frølich stemmte einen Fuß gegen die Schreibtischkante. »Es hätte so sein können, bis zu dem Moment, wo sie die Tür schließen wollte. Aber der, der dort stand, hat sie daran gehindert. Er hat die Tür aufgestoßen und ist in die Wohnung gekommen, ehe sie reagieren konnte.«

»Aber das geht immer noch nicht auf, verdammt noch mal!«

Gunnarstranda stand auf, nahm die Kaffeetasse, kippte die kalte Brühe ins Waschbecken und füllte die Tasse mit frisch aufgebrühtem Kaffee. »Wenn der Betreffende sich mit Gewalt Zutritt verschafft hat«, überlegte er, »muss einige Zeit vergangen sein, ehe der Mord geschah! Sie hat sich doch noch den Bademantel angezogen. Und der Täter musste erst das Messer finden, die Mordwaffe. Da er unbewaffnet gekommen war, muss er so in Rage geraten sein, dass er im Affekt zum Messer gegriffen und sie umgebracht hat. Auch das braucht seine Zeit. Und außerdem hat er auch noch ihre Wohnung durchwühlt. Auch das dauert. Und in der ganzen Zeit haben die Nachbarn allesamt auch nicht den kleinsten Mucks gehört! Das Ganze stinkt doch total zum Himmel!«

Er donnerte mit der Faust auf den Tisch und rieb sich danach die Handkante. Er hatte zu hart zugeschlagen.

»Schön«, sagte Franken diplomatisch. »Lassen wir das. Wir machen an einer anderen Stelle weiter. Wir nehmen an, dass Sigurd Klavestad vor dem Haus dem Mörder begegnet ist. Er musste sterben, weil er ihn dort gesehen hatte. Aber warum zum Henker hatte der Mörder überhaupt Angst vor ihm?«

»Weil Sigurd ihn noch ein zweites Mal gesehen hat.«

»Wo?«

»Bei Software Partners, wo er nach jemandem suchte, mit dem er seine Trauer teilen konnte, und Kristin Sommerstedt fand.«

Frølich stieß einen Pfiff aus. »Wenn Sigurd umgebracht wurde, weil er draußen bei Software Partners den Mörder erkannt hatte, dann gehört der Mörder zum Kreis um den Betrieb.

Soviel wir wissen, hatte Reidun dort zu den meisten ein enges Verhältnis. Dass jemand von denen vor der Tür stand, hat sie dann bestimmt nicht besonders beunruhigt.«

Gunnarstranda nickte und seufzte.

Frølich lächelte schwach. »Wir wissen also, dass der Mörder mit Software Partners zu tun hat.« Er lächelte und konnte auch das aufsteigende Lachen nicht unterdrücken. »Warum zum Henker musste er dann aber da draußen einen Einbruch begehen, bei Software Partners?«

»Ja«, brüllte Gunnarstranda. »Natürlich!«

Er sprang auf. Seine Lippen bebten, und er fuhr sich hastig und nervös über den Schädel. »So muss es gewesen sein«, flüsterte er aufgeregt.

Frølich kam nicht mehr mit. »Was muss?«, rief er ungeduldig.

»Du hast Recht!«

Gunnarstranda flüsterte noch immer. »Der Dieb arbeitet nicht da draußen. Nur der Mörder.«

Frank Frølich begriff nicht.

»Streng deinen Grips an, Frølich!«

Gunnarstranda setzte sich und hätte mit der Zigarette fast den Mund verfehlt. Aber als er das Feuerzeug hob, waren seine Hände ruhig, und seine Augen leuchteten kalt und triumphierend über den Tisch. »Es waren natürlich zwei verschiedene Personen!«

Er grinste mit schlecht verhohlener Selbstzufriedenheit. Zündete sich die Zigarette an, lehnte sich im Sessel zurück und dozierte:

»Der Dieb ist vor vierzehn Tagen bei Software Partners eingebrochen. Aber das Gesuchte hat er nicht gefunden. Eines Samstags, zwei Wochen später, lernt Reidun im Scarlet einen Mann kennen. In einem Lokal, wo diese Computerleute ein und aus gehen. Sie geht mit Sigurd in ihre Wohnung. Sie schlafen miteinander. Er steht in aller Herrgottsfrühe auf. Danach kommt der Mörder. Redet mit Reidun. Spricht über etwas, das ungeheuer wichtig für ihn ist. Darauf weist der Zeitpunkt hin. Wer sonntags früh um sechs Besuche macht, muss ziemlich aufgeregt sein. Da Reidun ohne Kleider am Leibe ihren Besucher empfängt, kann sie das nicht besonders interessiert haben. Sie ist müde, wartet nur darauf, dass der Gast sich zum Teufel schert. Am Ende packt der das Messer, das auf dem Tisch liegt, und sticht es ihr vor lauter Wut mehrfach in die Brust. Danach rennt der Mörder weg und vergisst, die Tür hinter sich zuzumachen.« Gunnarstranda stand auf.

»Später kommt der Einbrecher, der schon den Einbruch bei Software Partners auf dem Gewissen hat. Die Tür steht offen, und er kann einfach hineinspazieren. Aus irgendeinem Grund glaubt er, dass das, was er sucht, bei Reidun zu finden ist. Er sieht sie tot auf dem Boden liegen, aber das ist ihm egal. Er fängt zunächst an zu suchen, gerät dann aber in Panik. Inzwischen muss Vormittag sein, aber Mia Bjerke hat noch nicht angefangen, die Treppe zu putzen. Der Dieb schleicht sich davon, ohne etwas gefunden zu haben, aber er konnte auch nicht gründlich genug suchen. Deshalb ist er ziemlich verzweifelt und muss noch einmal hin, um weiter zu suchen. Das hat er heute Nacht gemacht. Die Leiche ist nicht mehr da, und er fühlt sich sicher. Die Lage hat sich beruhigt, und er kann in Ruhe und Frieden einbrechen und ungestört stundenlang suchen.«

»Das geht nicht auf«, unterbrach Frølich ihn mit gepresster Stimme. »Sag mir einen guten Grund, warum dieser Einbrecher genau an dieser Tür genau an diesem Vormittag vorbeikommt, als Reidun tot dahinter liegt!«

»Ich kann dir gleich mehrere liefern.« Gunnarstranda lächelte. »Sie kann zum Beispiel mit ihm verabredet gewesen sein. Oder der Einbrecher hatte etwas mit dem Mörder zu tun. Vielleicht ist er ihm gefolgt. Es gibt mehrere Möglichkeiten. Aber das ist nicht die Hauptsache.«

Er lächelte. »Wir müssen jetzt herausfinden, wonach er gesucht hat. Dann schlagen wir zu!«

Frølich starrte den Kriminalhauptkommissar an. Er hatte dunkle Ringe unter den Augen, und seine dünnen Haarsträhnen lagen ungeordnet über dem Schädel, sein Mantel war zerknüllt und seine Gesichtshaut fahl unter den grauen Bartstoppeln.

Himmel, dachte er, dann schlagen wir zu, was!

Er wandte sich um und sah, dass es Tag geworden war. Der Himmel über den Dächern vom Grønlandsleiret war blau.

41

Frank Frølich fühlte sich etwas besser, war jedoch alles andere als in Bestform, als er später an diesem Tag die Glastür öffnete und das Lokal namens Scarlet betrat. Im halbdunklen Raum war es ganz still. Auf den Tischen streckten die Stühle die Beine in die Luft. Es roch süßlich nach schalem Bier und vielen gerauchten Zigaretten.

Er durchquerte den Saal, ging über die kleine Tanzfläche, auf der Terje Engelsviken vor einigen Stunden seine Selbstkasteiung inszeniert hatte, und trat an den braunen Tresen, hinter dem Mengen an Flüssignahrung aufgereiht waren. Dahinter waren zwei Schwingtüren, die in die Küche führten. Er hörte jemanden rumoren.

»Hallo!«, rief er.

Ein Mann erschien in der Tür und lehnte sich mit fragendem und abweisendem Blick in seinem runden, unrasierten Gesicht gegen die Tür. »Ich suche den Inhaber.«

»Das bin ich.«

»Polizei.«

Frølich zeigte seinen Dienstausweis. Der Mann kam zum Tresen. Besah sich den Ausweis. Sein Gesicht war ernst.

»Worum geht es?«

Der Polizeibeamte nahm einen Stuhl von einem der Tische und setzte sich. »Um einen Gast«, sagte er lässig und musterte den Mann, der aus einem Plastikkorb auf dem Tresen ein Bierglas fischte. Aus einem Hahn ließ er Bier laufen und leerte dabei immer wieder den weißen Schaum aus. Ein normaler Mann. Blaue Strickweste über blauem, einfarbigem Hemd. An die fünfzig. »Wollen Sie ein Glas?«, fragte er und konzentrierte sich auf seine Arbeit.

Frølich zögerte. »Nein, danke.«

Der Mann fischte aus der Brusttasche seines Hemdes eine Packung Zigaretten und eine Streichholzschachtel. Legte alles auf ein Tablett und setzte sich zu dem Polizeibeamten an den Tisch. Er öffnete die Zigarettenschachtel und zündete sich eine Zigarette an, die wie eine Zigarre roch.

»Terje Engelsviken!«

Der Mann nickte. »Den kennen wir«, antwortete er und legte geschäftsmäßig ein Bein über das andere. »Wir nennen ihn nur den ›Kaiser‹. Er gibt gute Trinkgelder«, erklärte er.

»Samstag, der 13. April.«

Der Mann überlegte. »Moment mal.«

Er legte die Zigarette in den Aschenbecher, sprang auf und war verschwunden.

Vier Minuten später erlosch die Zigarette. Noch zwei Minuten später erschien der Mann mit einer Quittung. »Diese hier ist auf den 15. April datiert«, erklärte er und setzte sich. »Das bedeutet, dass Engelsviken an diesem Samstag hier war. Die Quittung ist für eine Glasscheibe, die wir ersetzen lassen mussten.«

Frank Frølich runzelte fragend die Stirn.

»Er hatte die Scheibe eingetreten«, erklärte der Mann mit trockenem Lächeln und zeigte über seine Schultern auf die Glastür. »Teurer Spaß.«

»Wann ist er gekommen?«

»Er kommt immer so gegen elf. Er ist Mitglied hier und kommt sofort herein. Muss nicht anstehen.«

»Und an diesem Samstag?«

Der Mann stützte sein Kinn in die Hand, die eine neue Zigarette hielt, und dachte nach. Er zog noch ein letztes Mal daran und drückte sie dann im Aschenbecher aus. »Ich war erst gegen zwölf hier, ich weiß also nicht, wann er gekommen ist.«

»Aber dann ist er Ihnen aufgefallen?«

Der Mann verdrehte die Augen, sie waren plötzlich ausdruckslos. »Worum geht es denn?«

Frølich gab keine Antwort.

»Engelsviken ist für mich nur ein guter Kunde«, fuhr der Mann fort und leerte sein Glas und schnalzte mit der Zunge. »Nichts Persönliches.«

»Dass Terje Engelsviken an diesem Samstag hier war, hat er uns selber gesagt«, log Frølich und schaute dem anderen in die Augen. »Sehen Sie es mal so: Ihre Aussage bestätigt etwas, das wir schon wissen. Aber mich interessiert vielleicht Ihre Version der Ereignisse.«

Der Mann nickte. »Es war wohl wie immer«, sagte er und zerbrach ein Streichholz im Aschenbecher. Mit der schärferen Hälfte stocherte er sich zwischen den Zähnen herum. »Er hat ein bisschen rumgetobt.«

»Mit wem war er zusammen?«

»Keine Ahnung. Er ist eigentlich überall bekannt. Fühlt sich wohl, kennt Leute. Manchmal kommt er zusammen mit anderen, aber …«

Er fischte etwas aus seinem Mund und betrachtete es. »Ich weiß nicht. Der Kaiser ist kein Kostverächter, um es höflich auszudrücken. Und er hat sicher auch an dem Abend ganz schön gebechert.«

»Mehr als sonst?«

»Kann sein. Ist aber schwer zu sagen.«

»Sagt Ihnen der Name Øyvind Bregård etwas?«

»Nein.«

»Ein Riesenkerl, Bodybuilder, trägt einen Ring im Ohr und hat einen Schnurrbart.«

Der andere nickte und biss auf sein Streichholz. »Ein Herr mit Schnurrbart. Den kennen wir. Engelsvikens Kumpel.«

»Genau. War der am Samstag auch hier?«

Der Mann drehte das Streichholz in seinem Mund hin und her. »Keine Ahnung«, sagte er schließlich. »Ist mir jedenfalls nicht aufgefallen.«

Franken wühlte in seiner Tasche. Reichte dem Mann das Foto von Reidun Rosendal. »Die schon mal gesehen?«

Der Mann musterte das Bild und legte den Kopf schräg. Er versuchte, den braunen Flecken abzuwischen, der das Gesicht ein wenig undeutlich machte.

Schließlich gab er es auf. »Schwer zu sagen«, murmelte er. »Sieht ganz normal aus, oder?«

»Sie war an dem Samstag hier.«

Der Mann schielte abwartend zu Frølich hinüber.

»Sie muss zwischen halb zwölf und halb eins hier weggegangen sein«, sagte der. »Zusammen mit einem Mann. Einem schlanken, gut aussehenden Jungen, um die fünfundzwanzig, vielleicht mit Pferdeschwanz. Passend angezogen. Ich meine, so eine Künstlertype, schwarze Kleider und Nase ganz weit oben.«

Der Mann nickte. »Das könnte stimmen«, murmelte er, legte den Kopf in den Nacken und strich sich über die Bartstoppeln an seinem Hals. »Der Zeitpunkt kann stimmen.«

»Ach?«

»Ich bin gegen zwölf gekommen, da war draußen eine lange Schlange. Kaum jemand ging. Gleich darauf war hier der Bär los. Der Kaiser hat ein bisschen rumgewütet. Ich wollte gerade nachsehen, aber da war schon wieder alles ruhig. Engelsviken saß am Tresen und rief einem langhaarigen Typen etwas hinterher, der mit einer feschen Blondine abzog.«

»Was war das für ein Typ?«

»Ja, so ein hochnäsiger, wie Sie ihn beschrieben haben. Lange schwarze Haare.«

»Pferdeschwanz?«

»Nein.«

»Engelsviken hat bloß rumgebrüllt? War das alles?«

»Ja. Der Typ hat ihm den Stinkefinger gezeigt und ist mit der Frau abgezogen.«

»Kann sie das gewesen sein?«

Der Mann musterte wieder das Bild. »Möglich. Ich hab fast nur ihren Hintern gesehen. Aber der könnte zu ihr passen, ja.«

»War sie groß?«

»Ja, lange Beine, schwarze enge Klamotten, Minirock.«

»Wie groß?«

»Um die einsfünfundsiebzig.«

»Was hatte sie für Haare?«

»Blonde.«

»Ich meine, Dauerwellen oder was?«

Der Mann sah sich das Bild von Reidun mit den Dauerwellen an.

»Nein«, sagte er dann. »Sie hatte glatte blonde Haare. Eine gerade scharfe Kante über den Ohren.«

Reidun! Franken räusperte sich. »Sind Sie sicher?«

»Aber klar, deshalb weiß ich das doch noch. Die Frau war toll, scharf. Die kurzen Haare und die Figur!«

»Was hat Engelsviken gerufen?«

»Keine Ahnung. Er war jedenfalls sauer auf die beiden.«

»Und dann?«

»Nichts, dann war alles wieder friedlich. Irgendwer hat sich auf Engelsviken gestürzt, um ihn wieder in Stimmung zu bringen. Die Frau war ja weg.«

»Aber Engelsviken blieb hier?«

»Ja.«

»Und dann?«

Der Mann lächelte schwach und strich sich über den Mund.

»Die Quittung! Engelsviken hat bis halb vier durchgehalten. Als wir dicht gemacht haben, war er eingeschlafen. Wirkte schier bewusstlos. Die Jungs mussten ihn raustragen. Das kommt schon mal vor.«

Der Mann lächelte entschuldigend. »Nicht sehr oft zwar, aber der eine oder andere Gast trinkt halt mal einen über den Durst. Wir stecken sie dann meistens in ein Taxi. Aber das hat diesmal nicht geklappt.«

Er zeigte wieder über die Schulter auf die Tür. »Verstehen Sie, als sie ihn zur Tür rausschleifen wollten, ist er richtig ausgetickt und hat sich zur Wehr gesetzt. Und mit zwei Tritten erledigte er die Scheibe.«

Er seufzte. »Super. Halb vier Uhr nachts und die Tür kaputt.«

»Und dann?«

Der Wirt studierte einen neuen Fang seines Streichholzes. Steckte es wieder in den Mund. »Ich hätte wohl Ihre Kollegen anrufen sollen«, meinte er.

Er biss auf das Streichholz. »Aber ich habe lieber seine Frau angerufen. Sie ist in einem fetten Mercedes angekommen und blätterte viertausend für die Scheibe hin. Vier glatte Tausender, gleich aus dem Portemonnaie, ohne zu mucken.«

»Ich war gestern Abend hier«, sagte Frølich zerstreut.

»Ich hoffe, es war nett.«

»Sicher.« Der Polizeibeamte nickte und riss sich zusammen. »Engelsviken war hier.«

Der andere antwortete nicht gleich. »Ich war jedenfalls nicht hier«, antwortete er gleichgültig und leerte sein Glas.

»Engelsviken stand allein auf der Tanzfläche und hat sich selber ins Gesicht geschlagen«, sagte Frølich vage.

Der Wirt starrte sein leeres Bierglas an.

»Haben Sie so was schon mal bei ihm erlebt?«

»Nie.«

»Warum er sich wohl so oft ins Gesicht geschlagen hat?«, fragte Frølich.

Der andere lächelte schief. »Vielleicht war er auf irgendwen sauer.«

»Dann aber auf sich selber.«

Der Wirt stellte das Glas auf den Tisch und erhob sich.

»Das klingt wahrscheinlich«, sagte er, gab Frølich die Hand und begleitete ihn zur Tür.

Frølich blieb nachdenklich vor der Glastür stehen und sah direkt auf einen roten, rostigen Abfallcontainer. Er dachte an einen langhaarigen Mann, der Engelsviken den Finger gezeigt hatte, kurz vor zwölf an einem Samstagabend. Arvid Johansen hatte Sigurd und Reidun um halb eins die Wohnung betreten sehen. Reidun mit kurzem, glattem Haar, um die einsfünfundsiebzig. Das konnte stimmen.

Er drehte sich um. Der Wirt schenkte sich hinter dem Tresen gerade ein neues Bier ein. Frølich riss sich los und lief zu seinem Auto zurück. Es war Samstag, und er wollte nach Hause und schlafen. Schön unter die warme Decke, ein Asterixheft zum Einschlafen, und dann liegen, liegen und liegen, bis er am Nachmittag von allein wach würde und Lust auf ein Bier hätte. Er hatte diesen Gedanken noch nicht zu Ende gedacht, als er per Funk angerufen wurde.

42

Er fuhr mit dem Auto halb auf den Bürgersteig an der Ecke Markveien. Spazierte zögernd weiter. Eine Menschenmenge hatte sich vor der Foss-Schule versammelt. Aber sie drängelten nicht. Vor allem Jugendliche standen in kleinen Grüppchen zusammen und unterhielten sich. Sie fröstelten im kalten Wind und lachten nervös, wenn sie nicht zur Brücke und zum anderen Ufer hinüberblickten.

Zwei Journalisten nickten ihm zu. Franken erkannte Ivar Bøgerud, einen ehemaligen Kommilitonen, der an einem Baum auf der Böschung lehnte. Bøgerud rauchte eine Selbstgedrehte und sprach mit einer Frau von einer anderen Zeitung. Ivar trug neuerdings einen Mittelscheitel, stellte Frølich fest und nickte zurück. Der Journalist gab sich seltsamerweise keine große Mühe, den Polizeibeamten aufzuhalten. Er hat die Sache langsam im Griff, dachte Frølich, und wartet, bis es aus der Quelle was zu schöpfen gibt.

Er drängte sich vor. War gespannt. Fast wäre er mit Bernt Kampenhaug zusammengestoßen. Dieselbe Sonnenbrille, dasselbe knisternde Funkgerät und ein riesiges Grinsen.

»Diesmal ham wir ja nich gerade einen Edelfisch aus'm Bach geholt, Frølich!« Frank Frølich lächelte höflich und ging weiter auf das Bündel auf dem Weg zu. Ein Stück entfernt lag ein Hund auf dem Boden, ebenfalls leblos. Der Tote war teilweise von einer Plastikplane verdeckt. Ein älterer Mann, das war deutlich. Er trug Winterstiefel, eine braune Hose und einen verschlissenen Mantel. Seine nassen Kleider glänzten im scharfen Licht. Es konnte durchaus Johansen sein. Aber das Gesicht des Mannes war von der Plane verdeckt.

»Sieht er schlimm aus?«, fragte er und zeigte auf den Körper.

»Können wir noch nicht sagen.«

Kampenhaug sah sich mit zusammengekniffenen Augen um. »Irgendwer hatte ihn halbwegs an Land gezogen, und als wir kamen, war hier nur ein Hund.«

Er zeigte mit der Funkantenne auf den toten Hund. Das Tier war erschossen worden. Eine lange rosa Zunge hing wie ein Schlips aus dem halb geöffneten Maul. Eine rote Wunde im Bauch verdarb das blanke Fell. Ein Zivilist mit Steppjacke kniete daneben.

Frølich sah wieder die Leiche am Flussufer an. Zwei schwarze, mit Plastik verstärkte Winterstiefel wiesen gen Himmel.

»Ich dachte, das könnte der Zeuge sein, nach dem wir auf der Suche sind«, murmelte er. »Arvid Johansen, der Rentner.«

»Schon gehört. Ja, ist nicht leicht, das Gesicht zu erkennen!«

Kampenhaug bückte sich und schlug die Plane zurück. Franken wandte sich ab. Der andere grinste. Schlug die Plane wieder zu und erhob sich. »Der Köter hat uns die Ermittlungen erschwert«, kicherte er. Er drehte sich zu dem Zivilisten um und rief mit scharfer Stimme: »Hast du gehört?«

Kampenhaug marschierte die wenigen Meter zu dem Mann und versetzte ihm einen Stoß in den Rücken. »Wenn du dir mal wieder einen Hund kaufst, dann nimmst du ihn an die Leine!«

Der Mann sah ihn an. Ein verschmutztes Gesicht blickte zu ihnen hoch. Brille, träger Blick und schlimme Zähne. Frank Frølich hatte dieses Gesicht schon einmal gesehen. Nur wo genau, wusste er nicht. Der Mann war ziemlich zugedröhnt, seine Augen flackerten. »Scheißbulle!«, grunzte er.

Kampenhaug bückte sich. Seine Sonnenbrille spiegelte das

Junkiegesicht wider. Er lächelte und bewegte die Hand. Der Mann fiel in den Dreck. Blut rann aus seinem Mundwinkel. Frølich schwieg, wandte sich ab und betrachtete Weg und Abhang unterhalb des Flusses. Sie waren keinen Kilometer weit von Arvid Johansens Wohnung entfernt, eher noch weniger. Zehn Minuten zu Fuß. Er blickte wieder auf das Wasser, das sich kaum bewegte, und versuchte, sich vorzustellen, wie hier ein Mensch ins Wasser fiel. Danach sah er sich die Schaulustigen an, um die Frau zu finden, für die Kampenhaug sich hier so aufspielte.

Kampenhaugs Overall krachte, als er sich erhob. Er streckte die Beine aus, um den Stoff richtig zu verteilen, kam dann zu Franken und kratzte sich im Schritt.

»Nimm eine Nummer größer«, riet Frølich. »Du bist zu alt, um den Damen zu imponieren.«

»Wir haben keine größeren.«

Das Funkgerät knisterte, und Kampenhaug bückte sich angeberisch darüber.

Frølich entdeckte sie. Sie hatte rotes Haar, ein müdes Gesicht mit grün geschminkten Augenlidern. Ihre nackten Füße steckten in hochhackigen Schuhen. Spitze Brüste unter einem engen Rollkragenpullover aus Acryl.

Bernt kam näher. »Die gibt Milch«, flüsterte er. »Norwegisches Buntvieh, Frølich.«

Kampenhaugs Zähne glitzerten weiß unter seiner grünen Sonnenbrille. Viele kleine rote Wunden zierten sein Kinn und seinen Hals.

»Du musst mal deine Rasierklinge wechseln«, antwortete Frølich, und als er sah, dass dieser Gedankensprung für den anderen zu kompliziert war, fügte er hinzu: »Frag nach Namen und Adresse. Du kannst ja sagen, wir würden noch kommen, um ihre Aussage aufzunehmen.«

»Da kannst du Gift drauf nehmen«, flüsterte Kampenhaug und rückte sich in purem Eifer die Eier gerade.

Trottel, dachte Frølich und verließ ihn. Er stieg über die Absperrung und schlenderte langsam den Fußweg entlang. Es war unmöglich zu sagen, ob der Tote hier ins Wasser gefallen war. Der Weg schlängelte sich idyllisch dahin. Auf jeden Fall musste er hier in der Nähe ins Wasser gestürzt sein.

Trotz des verstümmelten Gesichts des Mannes war Frølich sich seiner Sache sicher. Es war Johansen. Winterstiefel, Mantel, daran lag es nicht. Er wusste es einfach. Johansen war tot. Wenn die Fingerabdrücke des Toten noch lesbar waren, würde Professor Schwenke sie mit denen im Archiv vergleichen. Wenn das unmöglich war, würden sie andere medizinische Daten überprüfen und die Identität des Toten ermitteln. Aber das war in Wirklichkeit nur eine Formalität. Gunnarstranda würde mitgeteilt werden, dass Arvid Johansen ertrunken war. Im Bericht würde etwas über Kopfverletzungen stehen, die beim Sturz entstanden oder ihm von Außenstehenden zugefügt worden sein konnten.

Er starrte wieder zur Brücke hinunter. Kampenhaug war über die Absperrung geklettert und redete mit der Rothaarigen.

»Hallo, Frølich!«

Ivar Bøgerud. Der Sendbote der Boulevardpresse. Der Typ redete ihn mit Nachnamen an. Das war neu.

Frølich zuckte mit den Schultern. »Du musst schon mit dem Chef sprechen.« Er nickte zu Kampenhaug hinüber. »Ich weiß nichts.«

Bøgerud rauchte. »Informierte Quellen behaupten, die Bullen haben einen alten Mann umgenietet, der seinen Hund Gassi geführt hat.«

»Seit wann überprüfst du eine gute Geschichte?«

»Sonntagszeitung, Frølich. Da wir mit der Kirche konkurrieren, müssen wir harte Fakten auf den Tisch legen.«

Ivar Bøgeruds Blick war gänzlich humorlos. Er hatte ein altes, abgegriffenes Notizbuch aus der Tasche gezogen. »Was haben sie über Funk gemeldet?«

»Alter Mann leblos im Wasser.«

Frølich starrte zu Kampenhaug hinunter, der jetzt die Rothaarige sich selber überließ. Er schwirrte mit dem Funkgerät vor dem Mund und mit aufgekrempelten Overallärmeln herum.

Bøgerud schnippte seine Zigarette weg und notierte.

»Der Mann kann aus Versehen ins Wasser gefallen sein, aber auch ein Verbrechen lässt sich nicht ausschließen.«

Sie spazierten langsam nach oben und umrundeten die Schule.

»Die Polizei möchte natürlich Kontakt zu allen aufnehmen, die in den letzten Tagen hier am Fluss etwas Ungewöhnliches gehört oder gesehen haben.«

»Und der Schuss?«

Bøgerud machte sich jetzt keine Notizen mehr. »Gerüchte wie bei jedem Einsatz.«

»Da liegt aber ein toter Hund, Frølich.«

»Die Geschichte fällt unter die ethischen Regeln der Presse. Du weißt schon.«

»Ist der Hund von der Polizei erschossen worden?«

»Frag Kampenhaug.«

Bøgerud nickte. »Informierte Kreise behaupten, ein möglicher Verdächtiger sei festgenommen worden.«

Franken dachte kurz nach. »Wir haben Kontakt zu einem Hundebesitzer, der sich beim Toten aufgehalten hat, als dieser gefunden wurde. Der Mann wird wie jeder andere Zeuge vernommen werden.«

»Werden Zeugen öfter bei der Vernehmung von der Polizei bewusstlos geschlagen?«

Frølich seufzte und wandte sich seinem Wagen zu.

»Wir haben alles gesehen, Frølich!«

Frank Frølich öffnete die Autotür.

»Hat sich die Polizei zu irgendeinem Zeitpunkt durch den Hund oder seinen Besitzer bedroht gefühlt?«

Müde drehte der Polizeibeamte sich zu dem Journalisten um. »Ivar«, sagte er erschöpft. Überlegte es sich anders. »Bøgerud! Das ist nicht meine Sache. Ich weiß nichts über dieses Vieh, ob es nun wirklich erschossen worden ist und von wem. Der Hund ist tot. Ein alter Mann wurde aus dem Fluss gefischt, mehr weiß ich nicht. Sprich mit Kampenhaug. Der hat hier das Kommando, und er weiß, was passiert ist. Klar?«

»Du hast zwei Meter von dem Polizisten entfernt gestanden, der den Hundebesitzer angegriffen hat. Hast du dazu etwas zu sagen?«

Frølich blickte Ivar in die Augen. Ein Blick, der nicht nachgeben wollte. Lippen, die sich aggressiv anspannten. Ob ich wohl selber auch so bin, fragte er sich, holte resigniert Atem und stieg ins Auto. Er knallte dem Journalisten die Tür vor der Nase zu.

Frølich drehte den Zündschlüssel und warf einen kurzen Blick auf Bøgerud, der eine Kamera in der Hand hielt. Himmel, dachte er verzweifelt. Wurde voll vom Blitz getroffen. Was für ein Scheißtag! Was für ein verdammter Scheißtag!

43

Es war früh am Sonntagnachmittag. Die Gewerbehöfe von Tøyen und Enerhaugen lagen verlassen da. Jetzt, ohne Menschen, Maschinenlärm und den Klang von Metall auf Metall, wirkte die Gegend restlos öde. Wie eine Filmkulisse nach Ende der Dreharbeiten, dachte Franken.

Sie gingen Arm in Arm durch die Jens Bjelkes Gate. Eva-Britt, die einfach nicht darüber hinwegkam, dass Frølich als Polizeibeamter geendet war, wiederholte in einem fort, wie seltsam das doch sei. Jetzt konnte sie dieses Thema wieder zur Sprache bringen. Sie waren den Weg zwischen Beierbrua und Foss, wo der alte Mann aus dem Wasser gezogen worden war, schon zweimal auf und ab gegangen. Eva-Britt hing an Frank Frølichs Arm, machte lange Schritte und wackelte bei jedem davon mit den Hüften. »Das Letzte, was ich von dir erwartet hätte, ist, dass du Polizist geworden bist«, verkündete sie ein weiteres Mal.

Sie waren auf dem Weg zu Eva-Britts Wohnung. Eine Frau aus ihrer Wohngemeinschaft kümmerte sich um Julie, während deren Mama einen Sonntagsspaziergang machte und nach Schleifspuren an der Uferböschung Ausschau hielt.

Er nickte zerstreut. In Gedanken war er noch immer bei dem Spaziergang, der hinter ihnen lag. Der Weg, zwischen den beiden Wasserfällen, wo der Alte hineingestürzt sein konnte. Bisher konnte niemand Johansens Tod erklären. Auch sie konnten das nicht, jetzt nach ihrem Spaziergang. »Das hätte ich nie von dir erwartet«, wiederholte Eva-Britt noch einmal nachdenklich.

»Warum nicht«, fragte er, um nicht zu abwesend zu wirken.

»Weiß nicht. Du bist nicht der Typ.« Sie lächelte. »Ich kann mir irgendwie nicht vorstellen, wie du Leute zusammenschlägst.«

Er seufzte.

Sie verdrehte die Augen, als sie das hörte. »Jetzt erzähl mir bloß nicht, dass die Bullen keine Leute zusammenschlagen.«

Frølich grunzte missmutig und hob die Arme. »Der Job ist okay. Es ist ein Job wie jeder andere. Man möchte gern gründlich sein, Ergebnisse sehen. Und dazu habe ich die allerbesten Möglichkeiten. Den Mörder finden und so.«

Er schwieg und merkte, dass sie ihn verstohlen musterte. »Das Problem ist die viele schlecht bezahlte Nachtarbeit«, fügte er hinzu. »Der einzige Unterschied zu anderen Jobs ist wohl das Risiko, etwas falsch zu machen, ein Fiasko anzurichten. Das ist überwältigend. Die ganze Zeit.«

»Denkst du an das tote Mädchen?«

Sie hatten jetzt eine stärker befahrene Straße erreicht, die sie überqueren mussten. Deshalb warteten sie auf eine Verkehrslücke, dann rannten sie hinüber.

»Man begegnet der Welt auf andere Weise«, rief er im Autolärm und zog sie mit sich. »Es ist schwer zu begreifen, dass man noch auf derselben Welt lebt wie früher, als man noch nicht bei der Polizei war. Der Irrsinn der Leute stürzt von allen Seiten auf dich ein. Dass jemand einfach so verrückt ist, dass er zu einer Frau geht und mit einem verdammten Brotmesser loslegt! Stell dir das vor! Mit einem Brotmesser! Und die Frau geht zu Boden und stirbt!«

Er verstummte. Trat beiseite und ließ einen Mann im Ledermantel vorbei, der bergauf eilte. Frølich fuhr fort: »Wenn man bei so was aufräumen will, muss man ganz darin aufgehen.«

Er blieb stehen. »Wie Gunnarstranda vorgestern Nacht.«

Sie gingen weiter. »Ich begreif das nicht«, fügte er hinzu. Er dachte an Gunnarstranda mit der Kaffeetasse zwischen den Händen, an sein erregtes Gesicht mit den scharfen Augen. Daran, wie sein Mundwerk gegangen war, ohne Rücksicht auf die Rahmenbedingungen, vage Indizien, Vermutungen und einen verkaterten Kollegen.

»Der Mann ist immer gleich gut in Form, ob es nun Tag ist oder Nacht! Nimm diesen Fall. Wir haben die ganze Zeit gedacht, dass jemand sich Zugang zur Wohnung dieser Frau verschafft, dort alles durchwühlt hat, von ihr überrascht wurde, sie erstach und abgehauen ist. Gunnarstranda stellt dagegen fest, dass zwei Personen im Spiel gewesen sein müssen. Zwei Täter, die vielleicht nicht einmal voneinander gewusst haben. Erst bekommt die Frau Besuch von jemandem, der sie umbringt und abhaut. Dann kommt eine weitere Person und durchsucht die Wohnung. Der muss auch früher schon in ihrer Firma eingebrochen haben. Er steigt über die Leiche, durchsucht die ganze Wohnung, findet aber vermutlich nicht, was er sucht. Deshalb macht er noch einen Einbruch, und zwar vorgestern Nacht, um gründlicher zu suchen.«

»Warum glaubt ihr, dass der Einbrecher in ihrer Firma derselbe war wie der in ihrer Wohnung?«

»Genau wissen wir das nicht. Wir glauben es, haben aber keine Möglichkeit, das zu überprüfen.«

»Aber wenn ihr euch irrt?«

»Das ist es ja gerade. Dann bricht alles zusammen. Das Risiko, danebenzuliegen, ist groß.«

Schweigend gingen sie weiter.

Sie blieb stehen, lachte laut und zeigte die Lücke zwischen ihren Vorderzähnen.

»Was ist los?«

»Ich musste bloß daran denken, wie du dir früher auf allen Festen mit Dikke einen Kasten Bier geteilt hast. Ihr habt immer auf dem Sofa gesessen, euch voll laufen lassen und Pink Floyd toll gefunden und …«

Sie dachte nach, runzelte die Stirn. »Und …«

Frank Frølich schielte zu ihr hinüber. »Van der Graaf Generator.«

»Was für ein Name! Außer dir hätte niemand so eine Band toll finden können.«

»Van der Graaf waren super! Supergeil!«

»Sicher. Es ist nur so ein komischer Gedanke, dass du zur Polizei gegangen bist. Was ist übrigens aus Dikke geworden?«

»Der sitzt.«

Sie wurde ernst. »Weswegen denn?«

»Drogen.«

Er und Dikke hatten sich aus den Augen verloren. Schrittweise, langsam, aber sicher. Sie waren sich in zwei Jahren nur einmal begegnet. An einem Sommerabend. Die Luft in der Stadt war heiß gewesen, die Straßencafés voll. Überall waren die schönsten Frauen unterwegs, Taxis fuhren mit offenem Schiebedach, und wüste Musik tönte durch die Straßen. Überall Menschenmengen. Dikke allein in einer Ecke auf dem Jernbanetorg. Neben ihm ein Ghettoblaster. Nervöse Kopfbewegungen, unruhige Füße und Hände, die dauernd über den Körper hasteten, ohne je zur Ruhe zu kommen. »Es macht mich so nervös, an derselben Stelle zu stehen«, hatte er gesagt und dabei einen Punkt am Himmel fixiert.

Jetzt saß er die ganze Zeit an derselben Stelle, eingesperrt in eine Gefängniszelle, falls sie ihn nicht mit Lederriemen festgebunden hatten. Er bemerkte ihr Schweigen und räusperte sich. »Ich war wohl nicht gerade der Traum deiner schlaflosen Nächte?«

Sie gab keine Antwort.

»Am besten erinnere ich mich an die Nacht auf der Fähre

nach Dänemark.« Er lachte und spürte, wie sich ihr Griff um seinen Arm verstärkte.

»Weißt du, warum ich mich in dich verliebt habe«, fragte sie und zeigte ihm wieder ein Lächeln. »Du hattest Wollsocken.«

»Oh?«

»Eine Latte und graue Wollsocken.«

Sie lächelte. »Außer den grauen Wollsocken, die dir schon fast von den Füßen gerutscht waren, hattest du nichts an. Du bist in der Kajüte rumsprungen und hast einen Pariser gesucht, und dabei hast du alles Mögliche umgeschmissen.«

Er grinste und blieb stehen. Sie waren gerade an Gunders Garage vorbeigekommen. Er zeigte zu den Fenstern hoch, hinter denen Anwalt Brick hauste. »Der Anwalt da oben«, sagte er, »ist übrigens in dieses Rätsel verwickelt, mit dem wir uns abmühen.« Sie blickten zu den Fensterscheiben hoch, wo der Name Brick in großen Buchstaben zu lesen war.

»Gunnarstranda hat herausgefunden, dass der Typ hier seine Kanzlei hat.«

»Verdächtigt ihr ihn?«

»Das nicht. Aber er ist Geschäftsführer in der Firma, wo das Mädchen gearbeitet hat. Software Partners. Und vermutlich ist er ein Schwindler«, fügte er hinzu.

Sie lehnte sich an ihn. »Der Anwalt hat Sonntagsdienst«, sagte sie.

»Hm?«

»Ja, da oben sind garantiert Leute. Schau mal! Da brennt doch Licht.«

Sie konnten es beide sehen. Hinter dem Fenster war Licht. Sie schmiegte sich an ihn, bohrte ihr Kinn in seine Brust und streichelte seine Wange mit ihrem behandschuhten Finger.

»Wenn du ein echter Bulle wärst«, flüsterte sie, »dann würdest du jetzt da raufgehen.«

Er grinste trocken. »Und du? Die Lady wartet auf der Straße, während Dirty Harry sich die Jacke stramm zieht und loslegt?«

Ihre Hand stahl sich unter sein Hemd. Das machte ihn ein wenig nervös. Ihr Blick zeigte, dass ihr alles zuzutrauen war.

»Ich weiß was Netteres, was wir machen könnten«, flüsterte sie.

»Ein bisschen vögeln?«

Er zwinkerte ihr zu. »Bei dir zu Hause, unter Anfeuerung aus dem Gemeinschaftszimmer?«

»Wenn wir zu dir gehen, müssen wir die Kleine mitnehmen.«

Frølich versetzte dem Reifen eines fetten BMWs am Straßenrand einen Tritt. »Macht doch nichts«, sagte er. »Bestimmt gehört die Karre hier dem Anwalt. Teuer genug ist sie.«

In diesem Moment kam ein Mann mit schnellem Schritt aus dem Tor und eilte auf das Auto zu.

»Der Anwalt ist aber noch jung«, flüsterte Eva-Britt.

Sie mussten dem Mann Platz machen. Er blieb stehen und schaltete die Alarmanlage aus. Gleich darauf ertönte ein kurzes, leises Piepsen: Der Mann öffnete den Kofferraum und warf eine rote Aktentasche hinein. Plötzlich lief eine beleibte ältere Frau aus dem Tor. Sie schwenkte ein Papier, und ihr Gesicht war rot vor Aufregung. In Strickjacke und Pantoffeln rannte sie auf das Auto zu.

»Bjerke!«, rief sie. »Joachim Bjerke!«

44

Gunnarstranda spürte, wie ihm der Kaffee die Kehle hinunterlief und einen dünnen, ungesunden Film hinterließ, der sich wie Leim anfühlte. Es wurde langsam spät. Er sollte zusehen, dass er nach Hause kam.

Er hatte den ganzen Sonntag mit zweckloser Drecksarbeit verbracht. Jetzt war Abend. Und morgen Montag. Langsam müsste sich etwas tun. Der Gedanke, sich nach Hause zu seinem Fernseher zu begeben, war ihm zuwider. Er könnte ein Buch lesen, aber er wusste, dass es ihm schwerfallen würde, sich zu konzentrieren. In seinem Kopf drehten sich die einzelnen Bruchstücke des Falles. Bruchstücke, die sich einfach nicht richtig zusammenfügen wollten. Etwas fehlte, etwas Wesentliches. Sein Gehirn arbeitete auf Hochtouren, bewegte die Teile hin und her, um ein stimmiges Bild zu bekommen.

Vor ihm auf dem Tisch lagen eine aufgeschlagene Zeitung und Sigurd Klavestads Obduktionsbericht. Viele lateinische Ausdrücke von Rigor mortis und anderem Medizinerjargon. Gunnarstranda erfuhr, dass Klavestad einmal Gelbsucht gehabt hatte. Außerdem hatte seine letzte Mahlzeit aus Milch, Brot und – ausgerechnet – Rotwein bestanden. Ein scharfer Gegenstand hatte seine Halsschlagader durchtrennt und das Rückenmark verletzt. Sein Körper wies auch Blutergüsse auf, die vermutlich von seinem Sturz auf der engen Treppe herstammten. Klavestad war irgendwann zwischen drei und vier Uhr nachts ermordet worden.

Gunnarstranda schaute noch einmal auf die Uhr, steckte sich eine neue Zigarette an und biss sich auf den Daumennagel.

Danach warf er einen Blick auf die Zeitung, die beim Fernsehprogramm aufgeschlagen war. Er hätte in den Hoffsjef Løvenskiolds Vei fahren und sich Engelsviken vornehmen können oder vielleicht auch die Haushaltshilfe, hätte beiden die Kunst des Blusenknöpfens erläutern und abwarten können, was passierte. Aber der Gedanke an eine so späte Autofahrt missfiel ihm.

Das Telefon klingelte.

»Gunnarstranda.«

»Ich bin's«, sagte Frølich hicksend. Im Hintergrund kicherte jemand. Das Kichern erinnerte ihn daran, wie müde er war. »Was ist los?«, fragte er erschöpft.

»Ich habe einen Spaziergang gemacht.«

Frølich hatte Schluckauf. »Vor zwei Stunden, an den Ufern des Akerselv.«

Neues Hicksen.

Gunnarstranda runzelte leicht die Stirn. Er hörte Frølich etwas flüstern, wahrscheinlich bat er die Frau, ihn allein zu lassen.

»Ich habe mich nach Rutschspuren umgesehen, die Johansen bei seinem Sturz vielleicht hinterlassen hat.«

»Ja.«

»Hab nichts gefunden!«

Verdammt! Und deshalb rief er an?

»Danach sind wir zu Eva-Britt gegangen, zu der, mit der ich im Scarlet war, weißt du, sie wohnt in einer Wohngemeinschaft unter anderem zusammen mit Gunder, der deine Karre repariert hat.«

»Komm zur Sache, ich hab schon schlechte Laune!«

»Sie wohnen in diesem Haus gleich neben Gunders Werkstatt, ungefähr da, wo du die Kanzlei von diesem Anwalt Brick entdeckt hast.«

»Zur Sache!«

»Aus dem Haus kam ein Mann. Und hinter ihm rannte eine Sekretärin hinterher. Und sie rief ihn. Sie rief: Joachim Bjerke!«

Gunnarstrandas Gehirn arbeitete.

»Bist du noch da?«

»Erzähl weiter!«

»Die Frau wollte dem Mann ein Stück Papier geben, aber er wollte es nicht haben. Er ist einfach in seinen fetten BMW gesprungen und losgebrettert. Kann das der Bjerke sein, mit dem du schon zu tun gehabt hast?«

»Beschreib ihn.«

»Um die fünfunddreißig. Ungefähr einsachtzig. Schlank. Machte einen ziemlich eingebildeten Eindruck. Er hat eine gerade Nase und einen scharfen Blick. Er trägt die Haare vorne lang und hinten gestuft. Hatte einen maßgeschneiderten blauen Wintermantel an. Fährt einen blauen BMW.«

»Das ist er.« Gunnarstranda musste sich räuspern, damit seine Stimme trug. Eine tiefe Furche teilte seine Stirn.

»Ich wollte bloß Bescheid sagen.«

»Gut, Frølich! Du hast ja keine Ahnung, wie verdammt gut das ist. Wo steckst du jetzt?«

»Zu Hause.«

»Alles klar. Ich ruf dich an, falls ich irgendwas herausfinde.«

Er legte auf und starrte einige Sekunden lang vor sich hin. Dann stand er auf und ging langsam und beinahe schlafwandlerisch zum Garderobenständer, zu seinem Mantel. Er zog seine Brieftasche hervor. Öffnete sie. Suchte, seine Finger zitterten. Er fluchte. Die Brieftasche quoll über von Papieren, alten Quittungen, Briefmarken und Einkaufslisten. Aber zum Teufel, wo steckte sie denn bloß? Da! Roter Rand. Gelbe und rote Schrift. Die Visitenkarte, die er von Joachim Bjerke bekommen hatte, Reidun Rosendals oberwichtigem Nachbarn. Er las laut:

»Ludo.«

Stutzte. Ludo?

Er las die nächste Zeile. »Finanzen, Wirtschaftsprüfung … Joachim Bjerke … Direktor.«

Er blieb einen Moment stehen und schnippte die Visitenkarte in die Ecke. Er trat ans Regal und zog einen Ordner mit der Aufschrift »Reidun Rosendal« heraus, leckte seinen Zeigefinger an und blätterte langsam Seite für Seite um. Berichte und Anlagen. Er wusste, wonach er suchte. Die linke Seite wurde immer höher. Endlich. Es war kein normaler Bogen, sondern graues Kopierpapier, vielfach zusammengefaltetes graues Kopierpapier. Er hatte es in die Brieftasche gesteckt, als er im Gerichtsgebäude war und nach stundenlanger Suche vom Hunger übermannt worden war.

Eine Liste von Software Partners Prozessgegnern des letzten Jahres. Eine Liste von sieben Namen. Aber nur ein Name leuchtete ihm entgegen. Der vierte. Hingekritzelt mit blauem Kugelschreiber.

Ludo.

Ein kleines Viereck war daneben gemalt. Das Viereck, das mitteilte, dass diese Firma ihre Klage gegen Software Partners zurückgezogen hatte.

Er sah sich die Liste an und merkte, dass er lächeln musste. Das letzte Puzzlestück. Langsam wurde das Bild klar. Er setzte sich und starrte nachdenklich aus dem Fenster. Über dem Abendhimmel lag ein undeutlicher grauer Schleier. Warum war Joachim Bjerke in einen Konflikt mit Software Partners geraten? Warum hatte er das der Polizei verschwiegen? Und warum hatte er die Klage gegen Software Partners zurückgezogen?

Schließlich legte Gunnarstranda mühsam beide Beine auf den Tisch und zündete sich eine Zigarette an. Rauchte und dachte über diese drei Fragen nach, ohne eine Antwort zu finden. Jetzt blieb ihm nur eins übrig: Joachim Bjerke zu besuchen und ihn selber zu fragen. Gunnarstranda schaute auf die Uhr. Kein Grund für ein schlechtes Gewissen. Er hatte ja neulich mehr oder weniger versprochen, dass er noch einmal wiederkommen würde.

45

Ihr Gesicht wirkte verängstigt, als sie die Tür öffnete und ihn erkannte. »Da bin ich wieder!«

Sie gab keine Antwort.

»Wir kommen oft mehr als einmal«, erklärte er mit freundlicher Stimme, was ihre Nervosität aber nicht linderte. Sie blieb einfach stehen und fingerte unruhig an der Türklinke.

»Ich würde gern kurz mit Ihrem Mann sprechen.«

Sie reagierte nicht sofort, aber ihr Blick wich aus. In einen hellblauen Schlafanzug gesteckt, den Schnuller im Mund, tauchte der kleine Junge auf. Er klammerte sich an ihr Bein. Seine Mutter trug einen kurzen rosa Rock über einer dicken dunklen Strumpfhose, die elektrisch knisterte, als der Junge an ihrem Bein zerrte. Sie sah gut aus.

»Ist er nicht zu Hause?«

Sie riss sich zusammen. Warf ihr Haar zurück, das sie mit einem rosa Band zu einem dicken Zopf geflochten hatte.

»Doch«, gab sie zögernd zu, öffnete die Tür und ließ ihn eintreten.

Weiter hinten in der Wohnung lief der Fernseher. Er nahm sich Zeit, als er seinen Mantel aufhängte, ließ sie erst hineingehen und ihren Mann vorwarnen. Der Fernseher verstummte, und er hörte, wie sie mit dem Kind verschwand. Bald war nur noch ein Raunen zu hören. Eine Mutter, die ihrem Kleinen vorlas.

Der Polizist zog seine Jacke zurecht und ordnete seine spärlichen Haare, dann ging er ins Wohnzimmer. Joachim Bjerke war aufgestanden und stand abwartend zwischen Ledersofa und Tisch.

»Sie sind offenbar noch nicht weitergekommen!«

Der gleiche spöttische Tonfall wie neulich.

»Na?«

Der Polizist antwortete nicht sofort. Ertappte sich dabei, wie er automatisch auf die Uhr sah, lächelte über seine eigene Unsitte. »Doch, wir sind schon ein Stück weitergekommen.«

Er ließ sich unaufgefordert auf dem Sofa nieder, lehnte sich zurück und schlug lässig die Beine übereinander und sah sich um. Gunnarstranda stellte fest, dass die Wohnung so aufgeräumt war wie neulich, obwohl sie doch intensiv bewohnt wurde. Er entdeckte ein paar Maklerbroschüren, die fächerförmig auf dem Glastisch verteilt lagen. »Wollen Sie umziehen?«, fragte er mit einer Geste in Richtung der Prospekte.

Bjerke ignorierte die Frage, setzte sich, behielt aber seine abweisende Fassade.

»Kommen wir doch zur Sache«, sagte er kühl.

Arrogant wie immer, du kleiner Affenarsch, dachte Gunnarstranda und lächelte sein breitestes Lächeln.

»Es geht um die Auseinandersetzung zwischen Ihnen und Software Partners.«

»Warum sollte die Sie etwas angehen?«

»Wussten Sie, wo Reidun Rosendal arbeitete?«

»Selbstverständlich.«

»Und trotzdem haben Sie mir Ihren Streit mit ihrem Arbeitgeber verschwiegen?«

»Wie hätte ich auf die Idee kommen sollen, dass diese Meinungsverschiedenheit für Ihre Ermittlungen wichtig sein könnte? Reidun Rosendal war eine untergeordnete Angestellte. Außerdem wurde die Klage zurückgezogen.«

Gunnarstranda blinzelte mit seinen schweren Augenlidern. »Ich kann Ihnen versichern, dass diese Angelegenheit ausschlaggebend für unsere Ermittlungen ist«, beteuerte er. »Aber das ist nicht das Wichtigste. Es geht darum, dass Sie kooperativer hätten sein sollen. Sie hätten uns die Sachlage unaufgefordert darlegen müssen.«

»Sie halten mich für nicht kooperativ?«

»Mehr als das. Sie behindern unsere Ermittlungen.«

Bjerke ließ das sacken, kam auf einen Gedanken, der ein nachsichtiges Lächeln hervorrief. »Kommen Sie unangemeldet, spät am Sonntagabend, hierher, um mich zu schikanieren?«

Das Lächeln erstarb, und er sagte: »Ja, ich habe Partners verklagt.«

Partners! Gunnarstranda schluckte den Jargon. »Die Klage gegen Partners ist zurückgezogen und die Sache deshalb aus der Welt.«

Bjerke hatte sich erhoben und breitete die Arme aus.

»Jetzt wissen Sie, was Sie wissen wollten. Haben Sie noch weitere Wünsche?«

Er ragte hoch über dem Polizisten auf und streckte ihm in arroganter Abschiedsgeste die Hand hin.

Gunnarstranda fragte sich kurz, ob dieser Mann wirklich so dumm sein konnte, wie er vorgab. Er lehnte sich zurück, um dieses wichtigtuerische Auftreten genauer zu betrachten. Er entdeckte die strengen Furchen in der glatten Haut des Mannes. Die zusammengezogenen Lippen. Nein. Der war nicht dumm. Nur ein ungewöhnlich gut getarntes Arschloch. Diese Erkenntnis sorgte dafür, dass er sich auf die Fortsetzung des Gesprächs freute. »Sie wissen vielleicht, dass in Reidun Rosendals Wohnung eingebrochen worden ist?«

»Ja, allerdings. Freitagnacht. Ich habe den Einbruch gemeldet. Wenn Sie Ihre Arbeit richtig machten, dann wüssten Sie das. Dann wüssten Sie auch, dass ich in dieser Angelegenheit wirklich schon ausreichend behelligt worden bin.«

»Sie sollten nicht so schlecht von uns denken, Bjerke.«

Der andere setzte sich wieder, seufzte. »Müssen wir die ganze Sache noch einmal durchkauen? Ich möchte bemerken, dass ich zwei ganze Stunden mit dieser Geschichte vergeudet habe. Nur weil ich den Einbruch gemeldet habe. Aber meinen Sie, auf meinen Anruf hin wäre jemand gekommen? Nein, man kommt, wenn die Leute schlafen. Morgens früh, ehe irgendwer im Haus aufgestanden ist.«

Er seufzte resigniert. »Zwei Idioten von der Polizei waren hier und haben jedes Wort notiert, das ich gesagt habe.«

»Wie haben Sie den Einbruch entdeckt?«

»Wie gesagt, das habe ich alles schon erzählt.«

Er schaute demonstrativ auf die Uhr. »Wenn es Ihnen also um den Einbruch geht, können wir vielleicht weiterreden, wenn Sie sich ausreichend informiert haben?«

»Sie denken viel zu schlecht von uns, Bjerke.«

»Wissen Sie, wie spät es ist?«

Gunnarstranda zwinkerte. »Wie haben Sie den Einbruch entdeckt?«

»Werde ich Sie schneller los, wenn ich antworte?«

»Wie haben Sie den Einbruch entdeckt?«

»Ich habe die Spuren gesehen.«

»Was haben Sie gesehen?«

»Ich habe gesehen, dass irgendwer die Wohnungstür aufgebrochen hatte.«

»Sonst nichts?«

»Ich habe das natürlich auch am Tor gesehen! Warum ersparen Sie uns nicht diese Wiederholungen? Ich begreife nicht, was das alles soll. Wie gesagt, zwei Ihrer Kollegen haben meine Aussage schon aufgenommen. Ich habe ihnen alles erzählt. Sie könnten allerlei Steuergelder sparen, wenn Sie sich vorher über alles informieren würden.«

Der Polizist ignorierte diesen Kommentar und fuhr ruhig

fort: »Bei diesem Einbruch wundert mich so manches. Wissen Sie, die Wohnungstür war mit einem einfachen kleinen Brecheisen aufgebrochen worden, während das Torschloss mit einem Hammer oder Stein zerschlagen worden war.«

»Was wundert Sie daran?«

»Es wirkt so unprofessionell, irgendwie unbeholfen.« Gunnarstranda lächelte, als ob ihm plötzlich etwas eingefallen sei. »Amateurhaft«, fügte er hinzu. »Unsere Techniker meinen, dass der Schlag gegen das Torschloss dem Einbrecher nicht viel geholfen haben kann.«

Er beugte sich vor und erklärte die Theorie der Techniker, dass das Tor unten weit offen gestanden haben musste, als das Schloss mit dem Hammer bearbeitet worden war. Dass die Kerbe im Verputz zum Griff gepasst hatte. »Es sieht fast so aus, als ob uns jemand in die Irre führen wollte«, schloss er. »Als ob jemand uns glauben machen wollte, das Schloss sei aufgebrochen worden.«

»Wollen Sie andeuten, dass in der Wohnung gar nicht eingebrochen worden ist?«

»Die Wohnungstür war aufgebrochen worden, das haben Sie ja selber gesehen. Aber ob das Tor aufgebrochen wurde, ist fraglich.«

»Sie halten also die Einbruchsspuren am Tor für gefälscht?«

»Das ist durchaus möglich.«

»Worauf genau wollen Sie hinaus?«

»Ich versuche, einen Zusammenhang zu finden, mehr nicht. Warum haben Sie uns Ihre Auseinandersetzung mit Software Partners verschwiegen?«

»Weil es Sie nichts angeht.«

»Da bin ich anderer Ansicht. Die einzige logische Ursache der Einbruchsspuren am Tor muss sein, dass der Einbrecher das Tor selber öffnen konnte, dass er also in diesem Haus wohnt.«

Gunnarstranda wartete kurz. »Und dann gäbe es nicht sehr viele Kandidaten.«

»Nein, wahrscheinlich nicht«, gab Bjerke etwas zahmer zu.

»Und dann müsste irgendein armer Bulle jedenfalls gewisse Untersuchungen durchführen müssen.«

»Was für Untersuchungen?«

»Die Aufschluss darüber geben können, welcher Kontakt zwischen einem Wirtschaftsprüfer aus Grünerløkka und Terje Engelsviken bestanden hat.«

Gunnarstranda registrierte, dass Bjerke jetzt steif und konzentriert auf dem Sofa saß. Er legte die Arme auf die Oberschenkel und lehnte sich ein wenig vor, leicht verkniffen, als säße er auf der Toilette.

Der Polizist bemerkte die Stille im Kinderzimmer. Er sah sich um. Sie stand in der Tür, hinter ihrem Mann, und sah ihn schweigend an. Bjerke rührte sich nicht. Nicht einmal, als sie durch das Zimmer kam, sich setzte, verschlossen, mit fest zusammengepressten Knien und starrem Ausdruck im blassen Gesicht. Ihr Mann ignorierte sie.

Gunnarstranda nickte ihr höflich zu. Sie war eine tolle Frau. Aber ihr Mienenspiel wirkte künstlich. Dir ist unklar, wie viel du weißt, dachte er. Unklar, was es bedeutet, wenn du überhaupt etwas weißt. Dennoch konnte der Kriminalhauptkommissar nicht umhin, die Wirkung zu registrieren, die sie auf ihren Mann hatte. Sein Gesicht war blasser geworden. Die Fassade bröckelte. Na gut, jetzt geht's los, dachte Gunnarstranda und wandte sich an ihren Mann. »Sie haben uns die ganze Zeit unterschätzt, Bjerke.«

Der andere schwieg.

»Heute Abend, vor wenigen Stunden, habe ich mit dem Gedanken gespielt, Sie zu verhaften.«

Die Frau schluckte.

»Eine solche Verhaftung hätte meine Vorgesetzten und etliche Journalisten durchaus besänftigt.«

Gunnarstranda legte eine Pause ein. Bjerke wich dem Blick seiner Frau aus.

Der Kriminalhauptkommissar fuhr fort: »Manchmal buchten wir irgendwen ein, der am Tatort beobachtet worden ist. Aber da wir den in der Regel wieder freilassen müssen, wägen wir vorher sorgfältig ab.«

Irgendetwas geschah zwischen Mann und Frau. Das ging ihn nichts an. Er hatte die besseren Karten und beschloss zu erhöhen.

Er starrte über den Tisch. »In der Regel haben wir den wahren Täter nicht erwischt. Und deshalb können wir auch die Verwirrung nicht beeinflussen, die der Täter empfindet, wenn der Falsche verhaftet wird. Deshalb bekommen wir auch die Fehler nicht mit, die er dann begeht.«

Er streckte die Hand aus. »Das einzige Resultat ist, dass die Medien ein Opfer haben. Die Leser bekommen pikanten Stoff vorgesetzt, ihr Bedürfnis nach Zirkus, von dem unsere Zeit die Menschen abhängig gemacht hat, wird zufriedengestellt.« Gunnarstranda nickte und dachte, wie gut, dass ich allein bin, dann kann mich nachher niemand wegen dieses sentimentalen Gewäschs auslachen. Er streckte beide Beine aus und stopfte die Hände in die Hosentaschen. »Wir sind zur Rücksichtnahme verpflichtet.«

Er schauderte innerlich und fuhr fort: »Selbst, wenn wir später vielleicht den wirklichen Täter fassen und er verurteilt und bestraft wird, steht doch nicht fest, dass an dem Unschuldigen nichts hängen bleibt. In zwei, drei oder fünf Jahren weiß niemand mehr, wer tatsächlich der Mörder war. Die Leute erinnern sich aber, wenn sie sich überhaupt an etwas erinnern, an das Foto der über den Kopf gezogenen Jacke. Oder die Kindheitsepisode, die die Zeitungen ausgebuddelt haben. An die Geschichte, die seinen Charakter bloßstellen und dem Leser eine Erklärung für die Grausamkeit dieses Mannes liefern sollte.«

Er spielte mit einer Zigarette, die er aus seiner Tasche gezogen hatte und fragte sich, ob er mit seinem Gerede zu weit gegangen war. Probehalber schwieg er. Es war an der Zeit, die Karten auf den Tisch zu legen. Aber zuerst mussten Bjerke und seine Frau die Predigt verdauen, die er gerade gehalten hatte. Er beschloss, ihnen zwei Minuten zu geben.

»Ich weiß, wer die Blindekuh ist«, sagte er schließlich und begegnete Bjerkes Blick. »Sie haben drei Einbrüche hinter sich. Der erste vor drei Wochen bei Software Partners. Dann haben Sie Reidun Rosendals Wohnung durchwühlt, als sie schon tot auf dem Boden lag. Vergessen Sie das nicht. Ich sage, dass sie schon tot dalag. Aber das hat Sie so nervös gemacht, dass Sie weggelaufen sind. Sie haben es Ihrer Frau und dem Kleinen überlassen, die Leiche zu finden und uns zu verständigen. Aber danach mussten Sie warten, bis der ärgste Zirkus vorüber war. Sie mussten warten, bis sich die Lage beruhigt hatte und Sie sicher sein konnten, dass die Wohnung nicht mehr beobachtet wurde. Und dann sind Sie noch einmal eingebrochen; um uns zu verwirren, haben Sie das Torschloss kaputtgehauen. Sie haben das gemacht, als das Tor schon offen stand. Das hat den Verputz an der Wand beschädigt und uns misstrauisch gemacht.«

Bjerke blickte zu Boden.

»Und Sie haben vergessen, die Haustür aufzubrechen.«

Bjerke lächelte unbeholfen. »Das habe ich übersehen, sie stand offen.« Gunnarstranda beugte sich über den Tisch. Er zwinkerte der Frau zu, die ihn forschend musterte, dann wandte er sich wieder ihrem Mann zu.

»Erzählen Sie mir alles«, befahl er. »Alles, was an diesem Morgen passiert ist. Alles, bis ins kleinste Detail.«

46

Eine Stunde später lief er schnell die Treppe hinunter und warf nur einen kurzen Blick auf die Tür zu Reidun Rosendals Wohnung. Sein Gesicht war hart und verschlossen, als er rasch die Straße überquerte und das Haus betrat. Er blieb stehen und schaute auf die Uhr. Schon nach elf. Es half nichts. Er lief die Treppen hoch und war oben kaum außer Atem. Er öffnete die Versiegelung an Arvid Johansens Wohnungstür und ging hinein. Gunnarstranda schaltete alle Lampen ein, suchte. Öffnete alle Schränke und fand schließlich das Gesuchte. Das Fernglas. Es war groß und schwer. Also ziemlich alt mit einer Standardauflösung von sieben mal fünfzig. Er hängte sich den abgenutzten Lederriemen um den Hals und zog den abgewetzten Sessel ans Fenster. Dachte nach. Johansen war ein großer Bursche gewesen, größer als er. Aber wie groß? Er sah sich um, entfernte mit einem Tritt einen Stapel Pornohefte vom Sofa. Pornos, natürlich. Er nahm das Fernglas wieder ab und stapelte die Magazine übereinander. Dann legte er den ganzen Stapel auf den Sessel und setzte sich darauf, musste wieder ein paar entfernen und setzte sich noch einmal. So war es gut. Er hob das Fernglas und sah aus dem Fenster. Draußen war es dunkel, aber das Tor war beleuchtet und der Bretterzaun deutlich genug. Trotzdem stimmte der Winkel nicht. Er schob den Sessel hin und her, setzte sich, stand auf, drehte den Sessel wieder um. Das wiederholte er mehrmals, bis er zufrieden war. So hatte er gesessen. Arvid Johansen. Gunnarstranda wühlte in seinen Taschen nach einer Zigarette, fand eine und steckte sie an. Er dachte nach. Die Frau hatte die Vorhänge vorgezogen. Was war dann passiert? Einige

Zeit war vergangen. Johansen war vielleicht erregt gewesen, hatte die beiden knutschen sehen, ehe Sigurd sie verlassen hatte. Was hatte der Alte gemacht? Sich einen runtergeholt? Eine geraucht? Vielleicht war er aufgestanden, um etwas zu essen, die Show war ja zu Ende. Johansen hatte behauptet, später im Sessel eingeschlafen zu sein.

Gut, Show vorbei. Johansen schlurft in die Küche, macht sich ein Brot, kommt zurück.

Gunnarstranda stand auf, ging in die Küche. Ging zurück. Schaute hinaus.

Also, es ist Viertel vor sechs, helllichter Tag. Sigurd Klavestad springt über den Zaun und steht, nach eigener Aussage, noch eine Weile vor dem Tor herum. Die beiden Hippies, die im Taxi angefahren kommen, sehen ihn. Sie schließen das Tor auf und nicht wieder ab. Es ist also offen. Johansen sieht das. Was sieht er? Er sieht jemanden kommen. Jemanden, den er später ausfindig gemacht hat. Der Mann kommt im eigenen Auto. Gunnarstranda lächelte hart und schlug sich vor die Stirn. Natürlich hat Johansen sich die Autonummer notiert. Die Autonummer des Mörders. Völlig klar, sonnenklar! Dann brauchte er nur noch bei der zuständigen Stelle anzurufen.

Aber wo hatte er sie notiert? Der Kriminalhauptkommissar sah sich um. Ging im Raum umher. Öffnete eine Schublade. Hier. Bleistifte. Kugelschreiber. Aber kein Papier. Er sah sich um, überlegte. Kein Papier. Kein Block, kein Schreibheft. Nichts zum Schreiben. Nur ein Stapel Pornos. Genau. Gunnarstrandas Finger zitterten leicht. Er musste lächeln und legte den ganzen Stapel auf den Tisch. Dann bückte er sich und suchte nach weiteren Heften, kroch auf allen vieren herum und sah sogar unter dem Sofa nach. Nein. Das waren alle. Er setzte sich abermals und blätterte langsam die oberste Zeitschrift durch.

47

Es war Morgen. Die Sonne schien von einem knallblauen Frühlingshimmel über Oslos Stoßverkehr. Alle Spuren der Bisegata waren besetzt von wütenden Pendlern, verschlafenen Bussen und stöhnenden LKWs.

Frank Frølich saß in seinem Auto und verspürte Unruhe im Bauch. Erwartung. Etwas war passiert, das, was Besserwisser als den Durchbruch bezeichneten. Sie standen kurz davor. Das war zu hören. Es schwang in ihren Worten mit.

Sein Wagen schlich auf der linken Spur dahin, westwärts, aus der Stadt heraus. Die Schlange bewegte sich kaum, und er wäre fast auf seinen Vordermann aufgefahren, um Frechdachse von rechts daran zu hindern, in seine Spur überzuwechseln. Gunnarstranda hatte vor einer halben Stunde mit roten Augen vor ihm gestanden. Der Chef war nur ein Schatten seiner selbst gewesen. Er hatte nicht einmal gegrüßt, sondern nur mit den Autoschlüsseln geklimpert, und war mit wehenden Mantelschößen vor ihm her zur Garage gegangen. Gunnarstrandas Schweigen machte ihn nervös. Die aufgeladene Stimmung machte ihn ebenfalls nervös. Sein Mund war trocken. Gunnarstrandas Schweigsamkeit war so unerträglich, dass er versucht hatte, sein Gespräch mit dem Wirt vom Scarlet zusammenzufassen. Danach hatte er die Bombe platzen lassen und es mit einer Theorie versucht. Die war vielleicht kein Grund zum Angeben, aber der Handlungsablauf stimmte. Er war die ganze Geschichte durchgegangen. Dieser Wirt hatte ja gesagt, dass Engelsviken zur selben Zeit wie Reidun im Scarlet gewesen war. Ihr eigener Chef also, der Mann, den sie verschmäht hatte.

Klavestad war zur selben Zeit wie sie da gewesen, kurz vor dem Mord. Engelsviken, ganz der eifersüchtige Liebhaber, musste mit ansehen, wie seine Traumfrau sich an einen Schnulli von fünfundzwanzig drückte. Er hatte einfach zusehen müssen, wie sie aufgerissen wurde, und hatte sogar Krach geschlagen, als das Paar schließlich ging. Engelsviken hatte sich erst mal volllaufen lassen und in seiner aufgestauten Aggression eine Glastür für über viertausend Kronen zertreten, um halb vier, zwei Stunden, bevor zum letzten Mal jemand Reidun Rosendal lebend gesehen hatte.

Malerisch beschrieb Frølich, wie Engelsviken aus dem Lokal getragen und ins Auto seiner Frau geladen worden war, was immer das zu bedeuten hatte. Sicher hatte er seine Frau gezwungen, in der Nähe anzuhalten, und war dann aus dem Auto getorkelt, maximal zwei Stunden, bevor Reidun Rosendal mit ihrem eigenen Brotmesser erstochen worden war.

Frølich fand das alles ziemlich überzeugend, als er sich reden hörte. Obwohl seine Theorie die Einbrüche nicht berücksichtigte, in die der Chef sich so verbissen hatte. Aber es bestand doch auch die Möglichkeit, dass die Einbrüche eine Sackgasse waren. Dennoch enttäuschte ihn die Reaktion des Chefs. Gunnarstranda hörte ihm geduldig zu, aber seine Hände blieben ruhig. Und er zündete sich auch nicht mit selbstsicherem Mienenspiel eine Zigarette an. Stattdessen senkte er den Kopf, drei solide Denkfalten auf der Stirn, und redete dann über Reidun Rosendals verdammten Nachbarn, diesen Joachim Bjerke, und eine Firma namens Ludo. Gunnarstranda behauptete, Bjerke sei der Unbekannte, der die Einbrüche begangen hatte, ohne etwas zu stehlen. Bloß, weil der Mann eine Firma betrieb, der Engelsviken Geld schuldete.

»Wonach hat Joachim Bjerke denn bei seinen drei Einbrüchen gesucht?«, fragte Frank Frølich, als Gunnarstranda seinen Vortrag beendet hatte.

»Briefe und ein Tonband. Beweismaterial. Bjerke war Engelsvikens Wirtschaftsprüfer. Engelsviken war fester Auftraggeber von Ludo.«

Frølich nickte stumm und ließ den Chef ungehindert seine Entdeckungen vortragen. »Es geht um Engelsvikens Hintergrund. Terje Engelsviken hat immer wieder Firmen den Bach runtergehen lassen. Und jedes Mal, wenn er in Konkurs gegangen ist, sind die Darlehensgeber leer ausgegangen.«

Frølich lächelte, als das Auto rechts hupte. Ein rundliches Gesicht mit strammem Schlips und Zimmermannskrause schien inbrünstig zu fluchen.

»Dann stimmte also, was dein Schwager gesagt hat?«

»Genau. Joachim Bjerke hat mir gestern Abend alles erzählt. Der Mann war nicht zu bremsen.«

Gunnarstranda erzählte, wie die arrogante Blase aufgestochen auf dem Sofa in sich zusammengesunken war.

Der Kriminalhauptkommissar hatte sich nichts anmerken lassen und erwähnte auch nicht, dass er bestens über Engelsvikens Scheune informiert war, wo seinerzeit Waren und Computerausrüstung verkauft worden waren. Auch, dass der Gewinn dieses Schwindelunternehmens direkt in Engelsvikens Tasche floss, war ihm nicht neu. Neu war, dass Engelsvikens Wirtschaftsprüfer wusste, wie wenig Wertsachen die Gläubiger noch vorgefunden hatten, als der Gerichtsvollzieher erschienen war. Engelsviken hatte ihnen lediglich eine Kaffeemaschine und einen Kopierer hinterlassen. Der Gerichtsvollzieher war natürlich wütend gewesen. Immer wieder waren Engelsviken & Co. verklagt worden. Aber dann, um fünf vor zwölf, tauchten Papiere und Versicherungen von Ludo auf. Joachim Bjerke garantierte die Echtheit der Bilanzen und bewies, dass alle Geräte schon vor langer, langer Zeit auf völlig legale Weise verkauft worden waren. Der Gerichtsvollzieher musste sich damit zufriedengeben, dass die Werte zusammen mit dem Eigenkapital auf dem Weg zur Insolvenz aus der Firma geflossen waren.

Gunnarstranda zuckte mit den Schultern. »Die Gläubiger haben natürlich Krach geschlagen«, seufzte er. »Sie haben behauptet, Engelsviken habe die Fristen nicht eingehalten und so.«

Frølich nickte langsam. Er kannte die Antwort: Verfahren aus Mangel an Beweisen eingestellt.

»Immer wieder stand die Polizei in einem Urwald widersprüchlicher Behauptungen«, erklärte Gunnarstranda. »Vor unklaren Bewertungen und kiloweise Papieren und Informationen, über die niemand richtig Überblick gewinnen konnte. Die Fälle wurden zwischen den Ressorts hin und her geschoben, aber niemand konnte in dem Morast tief genug graben, um eine Anklage zu ermöglichen. Am Ende wurde dann alles mit dem Vermerk ›Mangel an Beweisen‹ an den Nagel gehängt.«

Er schloss ganz kurz die Augen. »Aber es fiel Engelsviken immer schwerer, Vertrauen zu gewinnen. Langsam entstanden Gerüchte über ihn. Er wurde kaum noch ernst genommen, kam als schlechter Kunde auf die schwarze Liste. Engelsviken war schon lange, ehe er die Sache mit Software Partners ausheckte, ein faules Ei. Und weil er die üblichen Geber nicht mehr melken konnte, musste er neue Leute zum Abzocken finden, die Computerverkäufer. Die Idee war doch genial! Die Teilhaber zu beschwindeln. Das einzige Problem war, ausreichend gutgläubige Optimisten zusammenzukratzen.«

Er grinste. »Ich meine natürlich, Investoren. Und die, die investierten, haben ihr Geld auf etwas gesetzt, das es gar nicht gibt, des Kaisers neue Kleider. Und die armen Teilhaber haben ja keinerlei Rechte, wenn der Betrieb den Bach runtergeht. Sie sind ja Teilhaber und selber mitverantwortlich!«

Frølich stieß einen Pfiff aus.

»Genau, was Svennebye erzählt hat«, fuhr Gunnarstranda unverdrossen fort. »Die Firma Software Partners besteht aus zwei Gruppen. Aus denen, die Bescheid wissen, und denen, die nicht Bescheid wissen. Die, die nichts wissen, sind die Fassade für die Außenwelt, so wie Reidun Rosendal, die hübsche junge Frau, die die Kunden besucht und ihnen den Kopf verdreht hat.« Frank Frølich dachte an den Pfeifenraucher in dem fossilen Büroladen. Dieser Mann konnte jedenfalls seiner Altersversorgung hinterherwinken. So viel stand fest.

»Die Firma hatte aber kein Geld«, fuhr Gunnarstranda fort. »Seriöse Geschäftspartner gewährten Engelsviken keinen Zahlungsaufschub mehr. Und damit setzte der Tango im Rechtssystem ein, der Waren zurückholen und gleichzeitig Entschädigungen sichern sollte.«

Frølich erwiderte kurz Gunnarstrandas Blick, der zu ihm hinüberschielte, um festzustellen, ob er noch mitkam. »Das war ein Problem für Bjerke und Ludo«, fuhr der Chef fort. »Software Partners schuldete Bjerke nämlich fünfundzwanzigtausend. Aber er sah keine müde Krone. Deshalb verklagte er Software Partners, wie er das selber ausgedrückt hat.«

Der Kriminalhauptkommissar wedelte mit dem Zeigefinger. »Also hielt Engelsvikens Anwalt die Zeit für reif, um mit altem Beweismaterial zu kontern. Verstehst du?«

Frølich nickte. Die Schlange bewegte sich etwas flüssiger, und er konnte den Wagen im Leerlauf rollen lassen. »Brick hielt die Zeit für gekommen, Bjerke an das Risiko zu erinnern, das ein Wirtschaftsprüfer eingeht, der Papiere fälscht.«

Gunnarstranda lächelte trocken. »Lieber Joachim, dieser Tanga kneift dir in die Eier, tust du, was ich sage, oder möchtest du Tante werden?« Frølich schloss das Fenster, als sie in den Oslotunnel fuhren. Er beugte sich vor und schaltete das Gebläse aus, um die Auspuffgase auszusperren. Der Stau war noch immer dicht, und in vierzig Meter Tiefe war die Luft nicht gerade rein.

»Bjerke ließ die Klage gegen Software Partners fallen, um sie gnädig zu stimmen«, fuhr der Kriminalhauptkommissar fort. »Aber Brick und Engelsviken hatten jetzt Blut geleckt. Sie hatten schon zwei Prozesse gewonnen und sahen auch die Möglichkeit, Bjerke Geld abzupressen. Deshalb forderte Brick zweihunderttausend als Entschädigung von Ludo. Bjerke steckte voll in der Zwickmühle. Software Partners schuldeten ihm fünfundzwanzigtausend an Honoraren, und nun riskierte er plötzlich den Verlust seiner Zulassung und Gefängnis, wenn er den beiden Schweinehunden nicht zweihunderttausend hinblätterte.«

»Das nenne ich zwei abgebrühte Kunden!«

»Engelsviken und sein Anwalt, ja.«

Gunnarstranda nickte vor sich hin. »Aber jetzt ist vermutlich Schluss. Davestuen und seine Jungs sind heute Morgen schon vor acht hingefahren. Buchprüfung und Beschlagnahme. Davestuen hat sich dazu entschieden, nachdem er ein paar Stunden mit Svennebye und gestern Abend eine Stunde mit mir gesprochen hat. Hoffen wir also, dass sie genügend Beweise für eine Anklage auftun können. Die Firma Software Partners ist jedenfalls ein Bluff.«

Er lächelte freudlos. »Und morgen vermutlich konkurs«, fügte er hinzu.

»Was hat Bjerke gemacht, als die Entschädigungsforderung von zweihunderttausend kam?«

»Er hat kapiert, dass Engelsviken und Brick alles zuzutrauen war. Und sie hatten verdammt gute Beweise gegen ihn in der Hand!«

»Das ist doch die pure Erpressung!«

»Genau. Bjerke hat ihnen gedroht, hat versucht zu verhandeln, hat aber nichts erreicht. Wie er gestern Abend gesagt hat: Sein einziger Ausweg war das Brecheisen in der Nacht. Er musste versuchen, die Beweise zu finden und zu vernichten. Deshalb hat er die Büros von Software Partners durchwühlt, hat aber nicht das Geringste gefunden.«

Frølich blickte nach links und wechselte optimistisch die Spur. Er empfand das Bedürfnis, nach dem zu fragen, was er für das Wichtigste hielt. »Wie ist Bjerke denn darauf gekommen, die Beweise könnten bei Reidun Rosendal sein? Warum ist er bei ihr eingebrochen?«

»Jemand hat ihn angerufen und gesagt, er solle bei ihr suchen.«

Frølich lehnte sich im Sitz zurück. Wieder stand das Auto. Er lauschte der trockenen Stimme seines Chefs.

»Das war an dem Sonntag, an dem Reidun ermordet wurde. Joachim Bjerke wurde morgens früh vom Telefon geweckt. Das Telefon rauschte, und Bjerke war klar, dass jemand von einem Handy aus anrief.«

Gunnarstranda sah seinen Kollegen an. »Die Stimme am Telefon hat vier Wörter gesagt«, berichtete er. »›Reidun hat die Originale.‹ Dieser Satz wurde zweimal wiederholt«, fuhr er fort. »Danach wurde die Verbindung unterbrochen.«

Gunnarstranda legte eine Pause ein.

»Bjerke hat sich das erst mal überlegt«, erzählte er dann zögernd. »Wie er mir sagte: ›Ich hatte doch seit Monaten an nichts anderes mehr gedacht als an die verdammten Papiere.‹ Natürlich dachte Bjerke, der Anruf wäre nur ein neuer Schritt in Bricks und Engelsvikens Kampagne. Also blieb er im Bett und dachte über alles nach. Danach zog er seinen Jogginganzug an und ging laufen. Verstehst du? Der Mann rennt schweißnass durch die Gegend, bevor andere auch nur zum Pinkeln aufgestanden sind. Jeden verdammten Tag! Stell dir vor, wie dieses heruntergekommene Land solche Energie positiv nützen könnte!«

Gunnarstranda zog langsam eine Zigarette aus der Tasche.

»Jetzt nicht!«

Schützend legte Franken die Hand über den Zigarettenanzünder. »Wir sind unter der Erde und brauchen allen verfügbaren Sauerstoff!«

Gunnarstranda steckte die Zigarette wieder weg und erzählte weiter. »Da Bjerke im Drammensvei nichts gefunden hatte, konnte es ja stimmen, dass die Beweise von einer Mitarbeiterin aufbewahrt wurden. Sie brauchte ja nicht einmal zu wissen, was sie da hatte. Am Ende lief er nicht so lange wie sonst. Er lief zurück. Klingelte bei Reidun, aber sie machte nicht auf. Ein Blick, und das war's.«

»Sympathischer Kerl!«, bemerkte Frølich.

»Ganz recht«, sagte Gunnarstranda kühl. »Bjerke ist auch ein abgebrühter Kunde. Und jetzt hat er noch ein zusätzliches Problem.«

Frølich hob die Augenbrauen.

»Seine Frau. Das, was ihr Mann gestern erzählt hat, hat ihr überhaupt nicht gefallen. Aber das wird sich schon noch klären«, murmelte Gunnarstranda leise. »Sie hat etwas Besseres verdient als einen Buchhalter. Weißt du, woran er mich erinnert?«

»Nein.«

»An einen Turniertänzer. Das Grinsen poliert, die Frisur hält, selbst wenn er auf die Nase fliegt und sich viermal überschlägt. Er springt einfach wieder auf und tanzt mit seinem Zahnpastalächeln Schwanensee.«

»Und wie ist diese Frau?«, fragte Frølich.

Gunnarstranda schaute kurz aus dem Fenster. »In Ordnung«, sagte er. »Was die Börsianer als gute Anlage bezeichnen.«

»Und jetzt?«

»Ich habe ihnen versichert, dass wir keinen Verdacht gegen ihn hegen.«

»Wie kannst du da so sicher sein?«

Frølichs Stimme klang scharf.

»Weil Bjerke sie nicht umgebracht hat.«

»Wer denn sonst?«

»Darauf warte ich ja gerade.«

Frølich schwieg.

»Ich erwarte einen Anruf. Und der bringt die Antwort.«

Er blickte nach rechts. Große rote Zahlen an der Wand verkündeten, wie tief sie sich befanden.

»Den Anruf kriegen wir hier unten jedenfalls nicht«, meinte er trocken.

48

»Davestuen ist am Werk«, murmelte Gunnarstranda, als sie auf das Bürogebäude zufuhren. Vier dunkle Autos waren nebeneinander vor dem Eingang von Rentoffice geparkt. Vier unverkennbare Autos. Dunkelblau, alle genau dasselbe Modell, dieselbe Farbe, Autonummern in Serie. Das roch schon von weitem nach Polizei. Es wurde eng. Frølich musste warten und einen kleinen blauen Honda mit Skibox auf dem Dach vorbeilassen, ehe er sein Auto auf den Parkplatz bugsieren konnte. »Hast du das gesehen«, keuchte er.

»Was denn?«

»Sonja Hager. Sie fährt mit einem Sarg auf dem Dach durch die Gegend.« Gunnarstranda fuhr auf. »Bist du sicher?«

»Ja, das war sie. Komisch, dass Davestuen sie weggelassen hat.«

Frølich winkte dem Uniformierten zu, der an einem der Wagen lehnte. Gunnarstranda murmelte mit gerunzelter Stirn: »Es passt mir überhaupt nicht, dass Davestuen sie weggelassen hat«, murmelte er und schlug leicht mit den Fingerknöcheln gegen seine Zähne.

»Gehen wir rauf?«

Gunnarstranda antwortete nicht sofort. »Ich muss nachdenken«, flüsterte er schließlich. »Und ich muss auf diesen Anruf warten.«

Frølich fuhr zwischen zwei andere Autos. Sie blieben sitzen und sahen auf die Betonmauer. Es war sehr still. Gunnarstrandas Feuerzeug klickte. Franken konnte sehen, dass die Hände des Kriminalhauptkommissars leicht zitterten.

»Hast du dir je überlegt, wie wenig Atmosphäre solche Anlagen haben«, fragte Gunnarstranda und deutete mit der Zigarette auf die Mauer.

»Nein.«

»Wir denken heute nicht mehr ganzheitlich. Früher waren Steinmetze Fachleute, die nicht nur Grabsteine herstellten. Sie haben sogar Brückenpfeiler aus Granit gemacht. Trockene Granitblöcke, die heute noch stehen.«

Frølich zögerte. Er hörte, wie trocken und hohl die Stimme seines Chefs klang. Das Gespräch kam ihm aufgesetzt vor. »Bis sie abgerissen werden«, sagte er.

»Aber Granit hat Struktur, Farben, Muster, je nachdem, wie die Blöcke sich überlagern. In Beton gibt es keine Strukturen, nur graue Fläche. Sieh dir doch diese Mauer an!«

Frølich drehte sich zu seinem Chef um und fragte sich, was zum Teufel das alles sollte. »Aber niemand sieht sich doch so eine Mauer an!«

»Doch! Die wird gesehen«, beharrte der Kriminalhauptkommissar. »Die Mauer ist doch die halbe Landschaft. Guck mal die trockenen Zweige über der Mauer an. Stephanandra, eine Grünpflanze. Der Gärtner hat sie ausgesucht, weil sie speziell dazu gezüchtet wurde, über Mauern zu hängen. Aber die, die die Anlage hier entworfen haben, haben nicht so weit gedacht. Sie haben einfach eine graue Fläche gegossen, die nach einem Winter mit dreißig Grad minus garantiert Risse bekommt. Der Frost wird so tief reichen, dass das Eis im Frühling die Mauer anhebt, sie zerbricht, weil Beton unbeweglich ist. Danach wird die Mauer jedes Jahr mehr verfallen. Das alles wäre zu vermeiden gewesen, wenn sie ganzheitlich gedacht, die Mauer als Teil der Landschaft gesehen hätten. Wenn sie Granitblöcke benutzt und die Landschaft schön, beweglich und haltbar gemacht hätten.«

Franken bedachte ihn erneut mit einem verwirrten Blick. »Komm zur Sache. Wer hat sie umgebracht?«

»Es geht hier um ganzheitliches Denken, habe ich gesagt. Wir dürfen nicht den Fehler machen, das Ganze zu vergessen.«

Frølich schlug auf das Lenkrad. »Ja, Himmel«, sagte er verzweifelt und flüsterte genervt vor sich hin: »Ganzheitlich.«

»Ich muss an das kleine blaue Auto mit der Skibox auf dem Dach denken«, fuhr Gunnarstranda mit derselben trockenen, künstlichen Stimme fort. »Es passt mir nicht, dass Sonja Hager plötzlich einen Wagen mit Skibox auf dem Dach fährt. Denn eigentlich müsste sie einen silbergrauen Mercedes fahren. Und ich habe gehört, dass dieser Sarg ein doppelläufiges Schrotgewehr enthält. Hier stimmt doch irgendwas nicht. Sonja Hager hat die Schlüssel zum Archiv da oben. Ich begreife einfach nicht, warum Davestuen sie weggelassen hat!«

»Jedenfalls hat niemand sie verfolgt.«

Sie starrten beide den Eingang des Iglutempels an, in dem Software Partners untergebracht war. Es war vollkommen ruhig.

»Zu Hause in der Bergensgata«, sagte Gunnarstranda plötzlich. »Mir gegenüber wohnt ein Mann, der schon seit vielen Jahren ein Verhältnis mit einer Witwe unten in Sagene hat.«

Frølich gab keine Antwort. Starrte ihn nur stumm an, ohne in dem kleinen Gesicht eine Spur von Munterkeit zu entdecken. »Der Mann besucht die Witwe einmal in der Woche. Seine Frau macht jedes Mal ein Mordsgezeter. Das behaupten jedenfalls die Gerüchte.«

Gunnarstranda lächelte müde. »Jedes Mal! Und wenn er nach Hause kommt, gibt es erst Tränen, und dann schmust sie wieder mit ihm.«

Schmust, dachte Franken und fragte höflich: »Ach?«

»Manchmal denke ich an die beiden«, fuhr Gunnarstranda fort. »Dass sie das aushält, meine ich. Sie muss doch wissen, dass über sie geredet wird.« Er nahm einen tiefen Zug von der

Zigarette. »Sie hätte den Kerl doch schon vor Jahren umbringen können.«

Frølich nickte teilnahmsvoll. Einen Moment lang hatte er am Verstand des Chefs gezweifelt, und nun war es beruhigend, dass die Geschichte mit der üblichen Frustration über das Wesen der Verbrecher endete.

»Aber dann ist mir plötzlich aufgegangen, dass die Frau natürlich niemals den Tod ihres Mannes wünschen würde.«

Franken fuhr zusammen. »Worauf willst du eigentlich hinaus?«, fragte er genervt.

Gunnarstranda wandte seinem Kollegen langsam das Gesicht zu.

»Sagen wir, Engelsviken oder seine Frau hätten Reidun umgebracht«, begann er zögernd.

»Ja?«

»Dann haben wir eine Person im Ganzen ausgelassen.«

»Wen?«

»Die Haushaltshilfe.«

Frølich sah sie vor sich. Die zuerst falsch und dann nicht mehr falsch geknöpfte Bluse. Er merkte, wie ihm auf dem Rücken der Schweiß ausbrach. Er sah Sonja Hagers blutleere Lippen vor sich, als sie über gute und schlechte Tage sprach.

»Soll ich raufgehen?«, fragte er und deutete zum Eingang hinüber.

Gunnarstranda ignorierte die Frage und drückte seine Zigarette aus. »Ich war übrigens gestern in Johansens Wohnung«, teilte er mit.

»Wann?«

»Nachdem ich mit Herrn und Frau Bjerke gesprochen hatte.«

»Warum?«

»Um die Autonummer zu finden.«

Frølich schwieg.

»Bjerke wurde von einem Handy aus angerufen«, wiederholte Gunnarstranda. »Der Mörder wollte, dass er Reidun Rosendals Wohnung durchwühlte und Fingerabdrücke hinterließ, um den Verdacht auf Bjerke zu lenken. Der würde beschwören, dass er von einem Handy aus angerufen wurde. Der Anrufer saß vermutlich in einem Auto, das schlicht und ergreifend vor dem Haus stand. Und Johansen hat Auto und Mörder gesehen! Der Alte hat Geld von jemandem bekommen, der sich für Sigurd Klavestad interessierte. Also verkaufte Johansen Sigurd Klavestads Adresse für fünfzigtausend Kronen. Die Frage war nur, wie er mit dem Fahrer des Wagens in Kontakt gekommen ist.«

Frank Frølich fror im Nacken. Die Frage war nur? Was zum Teufel meinte er mit »die Frage war nur«?

»Johansen hat die Autonummer notiert und den Besitzer des Wagens ausfindig gemacht. Anderthalb Stunden war ich oben in seiner Bude. Habe nach der Nummer gesucht. Irgendwo musste er sie ja aufgeschrieben haben. Und weißt du was?«

»Nein.«

Frank Frølich hatte einen trockenen Mund.

»Ich saß die ganze Zeit auf einem dicken Stapel Pornos. Die musste ich alle einzeln durchblättern. Ich kann dir sagen, ich habe mir mehr Mösen angesehen, als ich in meinem Herbarium Pflanzen habe. Weißt du übrigens, dass ich an dem Samstag neun Richtige im Toto hatte?«

»An welchem Samstag.«

»An dem Samstag, an dem Reidun umgebracht wurde. Das heißt, sie wurde ja Sonntagmorgen umgebracht. Aber ich hatte neun Richtige in meinem festen System.«

»Nein. Das wusste ich nicht. Aber was zum Teufel hat das mit dem Fall zu tun?«

»Also, quer über die Titten einer Pornoqueen waren massenhaft Totozahlen notiert. Zwölf Stück davon gehörten zu meinem festen System.«

»Ja und?«

»Neben den Totozahlen stand eine Autonummer.«

Frank Frølich nickte.

»Das muss nicht bedeuten, dass das die Autonummer des Mörders ist«, erklärte Gunnarstranda.

»Nein, das nicht«, gab Frølich angespannt zu.

»Aber Johansen hatte diese Zeitschrift an dem Samstag vielleicht herumliegen. Immerhin hat er sich die Totozahlen notiert. Danach kann er alles Mögliche getrieben haben. Vielleicht hat er geschlafen. Er hat ja Reidun und Sigurd die ganze Nacht lang zugesehen. Jedenfalls besteht eine gewisse Wahrscheinlichkeit, dass diese Autonummer zum Wagen des Mörders gehört. Bloß würde das vor Gericht niemals ausreichen.«

»Jetzt sag schon, wem das Auto gehört, verdammt noch mal!«

»Ich weiß es nicht. Das soll diese Dicke von der Zeitarbeitsfirma ja gerade herausfinden.«

»Die Dicke?«

Mehr konnte Frølich nicht sagen. Sie wurden unterbrochen. Endlich klingelte das Telefon. Der Kriminalhauptkommissar senkte den Kopf und notierte. Legte auf. Zeigte wortlos seinem Kollegen einen Zettel.

Franken las. Mercedes 280, Modell 1990. Besitzerin: Sonja Lovise Hager.

Frølich seufzte und hatte schon den Zündschlüssel umgedreht. »Lovise«, murmelte er und ließ den Motor aufdröhnen. Es gefiel ihm nicht, dass sie Lovise hieß. Er dachte an ihren Kopf hinter der Scheibe des kleinen Hondas mit dem Skisarg auf dem Dach.

Gunnarstranda war blass geworden. Er zog die Blaulichtlampe aus dem Handschuhfach. »Fahr wie der Teufel!«, keuchte er. »Aber sieh zu, dass erst dieses Ding hier funktioniert.«

49

Der Kriminalhauptkommissar hatte das Mikrofon in der Hand und redete energisch hinein. Die Frau, die seine Anweisungen entgegennahm, antwortete ruhig wie eine Bahnaufsicht beim Abfertigen der U-Bahn. Dennoch war die Stimmung greifbar. Ihr Tonfall war eine Spur zu höflich. Kein Kichern, kein Scherz. Die Lage war ernst.

Frølich dachte an eine Haushaltshilfe mit falsch geknöpfter Bluse. Gunnarstranda legte das Mikrofon beiseite.

»Deshalb hatte die Haushaltshilfe solche Angst«, rief Frølich und schaltete die Sirene aus, als sie den Hoffsjef Løvenskiolds Vei erreicht hatten. »Sie muss alles gewusst haben.«

Gunnarstranda nickte mit düsterer Miene.

»Sonja liest ihren sturzbesoffenen Mann um halb vier vor dem Scarlet auf. Der Wirt hat erzählt, dass Engelsviken total weggetreten war. Vermutlich ist die Haushaltshilfe wach geworden, als sie nach Hause gekommen sind.«

»Und Sonja Hager hat sich auf dieser Fahrt Mist anhören müssen, dass es gereicht hat«, flüsterte Gunnarstranda. »Sie ist in die Stadt gefahren, nachdem sie ihren Mann ins Bett gesteckt hatte. Die Haushaltshilfe hat sicher bemerkt, dass sie zurückgekommen ist, vielleicht haben sie sogar miteinander geredet, Sonja noch mit Blut an den Kleidern. Verdammt, wie konnten wir die Haushaltshilfe bloß vergessen!«

Frølich gab keine Antwort. Er grauste sich bloß vor dem, was ihnen bevorstand, vor den Jungs mit schwerer Uniform, die durchs Gras robbten, und vor der ganzen Dramatik.

»Dann sind heute Davestuen und seine Jungs gekommen«,

fuhr der andere fort. »Zufällig war sie da. Sie und Bregård auch. Sie muss begriffen haben, dass die Razzia mit uns zu tun hatte.«

Franken schwieg. Dann ist sie losgefahren, um die Sache zu beenden, dachte er.

Da.

Ein kleiner blauer Honda stand schräg vor der riesigen Garage. Die Skibox geöffnet. Die Autotür stand sperrangelweit offen. Frølich hielt an. Seltsam, dass der Macho Bregård so ein Winzgefährt hat, dachte er und sprang hinaus.

Ein Autoradio dröhnte in voller Lautstärke: »Fishing in Vælesj, fishing in Vælesj!«

Er warf einen Blick in den Dachgepäckträger. Leer. Frølich bückte sich und schaute ins Auto. Da stand eine Schachtel Schrotkugeln, Eley Grand Prix; Kaliber 12. Halb voll. Das hatte er sich ja gedacht. Das Schrotgewehr entsprach seinem Besitzer. Gunnarstranda kam hinterher. Frølich zeigte auf die halb leere Schachtel mit den Schrotpatronen und schloss die Autotür. Die Musik verstummte fast. Aus der Ferne hörten sie näher kommende Sirenen. Jetzt wird hier auch mal für Gesprächsstoff gesorgt, dachte er. Dachte noch einmal an die Haushaltshilfe, dachte an Clint Eastwood. Mit Zigarre im Mund und einer Magnum 44 in der Hand. Drop it, angel, or I'll make you fly! Keine Frage. Dirty Harry brauchte nie etwas zu erklären. Jedenfalls nicht, wenn er eine Magnum im Gürtel hatte. Und Dirty Harry wurde auch nie beurlaubt. Dirty Harry verlor seinen Job nicht, wenn er bei einem wichtigen Auftrag die Vorschriften brach. Frølich öffnete wieder die Tür und stellte das Radio ab. Stille senkte sich über die Straße. Himmel, gab es hier denn gar keine Kinder? Er sah, dass Gunnarstranda zum Auto zurückging und sich hineinsetzte und ins Mikrofon sprach. Die Sirenen kamen näher.

Frølich starrte das Haus an und dachte an sie. In dem Kreis

von Irren um diesen Fall war Sonja Hager eine der wenigen gewesen, die von echten Gefühlen gesprochen hatte. Für manche ist ein Versprechen ernst gemeint, hatte sie gesagt. Nachdem sie gemordet hatte. Systematisch hatte sie die Zeugen entfernt. Vielleicht war sie gerade dabei. Wenn sie das nicht schon erledigt hatte.

War sie zurechnungsfähig? Ja, aber noch immer nicht bereit, ihre Strafe auf sich zu nehmen. Und dann kann eigentlich alles passieren, dachte er und ging langsam auf das Haus zu.

50

Die Stille lag wie eine alles erstickende Decke über dem Haus. Jetzt verstummten die Sirenen. Nur das Dröhnen der Dieselmotoren der Geländefahrzeuge fauchte die Straße hoch. Verschwand. Türenschlagen. Stille.

Er dachte an Reidun, die Sonja Hager eingelassen hatte. Sie war müde, so müde. Hatte Sonja Hager sicher gebeten, sich zum Teufel zu scheren und über ihre Ehe zu sprechen, wenn Reidun ausgeschlafen war.

Bis sie mit dem Messer in der Brust auf dem Boden lag. Danach hatte Sonja Hager Sigurd Klavestad aufgeschlitzt und sich aller Wahrscheinlichkeit nach auch noch von Arvid Johansen befreit. Sie hatte sich einen nach dem anderen vorgenommen. Alle, die sie zu Fall bringen konnten. Die Haushaltshilfe musste sie in dieser Nacht gehört haben. Die letzte Zeugin. Ob sie schon tot war?

Die Stille dröhnte. Frølich dachte an Sonja Hagers Lächeln, das kein Lächeln war. Was aber dann, Schock? Weil Frank Frølich ihr erzählt hatte, dass Øyvind Bregård ein Verhältnis mit der soeben Getöteten gehabt hatte? Oder war ihr der Ernst ihrer Tat aufgegangen? Hatte sie eingesehen, dass der Besuch der Polizei bedeutete, dass jemand versuchte, sie zu stellen, sie verurteilen zu lassen?

Er ging die Treppe hoch. Griff nach der Türklinke. Die Tür stand offen. In diesem Moment vernahm er eilige Schritte. Er drehte sich um. Kampenhaug und die anderen in vollem Wichs. Natürlich Kampenhaug. Das Gesicht grün gemalt, Maschinenpistolen und Helme. Sie blieben stehen.

»Frølich!«

Kampenhaugs Stimme. Himmel, er stand ganz hinten. Gab's hier keine, für die er sich an den Eiern kratzen konnte?

Frølich lächelte den anderen ruhig zu und betrat das unverschlossene Haus. Das große Fenster im Wohnzimmer war wie eine Ansichtskarte des Oslofjords. Die Inseln lagen braun im glitzernden Wasser.

Frølich sah sich um. Schwere Ledermöbel in englischem Stil. Ein Kamin aus Naturstein, der das Zimmer zu erschlagen drohte. Bücherschränke mit Meterware hinter Glas. Öl auf Leinwand ohne Rahmen und ein ziemlich großes Aquarium mit ein paar ungewöhnlich großen Schleierschwänzen, die ihre platten Fischmäuler an die angenehm saubere Glasscheibe pressten.

Das Blubbern des Aquariums war das einzige Geräusch im Zimmer. Frank Frølich drehte sich zu den Soldaten um. Beeindruckt, weil sie so lautlos sein konnten.

Der Boden knackte leise, als er sich in Bewegung setzte und quer durch das Zimmer auf eine angelehnte Tür zuging.

»Frølich!«

Wieder Kampenhaug.

Frølich blieb stehen, drehte sich um und erwiderte seinen Blick. Kampenhaug stützte sich mit einer Hand gegen den Türrahmen. Mit der anderen aufs Gewehr. Still, atmete mit offenem Mund. Frank Frølich lächelte. Was gab es hier zu sagen? Dass die Frau gefährlich war? Sicher war sie gefährlich. Sie war verzweifelt und kannte keine Grenzen. Also frag mich verdammt noch mal nicht, wie das alles ausgehen wird.

Er drehte sich um, schob zuerst vorsichtig die Tür an, ehe er sie ganz öffnete. Engelsviken lag auf dem Boden. Nackt. Ein ziemlich dicker Mann. Aber das Fett konzentrierte sich auf Bauch und Brust. Seine Beine waren ungewöhnlich mager. Zwischen den dünnen Beinen war er erstaunlich gut bestückt. Der

Mann hatte einen Kopfschuss abbekommen und war so lebendig wie eine Wachskerze.

Sie dagegen lebte. Saß im Bett. Keine falsch geknöpfte Bluse. Sie trug überhaupt nichts. War so nackt wie die Sünde, die sie mit ihrem Chef getrieben hatte. Sie hielt die Knie umschlungen, kauerte hinten in der Ecke, sah ihn nicht, nahm überhaupt nichts wahr. Ihr starrer Blick war auf die Tür gerichtet. Aber sie lebte.

Frølich blieb in der Tür stehen. Sonja musste sie auf frischer Tat ertappt haben.

Er hob die Hand und gab dem nächststehenden Angehörigen der Spezialeinheit ein Zeichen, der mit angelegtem Gewehr hinter ihn trat. Franken betrat das Zimmer. Er stieg über den Toten hinweg und kniete vor der Frau nieder.

Ihr orientalisches Gesicht war zu einer Grimasse erstarrt, die er nicht deuten konnte. Zwei braune Augen starrten ins Leere, ihr Mund bebte. Wahrscheinlich hatte sie einen Schock.

»Wo ist sie?«, fragte er.

Keine Reaktion.

»Das schaffen wir schon«, flüsterte er und strich ihr über die Wange. Ihre Haut war kalt. Sie war wie eine Wachspuppe, in einer anderen Welt.

»Wo … where is she?«

»Hier!«

Als er ihre Stimme hörte, wurde ihm bewusst, dass er der Tür den Rücken zukehrte. Der Bruchteil einer Sekunde verstrich.

Er konnte nicht sprechen. Konnte nur den Kopf wenden, sie sehen. Und zu seiner Verteidigung nur die Augen schließen. Ein Bild ätzte sich in seiner Netzhaut ein. Sonja Hagers wahnsinnige Glasmurmelaugen. Der Gewehrlauf, der nach oben wippte. Der Mund, der über der doppelten Mündung klaffte, und der Finger, der beide Läufe auf einmal abfeuerte.

51

Im Fallen riss er die Haushaltshilfe mit sich auf den Boden. Wälzte sich mit ihr herum. Sie schrie. Kein Wunder, er wog schließlich neunzig Kilo. Aber er hörte den Schrei nicht. Der ertrank im Lärm der Schüsse. Die reinste Götterdämmerung. Er sah nur ihren aufgerissenen Mund und spürte, wie sich ihr Schrei in seiner Brust fortpflanzte. Sie blieb an die Wand gedrückt liegen. Er deckte sie mit seinem Körper zu und verspürte plötzlich einen intensiven Schmerz in der Brust.

Endlich Stille. Vollständige Stille. Er öffnete die Augen und blickte auf sie hinab. Sie erinnerte ihn an Katrine. Er hatte Katrine bei einem Johannisfeuer kennen gelernt. Sie hatten sich auf einer kleinen Insel geliebt. Sicher lag das an ihren schwarzen Haaren. An den Haaren und der nackten Haut unter seinen Kleidern. Verdammt, tat das weh in seiner Brust! Himmel, sie biss ihn. »Aufhören«, murmelte er und schüttelte sie ab. Sie blickte auf. Ließ von ihm ab. Endlich. Sie starrte ihn mit offenem Mund an.

Er rollte sich von ihr weg und drehte sich um. Was für ein Anblick! Die Wand gegenüber der Tür war in Fetzen geschossen. Und in der Tür standen drei Männer mit Tarnfarbe im Gesicht, eisigem Blick und leer gefeuerten Maschinenpistolen. Die Antiterrortruppe. Diesmal hatten sie eine Wand erschossen.

»Ich ergebe mich«, flüsterte er. »Kampflos. Schreibt das auf, in dreifacher Ausfertigung.«

Er kam auf die Knie. Starrte die beiden an, die im Tod wieder vereint waren.

Er schaute zur Tür, wo Kampenhaug brüsk von einem kleinwüchsigen Mann mit fast blankem Schädel beiseitegestoßen wurde. Frank Frølich sah, wie Gunnarstranda irritiert das Gesicht verzog und einen kurzen Blick auf ihn warf, dann kniete er neben Sonja Hagers Leichnam nieder und deckte beide so gut wie möglich mit einer Decke zu. Nur noch der Gewehrkolben und Engelsvikens magere Beine lugten hervor.

Frølich räusperte sich.

Niemand sagte etwas.

Verzweiflung. Das Wort hatte jetzt einen Inhalt. Er stand auf und sah eher als er es hörte, dass Gunnarstranda leise und intensiv fluchte. Frølich zog seine Jacke aus und rieb sich seine Brust, da, wo die Frau ihn gebissen hatte. Er reichte ihr die Jacke.

Wahnsinn. Ihre runden Brüste. Zwei hellrote Brustwarzen starrten ihn wütend an, ehe sie hinter dem Reißverschluss verschwanden. Seine riesige Jacke reichte ihr fast bis zu den Knien. Fünf lange, hellrote Nägel krallten sich in seinen Arm.

»Frølich«, fauchte Gunnarstranda irgendwo hinter ihm.

Frank Frølich mochte nicht zuhören. Er zog die Haushaltshilfe in das andere Zimmer, wo ein Kollege sich ihrer annahm. Ging hinaus, in den Garten, und sog die frische Luft ein. An einen Baum gelehnt stand er da und betrachtete das Treiben rundherum, bis Gunnarstranda mit in den Manteltaschen vergrabenen Händen angeschlendert kam. Eine Selbstgedrehte wippte in seinem Mundwinkel.

Sie sahen einander an.

Gunnarstranda steckte die Zigarette in die Tasche. »Ging es schnell?« Frølich nickte langsam.

»War wohl nicht viel dran zu machen.«

»Nein.«

Gunnarstranda sah sich um. »Jetzt gibt's schön viel Papierkrieg.«

»Ja, gibt es wohl.«

Gunnarstranda trat beiseite, um die Leute von der Rettung vorbeizulassen. »Wir müssen wohl einen Dolmetscher für das Verhör der Frau mit deiner Jacke auftun.«

Komisches Gerede, dachte Frølich. Antwortete: »Ja.«

Zusammen gingen sie weiter, blieben aber am Tor stehen.

»Auf jeden Fall muss es scheußlich gewesen sein, mit diesem Mann zusammenzuleben«, seufzte Gunnarstranda.

Frølich schwieg.

»Sieh dir die Fassade an. Das Haus, die Autos, den Garten … Und haufenweise Einsamkeit«, fügte er hinzu. »Er hatte sie, aber sie hatte wohl niemanden.«

Sie erreichten das Auto.

»In dieser Nacht muss das Fass übergelaufen sein.«

»Das ist doch Quatsch«, fiel Frølich ihm genervt ins Wort. »Ungefähr ein Drittel aller norwegischen Ehen geht auf komplett ordentliche Weise zu Ende, die Frau hätte sich doch einfach scheiden lassen können.«

Gunnarstranda holte Luft. Frølich ahnte in seinen Augen einen Funken von Munterkeit. »Du meinst, sie hätte sich all den Ärger ersparen können?«

Sein Tonfall war spöttisch, während sich eine Art fröhliche Erleichterung über sein Gesicht legte. »Manchmal kommt man einem Fall nie auf den Grund, Frølich. Ganz zu schweigen von Menschen.«

Von mir aus, dachte Frank Frølich erschöpft. Aber er musste es ja doch sagen: »Wenn Sonja Hager so entsetzlich gequält wurde, warum hat sie ihre Wut nicht an einer Person ausgelassen, die logischerweise viel näher lag?«

Gunnarstranda starrte zum Haus hoch. Öffnete die Autotür. »Hat sie ja am Ende«, sagte er, lächelte und stieg ein.